楊天石

1936年出生於江蘇興化。1955年畢業於無錫市第一中學。1960年畢業於北京大學中文系文學專門化。現為中央文史研究館資深館員、中國社會科學院榮譽學部委員、中國社會科學院近代史研究所研究員、（北京）清華大學兼職教授、浙江大學客座教授。國家圖書館民國文獻保護工程專家委員會顧問、中華詩詞研究院顧問、《中華書畫家》雜誌顧問、上海《世紀》雜誌顧問、廣東《同舟共進》雜誌編委。中央文史研究館34卷本叢書《中國地域文化通覽》副主編之一。曾任中國文化學會常務副會長兼秘書長，為《中國文化詞典》副主編之一。

長期研究中國文化史、中國近代史、民國史、國民黨史。合著有《中國通史》第12冊，《中華民國史》第1卷、第6卷等。個人著作有《楊天石近代史文存》（5卷本）、《揭開民國史真相》（7卷本）、《楊天石文集》、《尋求歷史的謎底：近代中國的政治與人物》、《近代中國史事鈎沉：海外訪史錄》、《從帝制走向共和：辛亥前後史事發微》、《朱熹及其哲學》、《朱熹》、《朱熹：孔子之後第一儒》、《王陽明》、《泰州學派》、《南社史三種》、《半新半舊齋詩選》、《橫生斜長集》等。主編有《〈百年潮〉精品系列》（12卷）、《中日戰爭國際共同研究》（4卷）等。

楊天石參與寫作的多卷本《中華民國史》獲國家圖書獎榮譽獎。個人著作《尋求歷史的謎底》獲國家教委所屬高校出版社及北京市優秀學術著作獎。《找尋真實的蔣介石：蔣介石日記解讀》第1輯獲全國31家媒體及圖書評論家協會十大圖書獎以及香港十大好書獎，第2輯獲南方讀書節最受讀者關注的歷史著作獎，第3輯及第4輯獲《亞洲週刊》十大好書獎。楊天石著作所獲的獎勵還有孫中山學術著作一等獎、二等獎，中國社會科學院優秀學術著作獎等。《帝制的終結》獲《新京報》2011年度好書獎，是當年該報獎勵的唯一歷史圖書。

找尋真實的蔣介石：蔣介石及其日記解讀（五卷本）

IV

內戰再起與統治崩潰

楊天石 著

① | ②

① 抗戰勝利蔣介石向全國軍民發表廣播演說後巡視重慶市區（1945 年 8 月 15 日）

② 蔣介石祭告孫中山抗戰勝利（1945 年 9 月 3 日）

① ② 　① 蔣介石、毛澤東與赫爾利等人合影（1945 年）

② 蔣介石與毛澤東在第四屆國民參政會上握手（1945 年 9 月 18 日）

③ 　③ 重慶談判成功後，毛澤東與宋子文握手（1945 年 10 月 10 日）

|①|③||⑤|
|②|④||⑥|

① 蔣介石、宋美齡在北平九龍壁前（1945 年 12 月 14 日）
② 蔣介石、宋美齡參觀北平故宮（1945 年 12 月 14 日）
③ 蔣介石、宋美齡在北平西山碧雲寺頂（1945 年 12 月 14 日）
④ 蔣介石在抗戰勝利後慰問北平父老（1945 年 12 月 15 日）
⑤ 蔣介石在故宮太和殿前向北平學生訓話（1945 年 12 月 16 日）
⑥ 蔣介石、宋美齡歡迎馬歇爾（1945 年 12 月 21 日）

① 外交部長王世杰向馬歇爾引見中共代表董必武（1945 年 12 月 29 日）
② 參加政協會的中共代表（1945 年 12 月 29 日）
③ 蔣介石接見參加政協會的各黨派代表（1945 年 12 月 31 日）
④ 蔣介石接見參加政協會的中共代表（1945 年 12 月 31 日）
⑤ 蔣介石於馬歇爾壽宴致詞（1945 年 12 月 31 日）
⑥ 蔣介石接見馬歇爾陪同人員之美國第七艦隊司令柯克（1946 年 2 月 2 日）
⑦ 蔣介石設午宴款待美陸軍總參謀長艾森豪威爾及美國總統特使馬歇爾
　（1946 年 5 月 9 日）

① ② 　　① 蔣介石還都南京謁陵致祭（1946 年 5 月 5 日）
③ 　　② 美國駐華大使司徒雷登呈遞國書之後（1946 年 7 月 19 日）
　　③ 蔣介石悼念原盟軍中國區參謀長史迪威（1946 年 10 月 19 日）

目錄
Contents

林彪三見蔣介石與毛澤東兩晤鄭延卓 *

——皖南事變後國共關係僵局緩解過程中的重要步驟

* 原載香港《獨家人物》2020 年 11—12 月號。

一、皖南事變發生，毛澤東震怒，
一度準備和蔣介石"打到底"

盧溝橋事變爆發後，中共代表周恩來、秦邦憲、林伯渠與國民黨代表蔣介石、張沖、邵力子等在廬山開會。7 月 15 日，中共中央為公佈國共合作發表《宣言》，鄭重提出四項保證：一、孫中山先生的三民主義為中國今日所必需，本黨原為其徹底的實現而奮鬥。二、取消一切推翻國民黨政權的暴動政策及赤化運動，停止以暴力沒收地主土地的政策。三、取消現在的蘇維埃政府，實行民權政治，以期全國政權之統一。四、取消紅軍名義及番號，改編為國民革命軍，受國民政府軍事委員會之管轄，並待命出動，擔任抗日前線之職責。[1] 這"四項保證"，又稱為"四項諾言"。因此，這一《宣言》又被稱為《共赴國難宣言》。它標誌著中國共產黨路線、政策和策略的大轉變，抗日民族統一戰線隨之建立，中國歷史由此進入全民抗戰的新時代。但是，蔣介石卻將這一標誌兩黨合作、團結的《宣言》擱置到 9 月 22 日，才由中央通訊社發表，預示人們，抗日統一戰線之路將很艱難，很坎坷、曲折。

1　《周恩來選集》（上卷），人民出版社 1980 年版，第 77 頁。

　　1940 年 10 月 19 日，國民黨何應欽、白崇禧以正副總參謀長名義發出《皓電》，限令黃河以南的新四軍於一個月內撤到黃河以北，隨後並指定繁昌、銅陵為北移渡江路線。1941 年 1 月 4 日，項英為避免中途被襲，率皖南新四軍軍部和部隊 9000 餘人，秘密離開涇縣雲嶺，不向北，而向在南的茂林地區集結，企圖經過更南的三溪鎮，繞道蘇南北渡。1 月 6 日，當新四軍到達茂林時，第三戰區司令長官顧祝同以"不遵命令"，"企圖竊據蘇南，勾結敵偽，挾制中央"為理由，下令第 32 集團軍總司令上官雲相所部"進剿"。[1] 1 月 8 日，蔣介石日記云："皖南新四軍抗命，向國軍攻擊竄擾，可痛！"[2] 1 月 9 日日記又云："江南新四軍殘部既已衝突，應積極肅清。中共以現勢，決不敢以此叛亂也。"[3] 可見這時，蔣介石仍支持顧祝同的鎮壓行動。此役，新四軍受到國民黨軍隊 7 個師八萬餘人的包圍和襲擊，血戰七晝夜，除 2000 餘人突出重圍外，一部被俘，大部壯烈犧牲。軍長葉挺在與國民黨當局談判時被扣。

　　顧祝同的鎮壓與葉挺被扣代表著蔣介石一次新的反共高潮的頂點。然而，人們不知道的是，1 月 13 日，蔣介石卻在日記中批評白崇禧等行動過頭，中稱："對皖南新四軍衝突，實違反我意旨。白等堅欲在此時整個消滅共黨，誠不識大體與環境之談，明知其不可而強行之，其幼稚言行與十年前毫無進步。可歎。余決令放行，只要其知求饒從命足矣。"[4] 蔣介石的這一內心變化迅速體現到國民政府軍事委員會發言人的言論中。17 日，該委員會通電指責新四軍"抗命叛變"，宣佈取撤銷其番號，革去葉挺職務，交軍法審判。這似乎意味著反共高潮仍在發展。但是同一天，軍委發言人在指責新四軍"擅自行動，非特不向北渡江，而且由涇縣向太平地區南竄，企圖襲擊上官（雲相）總司令部"時，卻宣佈必須採取"維持軍紀上必要之措施"。一個聳人聽聞的"叛變"案，被輕描淡寫地悄悄說成了"軍紀"案，譴責力度上大為削弱。這種"定性"上的重大改變，只能出自蔣介石的授意。[5]

1　《顧祝同關於迅速進剿皖南新四軍給上官雲相的密令》，《皖南事變》，中央黨史出版社 1990 年版，第 118 頁。
2　《蔣介石日記》，1941 年 1 月 8 日。
3　《蔣介石日記》，1941 年 1 月 9 日。
4　《蔣介石日記》，1941 年 1 月 13 日。
5　《皖南事變》，第 124—126 頁。

就在軍事委員會發言人悄悄改變皖南事變"定性"的同時，蔣介石又秘密通知莫斯科：皖南事變"應被看做地方性的軍事事變，不應賦予其政治意義，不應對其作出廣泛反響"。蔣介石向莫斯科保證，這一"事變"，"絕不會影響中央政府和中國共產黨之間的聯繫，而且不會影響他們在抗日戰爭的繼續合作。新四軍的高級將領將被釋放"。[1]蔣介石的這些舉動表明，雖然他反共，但當時的目標是有限的，還需要利用中共，在他的命令和指揮下，和他一起抗日。

皖南事變發生後，毛澤東大為震怒。1月18日，中共中央在《關於皖南的指示》中宣稱："國民黨這一政治步驟，表示他自己已在準備著與我黨決裂，暴露著國民黨破壞抗戰破壞團結的真面目，暴露著他們的陰險毒辣。"[2]同月20日，毛澤東致電周恩來、彭德懷、劉少奇等稱："蔣介石已將我們推到和他完全對立的地位"[3]。23日，毛澤東向劉少奇通報稱："蔣介石一月十七日的命令是全國性突然事變的開始，是全面投降與全面破裂的開始。"[4]25日，毛澤東致電彭德懷等指示："我們須一口咬定，這是日寇與親日派（不說蔣）的計劃"，要求彭等"轉到尖銳對立與尖銳鬥爭的立場"。[5]29日，中共中央政治局召開會議，通過毛澤東起草的《關於目前時局的決定》，中稱："對於蔣介石為首的反動了的大地主大資產階級，我們過去一面鬥爭一面聯合的兩面政策，現在已經不適用了，對於他們，我們現在已經不得不放棄聯合政策，採取單一的鬥爭政策。"[6]此際，毛澤東有過和國民黨開打，"打到四川去"、"同蔣介石打到底"的想法。[7]這樣，"內戰"的可能性就大為增加，國共兩黨的統一戰線關係陷入危局。

然而，日本帝國主義仍在侵略中國，中華民族和日本帝國主義之間的矛盾仍是主要矛盾，這就決定了皖南事變後的危局不會繼續發展，而是逐漸轉變為僵局，以至緩解。毛澤東雖然震怒，準備好和蔣介石決裂，但是他迅速接到

1　《季米特洛夫日記選編》，第 123 頁。

2　《建黨以來重要文獻選編》第 18 冊，第 16 頁。

3　《毛澤東關於蔣介石發佈"一‧一七"命令後國共關係的變化及我之對策致周恩來、彭德懷、劉少奇電》，《皖南事變（資料選輯）》，第 183—184 頁；又見 1941 年 1 月 25 日《我們決不能怕破裂》，《毛澤東文集》卷 2，人民出版社 1992 年版，第 325 頁。

4　《毛澤東關於"一‧一七"命令後形勢的估計給劉少奇的通報》，《皖南事變（資料選輯）》，第 187 頁。

5　《毛澤東關於對蔣介石的鬥爭策略給彭德懷等的電報》，《建黨以來重要文獻選編》第 18 冊，第 45 頁。

6　《中共中央關於目前時局的決定》，《中共中央文件選集》第 13 冊，第 28 頁。

7　參見楊天石主編、楊奎松著：《國民黨的聯共與反共》，第 447 頁。

了共產國際的指示，在日軍繼續侵華的威脅下，不得不改變強硬態度，做出努力，企圖化解和緩和矛盾，繼續維持和維護抗日民族統一戰線。這其間，林彪三見蔣介石與毛澤東兩晤鄭延卓二事值得重點敘述和剖析。

二、共產國際領袖季米特洛夫擔心中國重新爆發內戰，要求中共 "避免決裂"

中國發生皖南事變，共產國際總書記季米特洛夫首先擔心的是中國重新爆發內戰。1941 年 1 月 16 日，其日記云：

> 國民黨和在中國的我方部隊之間的武裝行動。令人不安的消息。重新發生內戰的危險。[1]

季米特洛夫在得到中共報告之後，於 1 月 17 日又得到上述蔣介石從重慶轉告莫斯科的意見。21 日，他和斯大林討論，批評 "葉挺是不守紀律的游擊隊員"，要調查他是否為國民黨發動事變 "提供了藉口"。[2]

1941 年 1 月下旬，日軍集中五個師團以上兵力向國民黨河南駐軍湯恩伯等部進攻，蔣介石被迫提出妥協辦法：華中八路軍展期北移，新四軍歸入八路軍，增編一軍。中共中央便乘此向蔣介石提出解決時局辦法十二條，要求蔣介石 "懸崖勒馬，停止挑釁"。毛澤東也改變原訂方針，於 2 月 2 日致電各中央分局，在嚴厲指責蔣介石 "全力對內的反革命作法" 的同時，聲稱 "只有恢復國內團結，才能抗禦日寇之進攻，挽救國家於危亡"。[3] 2 月 5 日，季米特洛夫致電毛澤東，認為同蔣介石的決裂 "並非不可避免"，要求中共 "不應採取分裂的方針"，"正相反，在依靠主張保存抗日統一戰線的群眾的同時，共產黨應採取一切取決於自己的行動，來避免決裂"。[4] 2 月 14 日，毛澤東致電周恩來，肯

1　《季米特洛夫日記選編》，廣西師範大學出版社 2002 年版，第 121 頁。
2　《季米特洛夫日記》，第 123—124 頁。
3　《中央書記處致各中央分局、工委和八路軍、新四軍負責人》，《毛澤東軍事文集》卷 2，軍事科學出版社等 1993 年版，第 626 頁。
4　《季米特洛夫日記選編》，第 121、126 頁。

定蘇聯武官、國民政府軍事顧問崔可夫"敵必向蔣進攻"的判斷，認為"目前國共是僵局"，主張"用我們的手"縫好被蔣介石撕破的"缺口"。他注意到了蔣在 1 月 17 日前後的態度變化，指出"軍事攻勢將會妨礙蔣介石抗日，是錯誤的政策"[1]。5 月 7 日，日軍向山西南部中條山地區的國民黨軍衛立煌部進攻。14 日，毛澤東指示彭德懷："在日寇此次打擊下，國民黨不能不向我討好，國共地位將發生根本變化，我黨在抗戰中將日益佔據領導地位。"他要求彭"團結對敵"，"配合作戰"。[2]

　　1941 年 12 月 8 日，日軍偷襲珍珠港，太平洋戰爭爆發。12 月 30 日，美國總統羅斯福致電蔣介石，建議成立中國戰區最高統帥部，請蔣出任中國戰區盟軍最高統帥。1942 年 1 月 1 日，中、美、英、蘇、荷蘭等 26 國在華盛頓簽訂共同宣言，世界反法西斯戰爭和中國抗戰都出現了前所未有的好形勢和好局面。2 月 3 日，同盟國發表公告，蔣介石就任中國戰區（包括泰國、越南）盟軍最高統帥，在國際反法西斯戰爭的地位和作用得到加強。

　　6 月 16 日，季米特洛夫再次致電毛澤東，聲稱"目前局勢迫切要求中國共產黨作出一切努力，改善同國民黨的關係，鞏固中國的抗日統一戰線。"電報批評周恩來在重慶的部分做法，要求毛澤東"認真對待這一情況，採取緊急措施"，"避免可能使相互關係尖銳化的一切做法，對於有爭議的問題必須同蔣介石一起澄清解決。"季米特洛夫並要求毛澤東將"採取的措施"和"作出的決定"通知共產國際。[3] 這一次，季米特洛夫的電報起了立竿見影的效果。

　　1942 年 6 月 25 日，毛澤東復電季米特洛夫，表示完全同意共產國際的意見，並已採取了措施。26 日，中共中央做出《關於紀念"七七"抗戰五週年的決定》，指出抗戰已進入第六個年頭，全國軍民必須團結一致，為此必須："擁護蔣委員長領導抗戰建國，加強國共合作，加強全民族的團結，改善各抗日黨派之間的關係。"[4] 7 月 7 日，中共發表宣言，將上述決定公之於世，表示"願

---

1 《毛澤東關於在國共關係僵局中對國民黨的策略致周恩來電》，《皖南事變（資料選輯）》，中共中央黨校出版社 1982 年版，第 208 頁。
2 《團結對敵有效地配合友軍作戰》，《毛澤東軍事文集》卷 2，第 641 頁。
3 《季米特洛夫日記選編》，廣西師範大學出版社 2002 年版，第 198—199 頁。
4 《中央關於紀念"七七"抗戰五周年的決定》，《中共中央文件選集》第 13 冊，第 403—404 頁。

盡自己的能力來與國民黨當局商討解決過去國共兩黨間的爭論問題，來與國民黨及各抗日黨派商討爭取抗戰最後勝利及建設戰後新中國的一切有關問題。"宣言稱："中國共產黨認為：全國軍民必須一致擁護蔣委員長領導抗戰，中國共產黨承認，蔣委員長不僅是抗戰的領導者，而且是戰後新中國建設的領導者。"[1] 1942 年 7 月 9 日，毛澤東致電在山東指導工作的劉少奇，聲稱"我們的方針是極力團結國民黨，設法改善兩黨關係，並強調戰後仍須合作建國。"[2] 這一切表明，中共終於完全擺脫了皖南事變的陰影，認識到要打倒日本帝國主義，必須堅持和維護抗日民族統一戰線。

三、蔣介石擬約毛澤東見面，毛亦擬與蔣相見，周恩來認為"時機尚未成熟"，中共中央決定派林彪先行見蔣

蔣介石注意到了中共 1942 年 7 月 7 日關於擁護自己領導抗日，解決兩黨間爭論問題的表態。8 月 1 日，蔣介石確定"本星期預定工作課目"時，其中有"共黨問題之研究與接洽人選之派定"一條，說明他正在思考改善國共關係，並擬選派代表與中共"接洽"。8 月 14 日，蔣介石於出巡西北前，約見周恩來稱："目前戰爭正殷，敵人不會自撤。中國須自身弄好，則敵人不足懼，國內問題應好好解決。"[3] 他告訴周，並要周電告延安：自己一週後去西安，擬約毛澤東一晤，如不便則不必。毛澤東很重視周轉達的這一消息，於 17 日以中央書記處的名義復電周恩來，表示"現患感冒不能啟程，擬派林彪同志赴西安見蔣，請徵蔣同意。如能徵得蔣同意帶你至西安，你回延面談一次，隨即偕林或朱赴西安更好。"[4] 8 月 15 日，蔣介石到達蘭州，毛澤東又於 19 日再次致電周恩來，聲稱"依目前局勢我似應見蔣，我感冒已十日，過幾天要動也可以。"他說："關

---

1 《解放日報》，1942 年 7 月 7 日。
2 《關於掌握山東問題的指示》，《中共中央文件選集》第 13 冊，第 419 頁。
3 《周恩來關於蔣欲約毛在陝會晤談事致毛澤東電》，《建黨以來重要文獻選編》第 19 冊，第 419 頁。
4 中共中央文獻研究室編：《毛澤東年譜》修訂本（中卷），中央文獻研究室 2013 年版，第 397—398 頁。

於我見蔣，中央亦尚未作最後決定。"[1] 同日，周恩來復電毛澤東，認為蔣毛會面"似嫌過早"，最好林彪或朱德"先打開談判之門"，"如蔣約林或朱隨其來渝，亦可答應，以便打開局面，轉換空氣"。周建議，在"具體談判"進至"有眉目"時，毛才可以到重慶會見蔣介石。[2] 8 月 22 日，中共中央政治局會議決定先派林彪去西安見蔣，看情況再研究毛是否出見。[3]

周恩來之所以不願毛、蔣貿然相見，原因較為複雜。9 月 5 日，周致電毛澤東，說明"時機尚未成熟"。"其理由，首在根本方面：（一）蔣雖趨於政治解決，但他之所謂政治，是要我們屈服，決非民主合作。（二）蔣對我黨我軍的觀念，仍為非合併即大部消滅。（三）蔣對人的觀念，仍包藏禍心，因此可說他對我黨我軍及民主觀念，並無絲毫改變。"在這三條理由之外，周恩來又從"局勢方面"提出蔣、毛會見"並非對我有利"的三條理由："（一）（蔣）正好藉此依他的想法解決西北及國內問題。（二）中共"七七"五週年宣言，本是我黨歷年主張的發展，而他卻認為：由於蘇聯讓步，中共亦不得不屈服。（三）毛出為謀改善根本關係，而蔣正可好利用此機會打擊地方和民主勢力，以陷我於孤立。"周恩來分析，蔣、毛見面的前途可能有兩個：一、表面進行得很和諧，答應解決問題而散。二、約毛來渝開參政會後，藉口留毛長期駐渝，不讓回延（此著萬不能不防）。若如此，於我損失太大。"周稱："我們提議林出勿將話講死，看蔣的態度及要解決的問題如何，再定毛是否出來。"[4]

毛澤東的意見一度和周恩來相反。9 月 3 日，他復電周，認為"目前不在直接利益我方所得之大小，而在乘此國際局勢有利機會及蔣約見機會我去見蔣，將國共關係根本加以改善。這種關係如果做到，即是極大利益，哪怕具體問題一個也不解決也是值得的。"[5] 不過，在政治局做出決定，特別是讀了周恩來 9 月 5 日電之後，他決定"暫不見蔣"。9 月 8 日，他致電周恩來提出："林彪見蔣時，關於我見蔣應說我極願見他，目下身體不大好，俟身體稍好即可出

1　《毛澤東年譜》修訂本（中卷），第 398 頁。
2　《與蔣會面尚非其時》，《周恩來書信選集》，中央文獻出版社 1988 年版，第 223 頁。
3　《毛澤東年譜》修訂本（中卷），第 399 頁。
4　《周恩來致毛澤東的電報》（1942 年 9 月 5 日），《建黨以來重要文獻選編》第 19 冊，442—443 頁。
5　《毛澤東關於同蔣介石會面問題給周恩來的電報》（1942 年 9 月 3 日），《建黨以來重要文獻選編》第 19 冊，第 441 頁。

來會見，不確定時間。"同電提出："目前似已接近國共解決懸案相當恢復和好時機，對於國民黨壓迫各事，應盡力忍耐，不提抗議，以求懸案之解決與和好之恢復。"[1] 電中，毛澤東告訴周恩來，林彪已接到國民黨第 34 集團軍邀請，將於日內動身。

周恩來有長期作統戰工作的經驗。9 月 14 日，他致電毛澤東，認為 "現在國共關係有趨於政治解決的可能，我自應主動的爭取這種可能"。他建議有步驟地 "對國黨爭取談判機會"，但 "如國黨在實際上壓迫過甚，我們仍與之說理，請求解除壓迫太過的事；也要從正面批評，不能默然而息，使其誤認我為屈服，已不復有任何要求"。[2]

9 月 15 日，毛澤東致電周恩來，提醒他："何應欽、朱家驊及西西（CC 系）都將在國共談判時起破壞作用"，"地方勢力及某些小黨派亦不願國共好轉，他們在某種時機亦想起挑撥作用。故對上述兩部分人須極力警戒，不聽他們挑撥的話。" 毛澤東認為："國內關係總是隨國際關係為轉移"；"自蘇德戰起，英美蘇好轉，直至今天，國共間即沒有大的衝突"。毛判斷，蔣介石的 "親蘇"、"和共" 決心已下。他說："在英美蘇未訂具體同盟條約及滇緬路未斷以前，蔣的親蘇、和共決心仍是未下的，在此以後，他才下這個決心。我們估計這個好轉的總方向是定了。目前任務是促成談判，促成具體解決問題。故應避免一切枝節，極力表示好意。"[3] 這通電報說明，毛同意派林彪代替自己見蔣，除了根本改善國共關係的大目的之外，也希望 "具體解決問題"，達成部分小目的。

毛澤東發此電之前一日，林彪已經動身，但為大水所阻，行程遲緩，毛澤東聽說蔣介石已經返回重慶，便要林到西安後要求赴渝，"以期打開商談門路"。

林彪於 1938 年冬赴蘇聯就醫。1941 年 4 月在蘇期間，林彪和季米特洛夫常有來往，詳細聽取過這位共產國際總書記對 "中國共產黨問題" 的意見，林彪也向他陳述了 "自己對中共中央對國民黨的策略性批評意見"。同年 7 月 21 日，林彪和軍事小組準備回國，季米特洛夫曾和他們舉行座談。[4] 這就說明，林

1　《毛澤東關於答覆同蔣介石會面問題給周恩來的電報》，《建黨以來重要文獻選編》第 19 冊，第 448 頁。
2　《周恩來關於目前國共合作中我之方針給毛澤東的電報》，同上書，第 449—450 頁。
3　《毛澤東關於目前任務是促成國共談判給周恩來的電報》，同上書，第 451 頁。
4　《季米特洛夫日記選編》，第 133、134、137、149 頁。

彪回國，帶有共產國際的意見和指示。

　　1942 年初，林彪經新疆迪化回國。1 月 5 日，飛抵蘭州。16 日，抵達西安，談話中提出在中國建立"非帝（帝國主義）、非社（社會主義）的三民主義國家"，認為國共兩黨的分歧在於"如何實行三民主義和如何在公平的基礎上實行軍令、政令之統一"。這些意見，得到國民黨西北主將將領胡宗南的欣賞。1942 年 2 月，林彪回到延安，任中共中央黨校管理委員會成員，主持軍事教育會議，同時，參加整風運動。周恩來因為林彪是黃埔第四期畢業生，和蔣介石有師生關係，又是抗日名將，遂提議以林代毛，去西安見蔣。蔣介石對於林彪這位昔日的學生來見是滿意的，而且，還多少有點惦念。其 9 月 11 日日記云："共黨林彪之不來，何耶？" 9 月 14 日，朱德、彭德懷向蔣介石報告，林彪於本日"首途動身晉謁"，蔣介石高興地批了一個"可"字。[1] 17 日，林彪到達西安。蔣介石已先期返回重慶，留話給林，到重慶面談。

四、林彪到重慶，首見蔣介石，傳達毛澤東"彼此接近，彼此相同，打成一片"的願望，爭取做到現在"徹底統一"，將來"永遠團結"

　　1942 年 10 月 7 日，林彪到達重慶。10 月 13 日下午 5 時，蔣介石在重慶曾家岩官邸召見林彪。林首先說明：毛甚願見蔣，適患感冒未來。蔣即問毛好。接著問：

　　　　汝此次來渝，毛潤之先生有何意見轉告我嗎？

林彪對蔣介石不稱"委員長"，而稱"校長"，以示親切。他答道：自從接得"校長"約定在西安與毛澤東相見的電報後，"毛先生即提出中共中央會議討論，並約我數度談話。"由此可見，林彪此次所談，是毛澤東和中共高層的意見，並非私人見解。

1　《第十八集團軍總司令朱德、副總司令彭德懷呈蔣委員長報告該部師長林彪首途晉謁電》，《中共活動真相》（4），第 236 頁。

林主要談兩點，一是中共"對抗戰建國之觀察"。林稱："此次世界大戰，同盟國必獲最後勝利，固屬毫無問題，因此，中國抗戰必勝，亦屬不成問題。"在談及中國建國目標時林彪首先提出"建設三民主義之國家"，以與國民黨求同。他說：

> 吾人要建設何種之國家，無疑的，乃是建設一三民主義之國家。在民族方面，務必使國內外民族一律平等，而不主張向外侵略，在社會方面，必須依照孫總理民生主義之理想前進，而非走向資本帝國主義之路。

他特別解釋道："我們目前是要建設一個以總理主義與校長的領導為根據的新國家，對內乃最能團結，對外乃最不招各國之攻擊。此種國家，如能建設成功，即可成為世界第一等強國。"

林彪次談"國內統一與團結"。林彪稱："此一問題關係根本重要！吾人要求抗戰勝利與建國成功，必須國內能夠團結，能夠統一。否則，即無成功希望。"他特別提到臨行前毛澤東所表達的"兩黨彼此接近"，以致"打成一片"，"永遠團結"的願望。他說：

> 此次余離延安來重慶時，毛先生一再告余，今後吾兩黨應彼此接近，彼此相同，彼此打成一片，以求現在能徹底統一，更求將來能永遠團結。

他說：

> 此三句口號已成為中共普遍成熟之思想，見之於中共七七宣言，且已成為政治上全黨所一致遵從之行動，誰也不能動搖。因此，就中共言，不僅現在決不採取違反此種思想之畸形政策，即到將來亦必如此；不僅現在要擁護委座，即到將來，亦必擁護。此乃國際國內環境促成我黨思想之進步，而認此種思想完全可以實踐，只要大家於委座領導之下，能一致努力，相信其必能貫徹。蓋瞻望國家戰後之情況與民族復興與之需要，捨此路莫由也。"

談話中，林彪特別強調對蔣介石領導地位的擁護，以安蔣之心。

在談到外面所傳的國共分歧時，林彪從"主義"與"黨"兩方面進行分析，認為"此二者皆可趨於一致。"他從四個方面分析"共產主義"與"三民主義"的相同之點，一是二者"實具共同之理想，所謂'天下為公，世界大同'，認為此乃"此兩主義根本一致之觀點"；二是認為"我黨共產主義之目的，在救中國，與三民主義為救國主義，理論上毫無二致"；三是認為中共"決不能照恩格斯、馬克思、列寧與斯大林所定之具體辦法依樣實行"。他說："蓋恩格斯與馬克思，有恩格斯與馬克思所處之時代環境，而列寧與斯大林，亦有列寧與斯大林所處之時代環境，彼等所主張與所實行者，決不能依樣行之於中國。"儘管如此，林彪強調："此兩主義終結之目的，在求人民生活之解決，則無二致。"這樣，林彪就找到了共產主義和三民主義的第三個共同點。林彪承認，二者也有"其不同者"，這就是"歷史史辯證法"，據林彪說："此法亦無其他奇異之處，語其內容，不過一實事求是之方法而已。"當時，中共正在延安開展"反對主觀主義與教條主義"的"整風運動"，林彪據此聲稱，中共"不主張將恩格斯、馬克思、列寧與斯大林的教條，主觀的搬來中國應用"，因此，中共的"歷史辯證法"不過是"與中國通常最注重之實事求是方法，可謂完全相同"。根據以上分析，林彪認為，"就兩黨之理論方法，所處同一之客觀形勢、所抱同一之總目的"等方面而言，"兩黨並無分歧之點"。林彪由此推斷，只要兩黨"認識救國之需要，以共趨於救國之鵠的，則客觀需要如何設施，即如何設施，自然能歸於一致"。林彪表示："孫總理在三民主義中所指示的革命救國之方略，與校長對於抗戰建國所規定之方針，凡此規定，中共均無異議。本此努力，相信我兩黨基本之政策與理論，即可日趨一致，而臻於完全之統一。"

關於"黨"，林彪稱：我黨名稱雖為共產黨，實際即為救國之黨。過去所制定之所謂十大綱領、三大綱領，語其要旨，不外求民族之獨立、民權之平等，與民生之自由。關於中共黨員的"組成份子"，林彪分析，老輩同志和國民黨諸先進一樣，是辛亥革命的參加者；青年同志，當初亦皆首先參加國民黨，後來才轉入共產黨。他以本人為例，說明當時乃"完全激於救國之熱忱，本於救國之一念，故投身黃埔，加入國民黨"。為了拉近和蔣介石的關係，林彪特別說明：至今在我腦海中所留最深刻的印象，厥為"校長當日之訓誨"。林彪聲稱，"以後因認識共產黨為救國的，始加入共產黨"，"我之根本思想，在於救國，決無改易"。他坦陳：凡屬中共黨員，皆未讀過很多之共產主義書籍，只以目擊當時帝國主義者所實施於中國之侵略壓迫，激於義憤，心切雪恥救國，故相率入黨。此輩皆係知識份子，並非無產階級——中國現在尚無大規模之工廠，純粹之無產階級尚不多見——即不能以無產階級革命黨目之。他說："中國目前既尚在救國之階段，即國共兩黨目前唯一共同之任務即在救國，此客觀事實之需要與時代之使命既屬相同，然則兩黨之間，尚有何鴻溝之可言！"

關於社會主義，林彪稱：這是一種社會科學之理論，並非共產黨所獨有之思想，"不過任何國家如條件未具備，時機尚未成熟，即不能實現社會革命！否則，必致失敗！如我中國現在所急需者為挽救危凶，距離社會革命，尚極遼遠，在此抗戰建國之過程中，一切必須依照救國之條件進行，始克有濟。否則，倘在此時一味仿效蘇聯，實行共產主義，則必歸於失敗。"

關於社會革命是否須經過流血鬥爭問題，林彪稱："有須流血者，有不須流血者。""我中國目前既無社會革命之事實，對於此點根本不成問題，即令將來有社會革命之必要，亦不必經過流血，只須自動的根據客觀事實之需要，加以改革，即可成功。"

林彪認為："固然過去在中共黨員中，尚有許多教條主義與主觀主義之幼稚現象，但現在已完全改正。"他極為樂觀地估計：今後如能作到"彼此接近，彼此相同，彼此打成一片"，"則將來國共兩黨也許可以合為一"。他表示，目前因為彼此作風各異，一時尚難強同，但依據三民主義與抗戰建國綱領共同努力，必可共趨於團結抗戰與統一建國之鵠的。他說，中共所希望者，是在委座領導之下，"奠定穩固基礎，以底於最後之成功"。

林彪的這段談話，顯然經過精心的準備，力圖拉近共產主義和三民主義、共產黨和國民黨之間的關係，實現毛澤東要將"國共根本關係加以改善"的大目的。

林彪最後談到：一部分人總是希望挑起內戰。他說："須知中國社會之特點，決不容國內再發生戰爭。"又談到："國內黨派問題，亦不是用兵所能解決。""總之，無論就中國之社會、地理、經濟與軍事各方面而論，皆希望中國從此能統一團結，而不再發生內戰。"

談話末尾，林彪特別聲明："毛先生此次本願應召與校長會晤，因病未能如願，以後希望兩黨能互相派人來往，以資聯絡。"[1]

林彪談話期間，蔣介石一直靜聽，頻頻點頭，沒有插話。據張治中事後告訴周恩來稱："林對蔣談話前數段甚好，蔣甚有興趣聽，態度甚好，後一段提到內戰危險，蔣不能耐，數看手錶。"[2] 談話結束前，蔣問林：汝在重慶尚有幾日勾留？約定在林離開重慶前，再召見談話一次。

林彪對蔣介石的這次談話，強調國共兩黨的相同之處，表達和解、團結的願望，對兩黨在建國目標上的歧異，則諱言或少言。當日蔣介石在日記中云："林彪奉其共黨之命來見，幼稚可歎！"何處"幼稚"？蔣介石沒有解釋，但是，林彪的這次談話對解除蔣介石的疑慮、緩和皖南事變以後突然緊張起來的國共關係，顯然有促進作用。

五、國民黨派鄭延卓等慰問陝北水災，
　　毛澤東與鄭第一次談話

1942 年 11 月上旬，因陝北發生七八十年未曾有過的大水，國民黨重慶派賑災委員會委員鄭延卓、專員梁建華、上校參謀周勵武三人赴延安賑災。11 月 11 日，毛澤東與朱德、林伯渠致電八路軍駐西安辦事處，表示歡迎。[3] 17 日，鄭等三人抵達延安，收到葉劍英、林伯渠、李鼎銘等人的歡迎。其後，鄭彥卓等先後與毛澤東、朱德、葉劍英、王稼穡、高崗、蕭勁光、賀龍、徐向前、林伯渠等晤面，21 日，鄭彥卓等將毛澤東等中共領導人的談話匯總報告：

（一）目前國共問題，不僅為國共兩黨之問題，而是整個中華民族之問題。抗戰期間，（兩黨之間）並無問題；戰後建國期間，（兩黨就會發生）"和"與"戰"之問題。在目前國際局勢下，國共問題丞須解決。

---

1 《蔣委員長召見 115 師師長林彪談話記錄》，《中共活動真相》（4），第 236—242 頁。
2 《周恩來關於林彪見蔣介石及同張治中、劉斐談話情形給毛澤東的電報》，《建黨以來重要文獻選編》第 19 冊，第 500 頁。
3 《毛澤東年譜》修訂本（中卷），第 411 頁。

（二）國民黨在黨政軍各方面均佔統制之地位，共產黨若將國民黨推翻實不可能，然共產黨擁有數十萬軍隊，如國民黨欲將共產黨消滅，則共產黨亦只有上山。

（三）中國為兩頭小、中間大之社會，即無產與資產階級均佔極少數，而中產與小資產階級佔絕對多數，故現階段實為民主革命，而非平民革命之過程。如謂中國現在能實行共產主義，實為笑話，現在共產黨所實行者均為《抗戰建國綱領》，故共產黨極願擁護國民政府，即蔣委員長領導抗戰建國。

（四）自新四軍事件後，國共關係幾至斷絕，共產黨前派林彪赴渝晉謁委座，請求解決邊區問題，提供意見，懇中央予以採納，准予擴編十八集團軍為三軍九師，新四軍為一軍，撥歸十八集團軍指揮，並希望中央早日釋放葉挺。

（五）請求中央按陝甘寧邊區現有區域，予以聲明加委，並解除對邊區之封鎖。

（六）目前國民黨保持強大軍隊，如共產黨將所有軍隊取消，則全部黨員將被解體，希望中央能予以公允整編，至政令、軍令之統一問題，原則上接受，如所發命令中含有毒素，則不能接受。再對於新四軍移防問題，待形勢許可後方可遵行。

（七）陝西工事，被洪水沖壞之處極多，尤以吳堡縣宋家川以南為最，希望中央能撥款修築，否則敵人渡過河西，竄擾為患，吾輩將不能負責。[1]

鄭延卓的這一彙報，概括而言，並未指出哪一條出自毛澤東。不過，鄭延卓係向上峰報告，自應力求準確、可靠，不會亂加己見。其中所稱"現階段實為民主革命"，"現在能實行共產主義，實為笑話"等語，確係當時中共的主張，是中共力圖澄清的一種誤解。

六、毛澤東與鄭延卓的第二次談話

鄭延卓等在延安期間，參觀了許多地方，接談了幾十個人。12 月 1 日，鄭

---

1 《毛澤東等與鄭延卓談話詳情》（最機密），台北中國國民黨黨史館藏，特 29/6.16。

彥卓等將離開延安，返回重慶，毛澤東再次與鄭等談話。據鄭所寫彙報，其內容為：

一、毛澤東稱：中國根據歷史的相沿，現在不獨絕對不能行共產主義，且不能行蘇聯之新經濟主義，甚至目前要實行三民主義之民生主義，亦未必可能，因中國社會，始終仍保存著七分封建，三分民主，故吾人（毛自稱）不願繆然實行共產主義。

二、根據上項之認識，中國共產黨極願以至誠來幫助國民黨實行三民主義，尤其民生主義，如果實行順利，進一步即可實行共產主義，此即國父所謂 "民生主義即共產主義" 之真義。

三、中共不一定要保持武力，惟目前如果沒有武力，則黨必不能存在，黨倚附軍隊而存在，乃不可掩飾之事實，但中共能取得黨的合法地位，則可放棄軍隊。

四、中共軍隊極希望軍隊改編，合新四軍編為四個軍，轄十二師，此系事實需要。

五、中共在敵後所建立之政權，系政府所放棄之地區，並非中共破壞行政。

六、中共佈散敵後之政權與軍隊，至少可以牽制敵軍十三個師團，即此一點，中共對於抗戰亦可告無罪。[1]

談話中，毛澤東再次強調，不會匆匆實行社會主義和共產主義，特別引述孫中山的言論，說明民生主義和共產主義的關係，目的仍在消除國民黨和一般人士對社會主義和共產主義的恐懼和誤解。談話後，毛曾將所談內容大略致電告周恩來與林彪。毛稱：談到邊區，"我說區域維持現狀，人員加以委任"。談到軍隊，"我說應編四軍十二師。此外停捉、停打、停封，發餉、發彈、發藥"。談到三民主義，"我說現應實行七分資本三分封建的民生（權？）主義，議會制的民權主義。"談到社會主義，"我說將來要實行的，現在無條件"。[2] 談話中，毛澤東還誇讚蔣介石是全面人才，說國民黨大有希望。[3]

1 《鄭延卓在延安與與毛澤東談話摘要》，台北中國國民黨黨史館藏，特 29/6.20。
2 《毛澤東年譜》修訂本（中卷），第 416 頁。
3 《毛澤東致周恩來、林彪電》（1943 年 1 月 1 日），轉引自楊天石主編、楊奎松著：《國民黨的聯共與反共》，第 472 頁。

將鄭延卓的彙報與毛澤東致周恩來、林彪電所述比較，可見彙報大致有據，但並不很準確。談話中，鄭延卓要求毛寫一信致蔣，毛當即揮毫：

> 前承寵召，適染微恙，故派林彪同志晉謁。嗣後如有垂詢，敬乞隨時示知，自當趨輶聆教。鄭委員延卓兄來延，宣佈中央德意，惠及災黎，軍民同感。此間近情，已具告鄭兄，託其轉陳，以備採擇。鄭兄返渝之便，特肅寸楮，藉致梱忱。敬頌勳祺不具。[1]

函中，毛澤東首先解釋，前此之所以派林彪赴重慶的原因，表示今後蔣如有垂詢，當親赴重慶"聆教"，並對鄭延卓的來延表示感謝。

當晚，邊區政府、邊區參議會、八路軍留守兵團舉行歡送晚會。

七、鄭延卓返渝，攜回朱德與林伯渠的感謝信，
彙報毛澤東的 12 條意見

12月2日，鄭延卓等帶著朱德、林伯渠的兩封信返回重慶。朱德函彙報八路軍"堅持華北陣地"，實行反掃蕩、反蠶食鬥爭的情況，要求蔣介石"時賜指示，俾有遵循"。林伯渠函彙報陝北水災災情，聲稱"今日救中國第一任務在驅逐日寇，欲驅逐日寇，必須實行三民主義。三民主義之實際在於改善民生，否則無由發展民力。"函末，林伯渠代表陝北"災黎"向蔣介石"泥首鳴謝"，並向蔣贈送陝北皮統、小米等土產，以示敬意。

除了帶回朱德和林伯渠的兩封信函，鄭延卓還寫了份綜合性的報告《毛澤東談話及共黨內部要聞》。其中第一部分為《毛澤東面稱》，共12條：

> 1. 此次大戰後，短期內，英美不會打蘇聯，至少英蘇條約二十年內如此，此一壁壘，可無問題，中國國內則國共兩黨之和戰問題。
> 2. 中國戰後應為三民主義共和國。國民黨為主，共產黨及其他政黨為輔。

---

1 《毛澤東致介石委員長函》（原件），台北"國史館"藏，002-020300-00050-047；又見《毛澤東年譜》修訂本（中卷），第416頁。

3. 中國目前不能談社會主義，因中國無資本可言。

4. 中國最近若干年不僅不能實行社會主義，即民生主義亦不能即刻實行，如節制資本。中國目前應為一個三分封建七分資本的國家。一面保存土地私有權，同時凡國家不能或無力經營之企業及其他有關經濟事業，應一律極力協助民營，方能確立國際間真正的平等地位。

5. 對土地改革，共產黨極有經驗，認為須實行減租減息，與交租交息，以保障佃農之善良生活及地主之適當利益，始能行之無流弊。

6. 中國二十年內，應以一萬萬農業人口，轉為工業人口為目標，方能進入現代化國家之階段。

7. 中國將來必漸進為社會主義國家時期，或為數十年，或為數百年，客觀條件具備，應為和平轉變。但此時如仍有少數人頑固堅持，或難於激烈變化。

8. 軍隊問題。請中央將十八集團軍編為三軍九師，新四軍更改番號，另編為一軍三師。如此則可一律渡過黃河以北。但實行整編時，應請中央選擇有利之時機與路線調動，因淪陷區敵軍壓迫，若不注意實際情況，即將受敵人壓迫也。能照此辦理，本人立刻可簽字實行。至於軍政，當服從中央辦法，並請派員糾正。

9. 炸藥並不需要大量發給，但希望多發火藥，俾各部隊能自製手榴彈、槍彈。

10. 戰後請中央指定十八集團軍駐防地點，聽候調遣。待將來憲法實施，共黨合法存在得有保障，國民黨無消滅共黨之誠意，則十八集團軍可以取消。

11. 中央所望於共黨者，最好能交出軍隊，否則使在晉、冀、魯等省，其力量足以抗日，而不致危害國民黨，亦甚為得計。

12. 編軍後，邊區問題可從容計議，以能使中央承認為第一義。

鄭延卓彙報的第二部分為共黨內部問題，第三部分為軍政情形。鄭稱："現在軍隊約五十餘萬，現以廿五萬為精簡目標"。關於民眾方面，鄭稱："共黨取之有道，似不甚苛擾。共黨亦頗買好民心，經多方考詢，似尚無怨言也。"[1]

綜合上述鄭延卓報告，中共當時實行的是平穩、實際，既不激進，也不柔

1 《朱德、林祖涵、鄭延卓等呈蔣中正懇賜指示俾有所遵循，及與毛澤東談話要點與共產黨內部要聞等情報月報表》，台北"國史館"藏，002-080104-00008-008。

弱，既不"左"，也不右的政策，以抗日救國為第一義，表示尊奉三民主義，擁護國民黨和蔣介石領導抗日。同時聲明，社會主義是遙遠的未來的事情，不會像蘇聯一樣急急忙忙搞社會主義和社會革命。這對於解除國民黨人的"恐共"情緒，自然有利。國民黨人所最擔心的是中共有地盤、有軍隊，但中共方面表示，邊區軍隊以能抗日而不危害國民黨為限，中共甚至表示，戰後十八集團軍的駐防地點可以聽從調遣，在中共取得合法地位，國民黨確無消滅共產黨之意時，十八集團軍亦可"取消"。這在國民黨人看來，自然是很大的讓步。

八、中共對國民黨五屆十中全會的肯定

1942 年 11 月 12 日至 27 日，國民黨在重慶舉行五屆十中全會。會上，國共關係即出現和緩現象。26 日，五屆十中全會召開第 12 次全體會議，蔣介石主持。他在會上表示："對共產黨仍本寬大政策，只要今後不違反法令，不擾亂社會秩序，不組織軍隊割裂地方，不妨礙抗戰，不破壞統一，並能履行二十六年九月二十二日共赴國難之宣言，服從政府命令，忠實的實現三民主義，自可與全國軍民一視同仁。"當日晚，與會代表集會研究，通過《對共產黨政策之研究結果案》，該案宣稱：敬謹接受蔣介石"經審慎考慮而發表之指示"，聲稱只要"徹底覺悟，服從法令、嚴守紀律，精誠奉行三民主義"，"則不問其過去之思想與行動如何，亦不問其為團體或為個人，政府當一視同仁，不特不予歧視，而且保障其公民應得之權力與自由。"

五屆十中全會閉幕之日，會議發表《宣言》，其中"集中建國意志"一段稱："今日吾國欲起死回生，勿負此千載一時之良機，則對外必須互助合作，實現人類平等之公理，對內尤必須共同團結，共矢精誠無間之決心。"又稱："中國至於今日，已不應再有所謂政見之異同，亦不容同在興亡關頭之國民再有互相猜忌、互相排拒、互相牽制妨礙之現象。"《宣言》重申《對共產黨政策之研究結果案》提出的相關思想，宣稱將一體尊重各團體、各個人"其貢獻能力效忠國家之機會"，"必有舉國一致之真誠團結，而後乃能負起空前艱巨之使命"。這一段話，明顯針對中共而言。

中共迅速注意到了國民黨五屆十中全會的變化。11月29日，兩天之後，中共中央即向全黨發出指示，認為這是中共長期努力和國民黨人經過長期思考之後的結果。發言人稱：

> 十中全會的決議，表示了這種解決的原則，一言以蔽之，就是要求我們不超出他們嚴格的範圍，他們則答應和我們合作。十中全會的這一處置，是我們和他們長期接洽及他們經過許多的動搖猶豫之後才決定的。最近十月間，我們派了林彪同志去延安，十一月他們派了鄭延卓來延安。十中全會的這一決議，對於從1939年到現在四個年頭的國共不良關係，做了一個總結，是對於我們今年七七宣言的回答，開闢了今後兩黨繼續合作及具體談判與解決過去存在著的兩黨爭論問題的途徑，雖然這些爭論問題還不見得很快能完全解決。[1]

同日，中共中央發言人發表評論，肯定五屆十中全會宣言的許多觀點"都是很對的"，"由此足證在對外對內的最重要政策上，國共兩黨之見地，基本上並無二致"。對此，發言人表示，"實足慶幸"。對於"特種研究委員會"的報告，發言人認為和中共1937年9月20日所發表的《共赴國難宣言》的"基本精神"，"亦並無歧異之處"。發言人稱："此種表示，實為吾人多年以來之竭誠要求，今獲此種明確之宣告，慶幸尤深。"[2] 12月12日，中共南方局在《關於國共關係的報告提綱》中說："十中全會的宣言的精神是好的，是值得讚揚的。"又說："十中全會的宣言和決議已不是內戰危機的擴大，而是由軍事解決向政治解決的開始，也就是好轉的開始。"[3]

---

1 《中共中央關於國民黨十中全會問題的指示》，《建黨以來重要文獻選編》第19冊，中央文獻出版社版，第545—546頁。
2 《中共中央發言人評國民黨十中全會》，《建黨以來重要文獻選編》第19冊，第547—548頁。
3 《統一戰線工作》，《南方局黨史資料》，重慶出版社1990年版，第84頁。

九、林彪再次會見蔣介石，要求"三停""二編"，
蔣介石稱讚中共"愛國"，"有思想"，
是"國家的人才"

12 月 14 日，林彪接到蔣介石召見的通知。16 日上午，周恩來向林彪指示見蔣時的談話要點。午後，由張治中陪同見蔣，約談 45 分鐘。林彪向蔣介石介紹了中共向黨內外發佈擁護五屆十中全會的宣言與解決的情況，聲稱：中共"擁蔣為民族領袖確是誠意"。接著，林彪提出"三停"（停止全國軍事進攻、停止全國政治壓迫、停止對《新華日報》的壓迫）和"二編"（允許中共軍隊編兩個集團軍）以及發餉、發彈、發點藥品等要求，並對派鄭延卓去延安賑災表示感謝，預言"雙方今後當更接近。[1] 蔣介石表示了五點意見：

1. 統一團結問題，他們是誠意的，不是政治手段。希望能真正團結，希望大家在政令下工作。

2. 各政治團體要集中起來，所有問題應求解決，並要求整個解決，很快的解決，越快越好，不要拖拖沓沓的零零碎碎。

3. 只要他一天活著，解決問題與問題解決後，總會更合乎公道的，不讓我們吃虧的。他死了就管不了。中共是愛國的，有思想的，是國家的人才，國家是愛惜人才的，不會偏私的，一視同仁的。

4. 過去革命五年的十年的隨便過去了，現在當求國家問題解決後，國家必能一日千里的進步。

5. 答應發給藥品。如果我不離開重慶有了時間可去找他，離重慶後，日過要再來亦可以的。

蔣林談話結束後，張治中陪同退下。歸途中，張治中對林彪說："蔣先生既說願意解決問題，你們可以提出具體意見，與他商量。"張稱：蔣此次是很誠意認真的。[2]

林彪此次談話，目的之一是新四軍更改番號和另編一軍三師的問題。但是，當林彪提到"新四軍"三字時，蔣介石立即打斷，插言說："你們既然擁護

1　《林彪關於同蔣介石談話經過的報告》，《建黨以來重要文獻選編》第 19 冊，第 584—585 頁。
2　同上，第 584 頁。

政府、委員長，而又提新四軍，在報紙上、文章中皆是新四軍。承認新四軍等於不承認政府。今後切勿再提新四軍。"他面紅耳赤地提醒林彪："你再提，我不聽。"並說："你是我的學生，才告訴你這些話。對別人，我還沒有說過。"[1]

十、周恩來、林彪代表中共，提出四項要求

當日，周恩來、林彪致電毛澤東與中共中央書記處，報告蔣介石"快解決"、"整個解決"的意見，提出擬乘林彪在此，主動就中共合法化，軍隊擴編、邊區改行政區、重新區分作戰區等四個問題找張治中商談，藉以推動局勢的好轉。[2] 12月18日，中共中央書記處復電周、林二人，指示四點：1. 在允許合法化條件下，可同意國民黨到邊區及敵後辦黨。2. 軍隊要求編四軍十二師。3. 邊區可改為行政區，人員與地境均不動。4. 黃河以南部隊，確定戰後移至黃河以北，但目前只能做準備工作，不能實行移動。電稱，"以上各點，毛對鄭延卓均有明確指示，請據此交涉。"[3]

此後，周恩來、林彪即多次到重慶曾家岩桂園張治中住處會談。據張治中回憶，彼此曾談過許多次，談談歇歇，歇歇談談，直到12月26日，才由周恩來把他們的最後意見一字一句地唸給他聽，"我也一字一句地抄下來，抄完後再念給他們聽，認為無誤"，其結果由張治中交給何應欽：

> 1. 黨的問題，在抗戰建國綱領下取得合法地位，並實行三民主義，中央亦可在中共地區辦黨辦報。
> 2. 軍隊問題，希望編四軍十二師，請按中央軍隊待遇。
> 3. 陝北邊區，照原地區改為行政區，其他各區另行改組，實行中央法令。
> 4. 作戰區域，原則上接受中央開往黃河以北地區之規定，但現在只能

---

1 《林彪關於同蔣介石談話經過的報告》，《建黨以來重要文獻選編》第 19 冊，第 584—585 頁。
2 《周恩來、林彪關於國共談判條件問題的請示》，《建黨以來重要文獻選編》第 19 冊，第 583 頁。
3 同上，第 582 頁。

作準備佈置，戰事完畢，保證立即實施；如戰時情況可能（如總反攻時），亦可商承移動。[1]

可以看出，上列四項，基本上就是 12 月 18 日的中共中央對周、林二人的批復。將周恩來口授的這四點和中共中央書記處指示周恩來、林彪的四點比較，文字上、提法上略有不同，基本精神完全一致，對這四項，張治中覺得可以接受，證明中共確已讓步，並確有合作抗日的誠意，但參謀總長何應欽則對此強烈反對。

十一、何應欽逐條批駁中共四項要求及其與 周恩來、林彪的會談

12 月 31 日，何應欽上書蔣介石，對中共四項要求逐項提出批駁意見。對第一項，何認為："如准其取得合法地位"，"則將使防制工作完全失效"；對"中共地區"一詞，何認為"根本上不能承認"，否則"等於承認在中國若干地區尚有第二個政府"。對第二項，何認為新四軍番號業已取消，"如再准其編為四軍十二師，則無異多予以九個擅自擴軍之工具"。對第三項，何認為，對中共，"能解決即解決之"，如其時機未到，"則不妨使其停止於非法地位，留待將來之解決"。對第四項，何認為："軍令絕對尊嚴，隨時依情況而頒發之命令，必須絕對遵行，立時行動，絕無所謂'商承'"。其《結論》則稱：判斷林、周此次所提四項要求，係根據本黨所示寬大政策而來，其目的在於取得黨政軍各方面的合法地位，不能認為有"悔禍誠意"。他明確表態說："本黨寬大政策之作用，應為瓦解中共，絕非培養中共。故林、周所提四項，不能作為商談基礎。"[2]

不過，何應欽也沒有將話說絕，他提出如須商談，則必須以"中共不應有軍隊"，"不應在各地方擅立非法政府"為商談基礎。如此兩原則中共不肯接

---

1 《林彪、周恩來與張部長談話後所提四項要求》，《中共活動真相》（4），第 248 頁，另見《張治中回憶錄》，華文出版社 2007 年版，第 425 頁。

2 《參謀總長何應欽呈蔣委員長就林彪周恩來所提要求四項排列並附具體研究意見列表簽呈鑒核》，《中共活動真相》（4），第 243—245 頁。

受，則"不必強求商談，盡可加緊防制，使其停止於非法地位，以期動搖其地位，增加其苦悶，俾便未來之解決"。[1]

很長時期內，人們一直指斥國民黨內的頑固派。這一派，立場死硬，在任何條件下都不肯向中共作一絲實質性讓步。何應欽這裡所言，就是典型的頑固派語言。

最後，何應欽提出："如採取敷衍態度，似可告以此事牽涉太多，並令林彪先行離去。"[2]

何應欽的"敷衍"方案當然不能使周恩來、林彪二人滿意。二人一再約談。1943年1月9日，張治中與周恩來和林彪談稱：中共所提四項要求同國民黨中央的希望相距太遠，與何應欽、白崇禧的皓電相距也遠，軍隊編為十二師太多，軍隊北移必須限期開動。3月28日，何應欽約見周、林二人，提出國民黨軍韓德勤部在漣水北六塘河被新四軍圍攻及十八集團軍企圖攻佔榆林等五項事件，聲稱"目前最緊要的，是精誠團結一致對外，尤其先應在淪陷區內，雙方部隊應協同合作，不能再有摩擦發生"。對於何應欽所舉各事，周恩來一一作了解釋。認為北六塘事件係顧祝同部下級軍官不了解"彼此聯絡情形"，因而造成的衝突與誤會。他說："陳毅與韓（德勤）主席年來相處甚善。"對其他事情，周恩來表示：尚不知情，想不會有此等事，俟查出後再報告。對於十八集團軍企圖攻佔榆林一事，周恩來稱："這完全是謠言。我敢擔保絕對不會有。"林彪也擔保"不會發生這種事"，"恐係傳誤"。[3]

何應欽繼稱："前次張部長（治中）對我談'大家團結制敵'的話，我聽後非常興奮。在目前我們要團結集中力量，一致對外。敵人一貫政策，是以華制華，如敵現在淪陷區內之一切措施，及加強偽軍裝備等都是要達到他們以華制華的目的，同時並進行挑撥離間，使我們內部不能團結，減削對敵力量。如果我們中了敵人的詭計，將來只有同歸於盡，所以目前應解決的迫切問題，雙方不能再有衝突。"

---

1 《參謀總長何應欽呈蔣委員長就林彪周恩來所提要求四項排列並附具體研究意見列表簽呈鑒核》，《中共活動真相》（4），第246頁。
2 同上，第246頁。
3 《三十二年三月二十八日何總長與周恩來、林彪談話紀要》，《中共活動真相》（4），第248—249頁。

何應欽既然講起大道理，自然，周恩來也還之以大道理。他說："總長所言，至為真確。就目前國際環境觀察，我們勝利在望，但在未勝利之前，其間尚有一段艱辛過程，在這艱辛過程中，我們能效力於國家的，是希望在淪陷區以內站得住，以備將來對敵總反攻之助。"他以中共中央去年七七抗戰宣言及《告第十八集團軍及新四軍將士書》為例，說明中共強調要"堅持敵後工作"。關於"在淪陷區內避免衝突"一節，周恩來表示，"延安方面亦有此種決定"，"當接受總長指示，電告延安，也請總長電前方各部隊，應避免衝突。"

會談最後，周恩來請示：1. 由張治中轉報各點，如何解決？2. 林師長擬於返延安前，與周同見委員長一次，請總長代為請示。林彪稱：延安方面，很希望兩黨問題解決，徹底合作。彼此在現階段能做到如何程度，即做到如何程度。如此則對整個問題，多少有些促進與改善。何應欽答："所請各點，待我請示委座後，結果如何？由張部長轉告。"[1]

4月2日，何應欽向蔣介石呈遞報告，聲稱"中共一面雖由林、周等在渝商談，但一面其不法行為，仍不斷發生"，再次指責中共無"悔禍誠意"。他說："如中共不於事實上有服從中央軍令軍政之表現，則其他一切似均談不到，在現在情況之下，縱與商談，亦恐難得結果。"何建議，由林、周轉告朱德，嚴飭中共所屬在淪陷區內部隊，"立即停止對友軍之攻擊、襲擊或壓迫及其他一切不法行為，俟有確實表現後再談。"[2] 報告送到蔣介石處，蔣即根據何意批云："必須其對中央軍政軍令，有服從事實之表現，方可與之具體談話。照現時情形無從談起，如其不來談，則可不必再復。"[3] 這樣，中共的四項要求就被蔣介石與何應欽擱置下來了。1942年9月11日，毛澤東曾致周恩來電提醒，何應欽、朱家驊及CC系等將在國共談判時"起破壞作用"，果然。

1　《三十二年三月二十八日何總長與周恩來、林彪談話紀要》，《中共活動真相》（4），第251頁。
2　《參謀長在何應欽簽呈蔣委員長報告與周恩來、林彪談話情形》，《中共活動真相》（4），第246—247頁。
3　《中共活動真相》（4），第247頁。

十二、周恩來、林彪北歸與中共中央對 "和國" 方針的確認

1943 年 5 月 8 日，毛澤東復電周恩來和林彪，告知國民黨的聯絡參謀徐佛觀、郭仲容已到延安，"國民黨可能對我好一點"，要求《解放日報》及各根據地報紙 "還是一點也不刺激國民黨"[1]。同月 18 日，毛澤東致電彭德懷，指示 "我軍配合作戰部隊必須避免與國民黨軍隊任何衝突，避免給國民黨任何藉口"，5 月 26 日，再電彭德懷，指示其 "極力避免大的軍事衝突，使彼方一切力量均用在對敵上"。[2]

5 月 22 日，共產國際發佈《解散共產國際的決議》，中共中央書記通知周恩來返回延安，討論 "中國的政策"。6 月 4 日，周恩來約見張治中，張轉告何應欽的意見，前方摩擦繼續，情況不明，談判須 "擱一擱"。周告張林彪決定回延，自己也擬回延，找尋更好的辦法，希望與林一起再見蔣介石一次。7 日上午，二人再次見蔣，蔣同意二人回延。在二人來見之前，蔣介石正因總指揮周至柔使空軍遭受 "最大犧牲" 而對其大發脾氣，但在見周、林這兩位 "敵黨" 代表時，卻能中和得體，"心平氣和，應付自如"，內心頗為得意。[3] 6 月 10 日，蔣介石致函毛澤東云："去臘鄭延卓委員回南，接奉手示，以無便友，故稽延未復。茲乘周、林二同志回延之機，特泐數行，以伸悃忱。如能駕渝惠晤，尤為欣慰。未盡之意，已囑周、林二同志面達。"[4] 信稱周、林 "二同志"，寫得頗為熱情、謙和，並無一絲 "敵" 意。蔣介石邀請毛澤東訪問重慶，至少是對中共做了一個相當友好的表示。

6 月 16 日，毛澤東主持中共中央政治局會議，肯定 "兩年來我黨採取 '和國' 方針" 的正確性，"不刺激國民黨，也沒有在報紙上反對國民黨"，"不採用決裂態度"，目的在於 "把同盟者國民黨的力量用去對付日本"。[5] 7 月 2 日，毛澤東又為《解放日報》起草《中共中央為抗戰六週年紀念宣言》，聲稱 "抗日

---

1 《毛澤東年譜》修訂本（中卷），第 438 頁。
2 《毛澤東年譜》修訂本（中卷），第 438、443 頁。
3 《蔣介石日記》，1943 年 6 月 7 日。
4 《事略稿本》第 53 冊，台北 "國史館" 2011 年版，第 599—600 頁。
5 《毛澤東年譜》修訂本（中卷），第 445 頁。

戰爭應該是始於團結，終於團結，團結是全國人民抗日的基礎"，這就進一步展示了中共以國家、民族利益為重，力圖維護抗日民族統一戰線的願望。[1] 13 日，毛澤東主持中共中央政治局會議，再次肯定"過去兩年來採取不刺激國民黨的政策是正確的"[2]

然而，世事常常複雜而曲折。6 月 28 日，周恩來、林彪、鄧穎超等一百餘人離開重慶，路上卻走得很不平安、很不順當。由於共產國際解散，國內部分人躍躍欲動，企圖掀起第三次反共高潮。7 月 3 日，胡宗南所部軍隊侵入邊區，毛澤東立即指示歸途中的周、林，在西安加以探詢，向胡說明"軍事衝突對抗戰團結之利害"。4 日，再電二人，"有數日內爆發戰爭可能，內戰危機，空前嚴重"，要二人再與胡交涉。7 日，第三次致電二人，"胡宗南進攻部署已完"，請努力"設法轉圜，力求避免戰事"。8 日，第四次電示，對胡"勿與爭辯，只說回延會商，一切可以和平解決"。10 日，第五次致電，指示二人與胡交涉時，"應從制止內戰著眼。"[3] 7 月 16 日，周、林等百餘人終於抵達延安。

十三、兩黨代表談判的繼續與抗日民族統一戰線的維繫

儘管中共的四項要求被蔣介石和國民黨擱置，但是，國共關係並沒有回復到皖南事變後的危局和僵局，兩黨的合作抗日局面始終得以維繫。此後，兩黨之間雖然還存在種種分歧，但兩黨代表談判這一形式得以繼續和堅持。1944 年 1 月 16 日，毛澤東向國民黨駐延安的聯絡參謀郭仲容提出，願派周恩來與林彪再度前往重慶，國民黨軍委會表示歡迎。4 月 16 日，國民黨提出《中共問題解決辦法草案》。5 月 4 日至 11 日，中共代表林伯渠（祖涵）與政府代表張治中、王世杰在西安舉行會談。5 月 15 日，毛澤東致電中共中央南方局副書記董必武與時在重慶談判的林伯渠，認為"林（彪）案已被何應欽否決，年來情況亦大

1　《解放日報》，1943 年 7 月 2 日。
2　《毛澤東年譜》修訂本（中卷），第 455 頁。
3　《毛澤東年譜》修訂本（中卷），第 449、451、453—454 頁。

有變更，故須另提新案"。[1] 毛所提"新提案"中關於全國政治者三條，關於兩黨懸案者 17 條。因毛電中有"為避免刺激"一語，故林在轉達時刪去了關於"全國政治"三條，僅提出關於"兩黨懸案者" 17 條。不過，中共並沒有企圖提出更高要求。5 月 21 日，毛澤東在中共六屆七中全會上報告時還表示，如果國民黨根據林彪"去年提的四點來談判"，"決心解決這四個問題，我們應準備接受，向全國表示我們願意搞好國共關係。"[2] 6 月 5 日，林伯渠將中共中央修改後的意見書 12 條遞交張治中和王世杰，張、王則將《中央對中共問題解決提示案》交林伯渠。這都表明，兩黨到這時都還不擬採取軍事"內戰"，而是採用兩黨代表談判這一形式以尋求"政治解決"。當時，日本帝國主義者正在發動"一號作戰"，國民黨的軍隊處於大潰敗中，毛澤東始終堅持"站在團結國民黨抗日的立場上"，"盡一切方法避免和國民黨破裂"，"將國民黨引導到對敵鬥爭目標上去"。[3] 這樣，就保證了兩黨間的抗日民族統一戰線繼續得以維繫，從而保證了抗日戰爭的最終勝利。

---

1 《毛澤東關於向國民黨提出的二十條談判意見給林伯渠的電報》，《建黨以來重要文獻選編》第 21 冊，第 252 頁，《毛澤東年譜》修訂本（中卷），第 512 頁。
2 《在中共六屆七中全會上的工作報告》，《建黨以來重要文獻選編》第 21 冊，第 270 頁。
3 《毛澤東年譜》修訂本（中卷），第 514 頁。

第三國際的解散與
蔣介石「閃擊」
延安計劃的撤銷 *

＊ 本文錄自《找尋真實的蔣介石：蔣介石日記解讀》（1），重慶出版社 2015 年版；原載香港《明報月刊》2008 年第 1 期。

第三國際，又稱共產國際，為全世界共產黨和共產主義團體的國際聯合組織，由列寧宣導，1919 年 3 月 2 日成立於莫斯科，凡參加的各國共產黨都是它的支部。第三國際成立以後，在推進國際共產主義運動中發揮過重大作用。但是，它過分強調集中統一，將蘇聯經驗教條化，忽視各國共產黨的自主性和獨創性，不能適應日益複雜化的各國國情和各國共產黨進一步發展的需要。1943 年 5 月，共產國際執委會主席團在莫斯科草擬了關於解散共產國際的提議書。同月 22 日，交《真理報》發表。至此，共產國際已經活動了 24 年。

一、共產國際解散，蔣介石計劃“重新研討”國內政策

　　5 月 24 日，國民黨中央機關報《中央日報》發表了有關報導，題為《共產國際解散，各國共產黨應效忠其祖國，英美輿論大體表示歡迎》，其中引述了共產國際主席團聲明中的部分文字，如：“在反希特勒大聯合各國之中，一切大眾，尤其工人先鋒隊之神聖任務，為以全力支持各該國政府之作戰努力，俾迅速擊潰希特勒徒眾，並獲得國際間以平等為基礎之友好合作”[1] 等等。蔣介石迅速注意到了這一消息，當日日記云：

---

1 《中央日報》，1943 年 5 月 24 日，第 3 版。

　　第三國際正式宣佈解散以後，無論內容真假如何，但共產主義，尤其是蘇俄對其主義上之精神及其信用必根本動搖，乃至完全喪失。此乃中國民心與內政之一大事，豈啻世界思想之一大轉變而已。故以後對於國內共產主義之方針與計劃，應重加研討，是乃對內政策之重要時機，但知此為共產國際之改變方式，而事實上決非真正解散也。[1]

　　共產國際實際上受蘇聯共產黨中央領導，為蘇共中央的國際政策服務。蔣介石富於反共經驗，認為共產國際的解散只是“改變方式”，並非“真正解散”，但此事對共產主義，對蘇聯，都是重大打擊，必將影響中國的民心與內政。他決定重新研究“對國內共產主義之方針與計劃”，轉變“對內政策”。

　　從希特勒進攻蘇聯起，美國總統羅斯福就呼籲支援蘇聯。1941 年，美國政府將蘇聯列入租借法案受援國名單。1943 年 5 月，羅斯福派前駐蘇大使、以同情蘇聯著名於世的約瑟夫·戴維斯訪問莫斯科，面交親筆信，提議與斯大林作個人會晤，以便促進歐洲第二戰場的開闢。此際，蘇聯雖然取得了斯大林格勒的重大勝利，但也還迫切希望西方的支持。雖然共產國際早就有解散的打算，但是，蘇共中央選擇在戴維斯抵達莫斯科之後的第二天公佈這一決定，也具有向西方世界，特別是美國表達好意的表示。

　　5 月 25 日正午，蔣介石舉行參事會報，討論外交形勢、俄國對英美的政策轉變等問題，認為解散共產國際是蘇聯與西方“積極合作”的重大舉動。當日日記云：“此實為劃時代之歷史，而其關鍵全在美國總統之政策運用奏效也。”其後幾天，蔣都在日記中繼續評價此事。

　　5 月 26 日日記云：“此次俄國取消第三國際，積極與美合作之表示，則倭對俄更不能不進攻矣。”

　　5 月 31 日《本月反省錄》云：“此實為二十世紀上半期之惟一大事，殆為世界人類前途幸福慶也，而吾一生最大之對象因此消除，此不僅為此次世界戰爭中最有價值之史實，且為我國民革命三民主義最大之勝利也。”

　　在研究共產國際解散對中國和世界的影響時，蔣介石也在研究如何利用這一時機。5 月 24 日，他與陳布雷商談“宣傳方針”，“口授令稿”。25 日，召開

1　《蔣介石日記》（手稿本），1943 年 5 月 24 日。

黨務會議，"討論對取消第三國際之態度與宣傳方針"。他指示："一、對中國共產黨問題，我應盡力向政治解決之途為最大之努力；在宣傳上尤不可造成政府準備以武力解決之印象。二、對蘇聯應強烈表示親善，以促其對華政策之繼續演變。"[1]6月7日，他接見準備回延安參加整風學習的周恩來和林彪。

這一天，他正因為中國大量飛機被日機突襲炸毀而嚴厲批評周至柔，"大加斥責，繼之以痛詈"[2]，但是，他在和周、林談話時卻很平靜，日記自稱："心平氣和，應對自如。暴怒之後，應對敵黨，能中和至此，殊非易易。"因為毛澤東在此前的函件中曾有願到重慶"聆教"的客氣表示，所以蔣託周、林二人帶回一封給毛澤東的親筆函，向毛問好，邀毛到重慶會晤[3]。6月12日，他在日記中寫道："中共處理之方針，外寬內緊，先放後收。"這時的《中央日報》上，只登西方世界對共產國際解散一事的評論，而不登中國方面，特別是國民黨對此事的評價。復興社份子張滌非於6月12日在西安召集會議，以"各文化團體"的名義致電毛澤東，要求解散中共，取消陝北特區。這一消息也長期壓著，沒有及時發表[4]。同月13日，蔣介石日記云："對中共應付與方針如計進行，尚能虛心自如也。"這裏只說"如計進行"，但是，並沒有透露其具體內容。

事實上，蔣介石正在命令胡宗南悄悄地準備一項"閃擊邊區"的軍事計劃。

二、"閃擊邊區"計劃曝光，中共發動"政治攻勢"

6月17日，蔣介石致電胡宗南，詢問"對於邊區之準備現至如何程度"，要求胡"詳復"[5]。18日，胡宗南在洛川召開軍事會議，將原來在黃河邊上防禦日軍的兩個軍調到陝甘寧邊區周邊，作進攻邊區的準備，預定6月10日完成一切部署，聽候蔣的手令即行進攻[6]。其計劃是，首先攻佔關中分區的淳化、枸邑、正寧、寧縣、鎮原五縣。這五個縣城深入胡宗南統治區，通稱"囊形地帶"。

1 《王世杰日記》，1943年5月25日，台北"中央研究院"近代史研究所，1990年。
2 《蔣介石日記》（手稿本），1943年6月7日。
3 《中華民國史料初編》第5編《中共活動真相》（1），第370頁。
4 這一消息一直壓到7月6日，才由國民黨中央社作了廣播。
5 《蔣中正"總統"檔案·籌筆》，第15431號，台北"國史館"藏。
6 《毛澤東年譜》（中卷），第454頁。

6月29日，胡宗南復電蔣介石："對邊區作戰，決先收復囊形地帶。對囊形地帶使用兵力，除現任碉堡部隊外，另以三師為攻擊部隊，先奪馬欄鎮，再向北進，封鎖囊口。"電稱，預定7月28日進攻，一星期完結戰局。旋得蔣介石批示："可照已有崗電切實準備，但須俟有命令方可開始進攻，否則切勿行動，並應極端秘匿，毋得聲張。"[1]

蔣介石要胡宗南"切實準備"，並且"極端秘匿"，但是，7月3日，在胡宗南身邊工作的中共地下黨員熊向暉就將有關情況緊急密報延安[2]。中共中央得到密報後，立即行動。7月4日，朱德致電胡宗南，聲稱"道路紛傳，中央將乘國際解散機會，實行剿共，我兄已將河防大軍向西調動，彈糧運輸，絡繹於途，內戰危機，有一觸即發之勢"。電報指責胡宗南的密謀："當此抗戰艱虞之際，力謀團結，猶恐不及，若遂發動內戰，必致兵連禍結，破壞抗戰團結之大業，而使日寇坐收漁利，陷國家民族於危亡之境，並極大妨礙英美蘇各聯邦之作戰任務。"[3]6日，又致電蔣介石、何應欽及軍事委員會軍令部長徐永昌，呼籲團結，要求制止內戰。10日，再電胡宗南，聲稱"若被攻擊，勢必自衛"。7月12日，毛澤東為延安《解放日報》撰寫社論《質問國民黨》，該文首先提出國民黨將兩個集團軍調離黃河河防，準備進攻邊區這一事實，然後向國民黨提出尖銳質問。在很長時期內，延安一直擔心蔣介石和重慶國民政府和日本侵略者妥協，走上和汪精衛同樣的道路，因此，社論連續質問說：

> 這些國民黨人同日本人之間的關係，究竟是怎樣的呢？難道盡撤河防主力，倒叫做增強抗戰麼？難道進攻邊區，倒叫做增強團結麼？如果你們將大段的河防丟棄不管，而日本人卻仍然靜悄悄地在對岸望著不動，只是拿著望遠鏡興高採烈地注視著你們愈走愈遠的背影，這其中又是一種什麼緣故呢？

社論接著批判國民黨對中共的"破壞抗戰"、"破壞團結"以及所謂"封建割據"等指責，文章說：

1　唐縱：《在蔣介石身邊八年》，群眾出版社1991年版，第366頁。
2　熊向暉：《我的情報與外交生涯》，中共黨史出版社1999年版，第15—16頁。
3　中共中央文獻研究室編：《朱德年譜》，人民出版社1986年版，第258頁。

"鷸蚌相持，漁翁得利"，"螳螂捕蟬，黃雀在後"，這兩個故事，是有道理的。你們應該和我們一道去把日本佔領的地方統一起來，把鬼子趕出去才是正經，何必急急忙忙地要來"統一"這塊巴掌大的邊區呢？大好河山，淪於敵手，你們不急，你們不忙，而卻急於進攻邊區，忙於打倒共產黨，可痛也夫！可恥也夫！

文章寫到這裏，就將國民黨放到了"消極抗日，積極反共"的位置上。接著，社論指責國民黨內"專門反共的人們"是日本的"第五縱隊"，所說所行，都和敵人漢奸一模一樣，毫無區別。社論要求蔣介石下令把胡宗南的軍隊撤回河防，也號召愛國的國民黨人行動起來，制止內戰危機。

中共擅長動員群眾和輿論攻勢。7月8日，中共中央決定發動"宣傳反擊"，同時準備軍事力量粉碎其可能的進攻，要求各中央局、中央分局"動員當地輿論，並召集民眾會議"[1]。

7月9日，延安三萬群眾舉行緊急動員大會，號召邊區人民動員起來，制止內戰，保衛邊區。其後，各地先後舉行群眾大會。

7月10日，隴東各界萬餘人舉行緊急動員大會，表示"如果頑固派敢來進攻，就堅決地消滅它！"

7月11日，陝甘寧邊區慶陽分區黨政軍萬餘人舉行大會及游行示威，抗議國民黨頑固派炮擊邊區，決心緊急動員，準備痛擊頑固派的進攻。

7月13日，晉察冀邊區各界萬餘人舉行制止內戰、挽救危亡大會，通電全國，要求國民政府制止挑動內戰的行徑。

7月14日，中共太行分局召開反對法西斯內戰挑撥份子、援助陝甘寧邊區緊急動員大會，到會千餘人，鄧小平講話。

此後，陸續召開大會的還有晉冀魯豫邊區太行區、陝甘寧邊區三邊分區以及綏德市等。

"閃擊"計劃在還沒有付諸行動時就提前曝光，蔣介石於7月10日命令胡宗南停止行動。11日，復電朱德，否認有調動軍隊，進攻關中囊形地區一事。[2]

---

1 《毛澤東年譜》（中卷），第452頁。
2 復電為唐縱所擬，見唐縱：《在蔣介石身邊八年》，第368頁。

12 日，胡下令撤退一個師及兩個軍部。13 日，毛澤東致電在重慶的董必武，告以"由於種種原因，蔣介石在七月十日不得不電胡宗南改變進攻陝甘寧邊區的決心，現在內戰危機或可避免"。11 日，又致電彭德懷，告以"延安緊急動員，迫使蔣介石不得不改變計劃"[1]。8 月 2 日，毛澤東在中共中央政治局會議上講話，聲稱"此次反共高潮已被打退"。

其實，蔣介石只是命令胡宗南準備，"潮"尚未成，更談不上所謂"高"。而且，更重要的是，危險尚未過去，毛澤東顯然樂觀得太早了。

三、面對中共的"宣傳反擊"，蔣介石決定"犯而不校"

蔣介石認為，第三國際解散，蘇聯積極與美英拉關係，表明反共形勢大好，因此，儘管延安方面又是發社論，又是開大會，但蔣介石並不重視。7 月 18 日，蔣介石日記云："中共對我陝北之準備，其所表現者為恐慌與叫喊，或能發生間接作用，能早就範。"又云："對內政策，今日已有主動自在之運用餘地，實為數十年來所未能獲得之環境，尤其對共黨為然也。"顯然，蔣介石正處於志得意滿的狀態中，不過，毛澤東為《解放日報》所寫的社論《質問國民黨》卻使他很難受。7 月 21 日日記云："此次中共七七在延安《解放日報》所發表之言論，其對我個人發表之污辱與黨政軍惡口痛罵，乃為從來所未有，已將其暴亂、謬妄、背叛之劣根性發泄盡淨。"他分析，這是中共內部分歧、毛澤東處於困難時的一種策略："可知其內部分歧，不能維繫，故毛澤東乃不得不用此製造我政府之壓迫，以維繫其內部於一時之策略，思之可憐可痛。"7 月 23 日，蔣介石決定發佈《勸告中共黨員書》，說明對共政策。其內容大致如下：

甲、第三國際解散以後，期望中共能照其解散之要旨，真正成為忠於民族之國民，共同致力於反法西斯之戰爭。

乙、對中共方針，除對軍令、政令必須貫徹統一，不論任何名義，除有妨礙抗戰計劃擾亂社會行動之外，皆取寬大為懷一貫之方針，無不任其

1 《毛澤東年譜》（中卷），第 456 頁。

自由。中國之軍隊只有國民革命軍一個軍隊，中國之軍令只有國民政府軍事委員會之一個軍令。

蔣介石的這一份《勸告中共黨員書》強調"寬大為懷"，但又強調軍令、政令統一，實際上還是要取消中共軍隊和中共所建立的抗日政權。由於是面向中共黨員的，所以蔣又特別攻擊"階級鬥爭"和"無產階級專政理論"，聲稱"共產主義只有馬克斯〔思〕化，決無中國化之理論，亦無中國化之可能。如有之，則共產主義中國化者，即陷於殺人放火、叛國殃民之流寇化、土匪化而已"。

第二天，蔣介石想起延安方面發表的社論《質問國民黨》和接著發表的其他文章，愈想愈氣，認為中共"既非仁義所能感化，則除武力之外，再無其他方法可循"，但他又認為："時間未到，惟有十分隱忍，必以犯而不校之態度處之，不可小不忍則亂大謀。"同日晚，他與陳布雷商量《勸告中共黨員書》的發表問題，陳認為，話說輕了，不好；說重了，也不好，"輕重皆非之時，惟有暫取靜默"，用事實證明中共的反宣傳"全出誣枉"。陳布雷還引用了《論語》中的"天何言哉"一語，勸告蔣介石不要發表這篇文章。7月25日，蔣決定聽從陳布雷的勸告，對《解放日報》社論"置之不理"。28日，蔣介石再次研究該社論，突發"奇想"，認為這是毛澤東"危害周恩來"的一項舉動。周恩來和林彪離開重慶後，於7月9日到達西安，13日離開。蔣介石認為，毛澤東選擇12日發表社論，就是為了激怒國民黨，扣留周恩來。因此，他決定讓周平安回到延安。日記寫道："決以犯而不校處之，並使周安全回到延安，試觀其內部如何變化也。以後對共匪方針，只有促成其內部變化，乃比用兵進剿之策略勝過千萬矣！故對共除軍事防範特加嚴密外，其他一切皆應放寬為主。"其實，周恩來早在7月16日就已經回到延安，受到毛澤東、朱德、劉少奇、葉劍英等中共領導人的熱烈歡迎。蔣的這一則日記，以及他分化毛、周關係的想法，說明他對於中共和當時的中共領導層非常無知，而且情報極其遲鈍。

四、蔣介石決定進攻延安，風暴將起

蔣介石思想中常常存在許多矛盾，因此在政策上，也常常舉棋不定。抗戰初期，他搖擺於戰與和之間，和中共結成聯盟後，他搖擺於“撫”與“剿”之間。所謂“撫”，即是用“政治方法和平解決”；所謂“剿”，則是軍事進攻。在延安方面發表《質問國民黨》一文後，儘管蔣已經決定對中共以“放寬為主”，但是，進入 8 月以後，他的軍事進攻的念頭再度泛起。

當年 3 月，蔣介石發表《中國之命運》一書。該書宣揚只有國民黨和三民主義才能救中國。在第七章中，蔣介石含沙射影地指責中共在陝甘寧等地建立的邊區為“新式封建”與“變相軍閥”，是“武力割據”，宣稱“無論用何種名義，或何種策略，甚至於組織武力，割據地方，這種行動，不是軍閥，至少亦不能不說是封建”。該書並稱：“如果這樣武力割據，和封建軍閥的反革命勢力存留一日，國家政治就一日不能上軌道。”[1] 蔣介石這樣寫，實際上是在為武力進攻邊區製造輿論。7 月 21 日，延安《解放日報》發表陳伯達所著《評〈中國之命運〉》。8 月 6 日，延安《解放日報》再次發表歷史學家呂振羽的文章，批駁《中國之命運》。蔣介石認為，延安方面對《中國之命運》的批判意味中共將堅持“割據”，用“政治方式和平解決”的希望已經完全失去，“不得不準備軍事”[2]。8 月 7 日，蔣介石日記云：“共匪復亂，不能挽救。此時在我以延長至有利時機再加討伐，一面應積極準備，好在危機已過，匪亂不能妨礙我抗戰大局也。”次日日記云：“共匪非武力不能解決，惟在減輕其程度而已。”

延安方面的“宣傳攻勢”讓國民黨的“閃擊”計劃提前曝光，自然，很快傳到國外。不僅俄國人擔心，也讓美國人不安。8 月 6 日，蘇聯塔斯社中國分社社長羅果夫在莫斯科發表《中國內部發生嚴重問題》一文，宣稱重慶政府中的投降與失敗主義者要求解散中共軍隊，對日進行光榮議和，其結果可能促成內戰或日本之勝利。[3] 同日，美國參謀總長馬歇爾也得到消息，國民黨限中共於

---

1 《“總統”蔣公思想言論總集·專著》，第 126 頁。
2 《雜錄》，1943 年 8 月 25 日，見《蔣介石日記》（手稿本），1943 年。
3 轉引自《徐永昌日記》，1943 年 8 月 7 日。

8月15日之前"歸順"政府，否則"採取對付辦法"，急得馬歇爾立即派員向宋子文遞送急電稱："現值我同盟國正應全力應付日本之時，如所報屬實，誠可焦慮，能否即設法避免此種情事？"宋子文立即電蔣報告，他猜測，美方消息可能源於蘇聯"密告"，表示"一時無法查悉"[1]。蔣介石接到宋的報告後，大為吃驚，但他立即肯定，這是俄國的宣傳深深地影響了美國，囑咐陳布雷即時回電解釋。日記云："俄國一方面發表中國局勢嚴重將有內戰之消息，一方面對美國政府當局造謠宣傳"，"可知俄國謀我之切與其所謂解散共產國際者皆欺世妄誕。"日記同時指斥中共"為俄作倀"，"其罪惡則又甚於漢奸十倍"[2]。這樣，他就又覺得必須盡快以武力消滅中共了。當時，美英聯軍已經進入意大利，墨索里尼政權垮台，蘇聯紅軍正在庫克斯克與德軍決戰，蘇軍勝利在望。蔣介石8月13日日記云："共匪之制裁非在歐戰未了之前解決，則後患更大也"，"對共匪計劃，無時或忘"[3]。

抗戰初期，在各方推動下，國民黨決定邀請各方人士成立國民參政會，作為諮詢性的民意機構。8月14日，蔣介石決定利用參政會宣佈並判決其所謂中共"破壞抗戰之罪狀，警告其速歸順中央，完成統一"[4]。17日下午，蔣介石"研究陝北地形與剿匪計劃甚久"[5]。18日上午，蔣介石致函胡宗南。同日，將"對共匪軍事準備"、"對共匪宣傳計劃"、"對共匪之總方略"作為今日三大要事，要求"切實決定，以便付之實施"。[6]一方面，他在日記中為自己打氣，"不能再事被動消極，顧忌太多"；另一方面，他又要求自己"熟慮斷行"，"不敢出以孟浪之舉"。[7]24日決定召胡宗南來重慶，同時撥發胡準備金1000萬元，閃擊延安計劃即將進入實質階段。[8]

蔣介石開始估計進攻延安後的各種可能情況：甲、持久不能解決；乙、倭寇乘機進攻洛陽、西安；丙、俄國干涉，進攻西安；丁、中共向晉西、隴東、

1　《"總統"蔣公大事長編初稿》，第2194頁。
2　《蔣介石日記》（手稿本），1943年8月11日。
3　《蔣介石日記》（手稿本），1943年8月13日。
4　《蔣介石日記》（手稿本），1943年8月14日。
5　《蔣介石日記》（手稿本），1943年8月17日
6　《蔣介石日記》（手稿本），1943年8月18日。
7　《蔣介石日記》（手稿本），1943年8月20日、22日。
8　《蔣介石日記》（手稿本），1943年8月24日。

寧夏逃竄；戊、在國民黨軍反攻倭寇時擾亂後方。[1] 8 月 25 日，蔣介石用半天光景研究國際與國內形勢，做出結論，在日記《雜錄》中寫下了一份詳細計劃。計劃分中共問題、蘇俄問題、中共與蘇俄關係三大部分。他說：

> 中共問題，無根本消滅之法，但不能不有解決之方案。如果始終要用十軍以上兵力防剿陝北之匪區，則不如先搗毀延安巢穴，使之變成流寇，無立足餘地為上策。

這就是說，蔣介石經過反覆長考之後，終於下決心要進攻延安，使中共中央放棄延安，成為"流寇"，然後以十軍部隊在後方各地，一面防範，一面搜繳，各個擊破，分別肅清。

計劃規定以三個月為"積極準備時期"，以威脅與壓迫之手段，造成其內部之恐怖狀態；以宣傳與政治手段為主，而以軍事力量為從。關於進攻時機，蔣介石選在日蘇和戰未決與德蘇戰爭未決以前，認為這是最"有利之時機"。計劃寫道：

> 延安必須於德俄戰爭未了之前與倭俄未確切妥協之時，更須於我對倭總反攻之前，從事肅清為妥，過此則無此良機，如是共匪坐大，中國莫救矣。[2]

蔣介石為什麼選擇這一時機，主要考慮的是蘇聯因素。在蔣看來，如果蘇聯的對德戰爭勝利，或者蘇日妥協，蘇聯都將能騰出較多力量來支持中共，不利於蔣的反共軍事。他認為，在亞洲大陸，蘇聯必然與英美"平行瓜分中國"，也必然要利用中共，所以必須"冒大險，賭存亡"，解決中共問題。

接連幾天，蔣介石緊張研究"進剿陝北計劃"，開始調動兵力，如：調青海騎兵兩團到隴東，令寧夏方面積極準備中共向西突圍等。他甚至開始研究外蒙古地形與道路，大概是為了堵住中共向北轉移吧！同時，蔣介石也在擬訂"對共匪罪行宣佈之重點"。8 月 29 日開始寫了四條，後來又寫了五條。顯然，這

1　《蔣介石日記》（手稿本），1943 年 8 月 24 日。
2　《雜錄》，《蔣介石日記》（手稿本），1943 年 8 月 25 日。

是為了從輿論上加以配合。31 日，他在《本月反省錄》中寫道："共匪不滅，則對內對外之隱憂皆不能消除也。故一切問題，皆應集中於剿共一點。" 又在《本月大事預定表》中寫道："對共匪宣傳與進剿方略之決定。"

第三國際解散後，蔣介石即計劃進攻延安。不過，他極端保密，只向胡宗南個人透露，軍事委員會的要員們都蒙在鼓中。直到 9 月 1 日，他才在會報會上向徐永昌等出示手示，擬即令準備進攻延安、邊區、中共等。[1] 9 月 3 日，他與陳布雷、王世杰商量，提議由軍事委員會或政治部正式宣佈中共 "罪狀"，使中外人士皆能了解其 "奸謀"。9 月 5 日，他決定對邊區和中共部隊進行 "隔離"，不再承認其為中國軍隊，更不承認其為抗戰團體，預定解散第十八集團軍在重慶的辦事處，封閉中共在重慶的《新華日報》。同日，蔣介石召見胡宗南，"研究對共方略"。……

烏雲密佈，風暴將起，中國再次面臨嚴重的內戰危機。

五、蔣介石懸崖勒馬，緊急剎車

國民黨高層對進攻延安的意見並不一致。9 月 1 日的會報會，當蔣宣佈進攻計劃時，徐永昌當場就表示時機未到。他說 "如尚能容住時，則發動時間實有再容忍至敵不能大舉進擾之時為妥。否則敵必乘機擾我關中，而共黨亦必竄亂甘省。當此時，敵已因之張目，英美或且停頓其進援。"[2] 9 月 4 日，在重慶黃山官邸會上，徐永昌再次表示：對共產黨，"尚應敷衍"[3]。徐的這些意見逐漸對蔣發生影響。

9 月 6 日，國民黨在重慶召開第五屆中央委員會第十一次全會。會議內容之一是由中央秘書處向會議提出《關於中國共產黨破壞抗戰，危害國家案件總報告》，然後通過《關於中共破壞抗戰危害國家案件之決議文》。這兩份文件最初由幕僚起草，蔣介石不滿意，認為前稿 "內容幾乎全為共匪宣傳其實力強

1　《徐永昌日記》，1943 年 9 月 1 日。
2　《徐永昌日記》，1943 年 9 月 1 日。
3　《徐永昌日記》，1943 年 9 月 4 日。

大"，"拙劣已極"！後稿則"實不能用"。他慨歎道："本黨文字力量，亦薄弱至此，非親自動筆，幾無法公佈，奈何！"他不得不自己提筆修改。在這一過程中，他反覆思考，反覆徵求意見，終於決定拋棄原來進攻延安的打算，再次傾向於以政治方式解決中共問題。

會議開幕之日，蔣介石在日記中指責中共"詆譭政府，造謠惑眾"，已成為"敵寇變相之第五縱隊"。這是蔣為"總報告"所定下來的反共基調。但是，蔣介石要求先寫上一段：

> 應說明政府對中共無其他要求，只求其放棄割據地盤，服從軍令，遵命調赴前線，不再集中部隊，阻礙北戰場榆林至綏遠交通線，實踐其廿六年之宣言，則中央仍予以一視同仁，不僅不忍棄絕，且必愛護有加。

同時，他要求在"決議文"中增加一軟一硬兩條：第一，對中共裏邊的"愛國自愛份子"，"如能自拔來歸，則應予以優容，並量才器使，俾得為國效命"。第二，對中共裏邊的"政府理喻德化，皆已失效"的"集團"，"人人可得而制裁之"。這就說明，蔣這時計劃對中共採取軍事進攻與政治分化兩手舉措。

9月8日，蔣介石產生了對中共"不用武力討伐"，而用"法紀制裁"的想法。蔣在日記中寫下四條理由：甲、中共幹部之間、上下之間已經離心離德，只要持之以久，中共將不攻自潰，如在此際討伐，反而促進其團結。乙、對中共用兵"無異割雞而用牛刀，若果持久不能解決，徒長匪焰而與敵寇以復活之機"。丙、今日中共，已非江西時期可比，只須"封鎖匪區，使之自縛陰乾為唯一方略"。丁、中共的強項在宣傳，在希望美國干涉，吾人所應最注意者，唯此一點。日記的這一段顯示，蔣介石又傾向於不進攻陝甘寧邊區了。

9月9日晚，蔣介石召開會議，討論"總報告"和"決議文"草稿。參加者對其中"取消中共軍隊番號"等內容意見不一。孔祥熙稱："辭意已成必打之勢，恐英美以我內戰，停止援助。"蔣介石和劉斐二人堅持原議，認為"不如此，中央成何體統"。徐永昌提出質疑："此雖係聲罪，不致討，但意在於討。

如準備討之，第一是時間是否不當？其次是否居於被動？"辯論中，戴季陶、王世杰和外交部次長吳國楨等陸續加入討論。吳報告稱：蘇聯大使和比利時大使談話，對"中央將進攻邊區"表示憤慨。王世杰建議，須俟英美對日軍事再進，與蘇聯關係進一步明朗化時，方可對中共嚴責。孔祥熙再次發言，擔心此舉將使英美推遲打擊日本。蔣介石堅決主張發表"決議文"。會議同意蔣的主張，但決定將取消中共軍隊番號等"處分語"刪去[1]。當夜，蔣介石在日記中寫下了他對中共的處分要點：甲、《新華日報》之監視；乙、共籍參政員資格之取消；丙、各地十八集團軍辦事處之封閉。對於中共在重慶的電台與秘密通訊機關，他一時沒有想好處置辦法，只寫了"應重加考慮"幾個字。[2]

10日上午，徐永昌打電話給蔣介石，說明三點：1. 如判斷中共"即將大舉出擾"，或認為國軍利於進剿，則"決議文"的語氣可以加重。2. 如判斷共軍"大舉出鬧尚有待"，或緩以時日對國軍有利，則"決議文"可以寫得"再輕"。3. 此時中共如"竄甘寧"，則日寇有窺視關中的可能，因此"決議文以輕緩為佳"。下午，蔣介石打電話給徐永昌，詢問對"決議文"是否仍有意見。徐答："如共軍'竄擾甘涼'等地，日寇進窺關中，而我又不能在短期內肅清共軍，則共軍又可能進入新疆，得到俄人幫助，共同佔領新疆，則其禍患將超過九一八事件。"徐的意見對蔣起了作用。當晚，蔣介石約集文武幹部開會，再次從"法律制裁"後退，認為從國際環境與戰爭局勢考察，"尚非制裁之時機"，決定將原定隔離邊區及取消中共軍隊名號兩點"完全取消"。

11日晚，蔣介石約集三十餘人召開座談會，其講話的調子完全改變。他表示：中美英蘇四國協定未成，滇緬路尚未開通，貿然進攻，萬一不能速決，後果至為惡劣，故目前仍以"避戰"為上。蔣提出三種處理方式：1. 封鎖而嚴厲處分；2. 聲罪而不致討；3. 一字不提，而同時在英美宣傳其"罪行"。他稱此為"曲線的對付"。何應欽則稱：全會既開，縱不用書面，亦須有口頭報告，或者輕描淡寫地作一決議。[3]當日蔣介石日記云："如我進攻遷延不決，則匪勢更

1 《徐永昌日記》，1943年9月9日。
2 《蔣介石日記》（手稿本），1943年9月9日。
3 《徐永昌日記》，1943年9月11日。

張，國際輿論對我更劣。如我能速戰速勝，則匪不過遷移地區，不能根本消除其匪黨，而我國內戰既起，復不能根本解決，則國家威信仍有損失。"他決定，對邊區 "圍而不剿"，"用側面與非正式方法以制之"，"萬不宜公開或正面的方式應付也"[1]。

12 日全會例假休會。中午，蔣介石召集相關人員再次會商。他提出，不決議，不宣佈，只將 "總報告" 譯出，向英美宣傳。他徵詢徐永昌的意見，徐稱：如無所表示，國際間不免猜測、疑慮，建議歷述中共的 "不法自私" 事實，要求其實踐抗戰開始時的諾言，期以 "自新"[2]。第二天的會議進程表明，蔣介石採納了徐的意見。

13 日為全會最後一天，由中央秘書處宣讀經蔣介石修改的 "總報告"。該報告從軍事、政治、經濟等三方面對中共進行全面指控，聲稱中共 "六七年來破壞抗戰，以及違法亂紀之行為，事實俱在，無一不與該黨所發表之共赴國難宣言相違背，理應早予依法處治"，但是，報告最後仍然表示希望中共 "實踐諾言，服從中央，使政令、軍令保持統一，意志力量得以集中，以求抗戰之勝利"[3]。其後，蔣介石即席 "指示"：

> 個人以為全會對此案之處理方針，要認清此為一個政治問題，應用政治方法解決。如各位同意余之見解，則吾人對共黨之言論，無論其如何百端挑釁，其行動無論如何多方擾亂，吾人始終一本對內寬容之旨，期達精神感召之目的。[4]

隨後通過的《決議文》聲稱對中共，將 "不惜再三委曲求全，加以涵容"，希望中共能遵守抗戰初期的宣言，"幡然自反"[5]。

上述文件表明，蔣介石此時繼續堅持反共立場，其對中共的敵視、仇視絲毫未變，但是，由於對日抗戰仍是當時的首要任務，也由於美蘇兩國都不贊成中國內戰的國際壓力，以及中共多年來所表現的頑強生命力和戰鬥力等原因，

1　《蔣介石日記》（手稿本），1943 年 9 月 11 日。
2　《徐永昌日記》，1943 年 9 月 12 日。
3　《"總統" 蔣公大事長編初稿》，第 2231、2234 頁。
4　榮孟源主編：《中國國民黨歷次代表大會及中央全會資料》（下），第 841 頁。
5　《"總統" 蔣公大事長編初稿》。

蔣介石一時還不能也不敢徹底破裂國共關係，不得不停止原定的進攻延安的軍事計劃。

一場嚴重的內戰危機避免了。1943 年年末，蔣介石在《感想反省錄》中寫道："十一中全會期間，反覆窮究，密察利害，以後改變計劃，放棄軍事行動，於是全域危而復安。"[1]

1　《蔣介石日記》（手稿本），1943 年。

蔣介石何以拒絕在《延安協定》上簽字 *

——羅斯福派赫爾利調停國共關係經過

* 本文錄自《找尋真實的蔣介石：還原 13 個歷史真相》，九州出版社 2014 年版。

1944 年 9 月，羅斯福派自己的好友赫爾利少將到中國，初時是為了調解蔣介石和史迪威之間的矛盾，很快赫爾利就將自己的工作重心轉為調解國共關係。為此，赫爾利經過蔣介石批准，親赴延安和毛澤東直接談判，達成五項協議，通稱《延安協定》。毛澤東、赫爾利二人同時在這份協定上簽字，留下空格，等待蔣介石動筆。然而，赫爾利返回重慶之後，卻未能如願，蔣介石拒絕簽字。

赫爾利（Hurley, Patrick Jay, 1883-1963），出生於美國俄克拉荷馬州。共和黨人。1929 年至 1933 年任美國陸軍部長。1942 年至 1943 年，任美國駐新西蘭公使。曾作為羅斯福總統的私人代表到過蘇聯、中近東和印度。1944 年晉升少將，9 月來華，10 月繼高斯為駐華大使。1945 年 11 月 27 日宣佈辭職。

一、羅斯福希望國共兩黨團結抗日

抗日戰爭中，美國政府一直希望中國國民黨和共產黨能團結抗日，減少摩擦和內耗。還在 1943 年開羅會議期間，羅斯福即告訴蔣介石，你們的國民政府很難稱得上是現代民主政府，建議蔣介石能通過談判，消解和中共的分歧，建立聯合政府。不過，蔣介石對這段話沒有十分留意。

1944 年 6 月，羅斯福派副總統華萊士訪華，對他說：共產黨人和國民黨的黨員終究都是中國人，基本上是朋友，朋友之間總有商量的餘地。如果雙方不能夠一致，羅斯福本人願意出面協調。同月 21 日至 23 日，蔣介石與華萊士會談。蔣對中共"展開了一片冗長的埋怨"，如"不服從紀律"，"拒絕服從他的命令"，"人民和軍隊的士氣之所以低沉是由於共產黨的宣傳"等等。蔣甚至說："共產黨希望看見中國的抗日垮台"，"祈禱國民黨將先於戰爭結束而崩潰，因為這個崩潰將使他們取得政權"。當時，中共代表林祖涵和國民黨代表王世杰正在西安談判，在詢及談判進展情況時，蔣介石回答：國民黨的條件很簡單，第一服從命令，將共軍併入中國軍隊；第二，把共產黨控制的地區變為中國行政區的一個不可分的部分。他表示：假如共產黨表示誠意，解決是可能的。假如問題得到解決，他將比現在所預料的更早實行其民主方案。蔣批評美軍"不了解共產黨對中國政府的威脅"，"過高估計了共產黨抗日的作用"，聲稱中共善於利用美國來強迫國民黨答應其要求，建議美國採取"超然"，或"冷淡"態度。華萊士問蔣，有無可能達成一個"較低水準"的諒解？蔣答以"欲速則不達"，並說："請你們不要逼吧！請你們認清共產黨在抗日戰爭裏並沒有什麼多大用處。"[1] 在 6 月 23 日的會談中，蔣介石批評美國"已經使用了不少壓力要中國政府與共產黨取得協議，但是，對共產黨卻沒有使用壓力"。他要求美國政府發表一個聲明，要求中共"聽從中國政府的條件"。

6 月 24 日，當華萊士飛返美國時，蔣介石請華萊士傳達口信 12 條，其中第 6 條表示，儘管"中國共產黨問題是國內問題"，但他還是"願意取得總統的幫助"。7 月 14 日，羅斯福復函蔣介石，對蔣"以政治方式"解決中共問題的表態表示"特別高興"，稱讚蔣可能將"民主改革方案"更早付諸實現的諾言是"令人興奮的見解"。此後，美國政府即訓令高斯大使，促成中國建立聯合政府。

8 月 20 日，高斯和蔣介石談話，蔣認為，美國的態度只能加強中共的"頑固"，"要中國滿足共產黨的要求，就等於要中國無條件地投降給一個眾所周知的外國（蘇聯）影響下的政黨"。他甚至說："一切共產黨人都不能相信"。高斯表示："我們樂於見到中國內部問題及時解決"，"使其他黨派中有資格的代

1　《華萊士副總統與蔣介石主席談話記錄摘要》，《中美關係資料彙編》第 1 輯，第 576—578 頁。

表們來參加並分擔政府的責任",使若干特殊的集團或政黨中幹練的代表參加政府",或者"參加某種形式的軍事委員會",這樣才可以"克服現存的批評和猜忌,使大家共同為中國的統一而努力"。[1] 9月8日,美國國務卿赫爾致函高斯,建議向蔣說明,由高斯出面,與中共代表在重慶會談,說明中國亟需團結,友善、容忍與互相讓步的精神,具有各種政治思想的中國人應該為打敗日本而合作。赫爾讚賞高斯關於"聯合委員會"的設想,"希望在一個堅強而能容忍的代表性政府的領導下","去進行抗戰和建立持久的民主與和平"。[2] 15日,高斯會見蔣介石,委婉地向蔣請示,是否會見中共代表及所取態度,蔣介石僅答以須慎重,但事後聽說美國政府訓令國民黨非與中共妥協不可,極為反感,在反省錄中指責美國"徒恃強權與絕無情理"。[3]

二、蔣介石批准赫爾利赴延安與中共談判

史迪威自到華擔任中國戰區統帥部參謀長一職後,與蔣介石之間的矛盾日益加劇。8月10日,羅斯福致函蔣介石,提出派以赫爾利作為自己的私人代表前往中國,調節蔣史關係。蔣介石復電歡迎。9月6日,赫爾利抵達重慶。7日,蔣介石與赫爾利談話。赫爾利傳達羅斯福對對蔣介石的"擁護"之意,聲言此來並非要求蔣做什麼,而是聽取蔣要求其做什麼,才做什麼,這種說法和蔣以前所見的美國官員頗不相同,蔣的感覺是"其語甚密,而其行與表現者,仍見其多疑而不能以誠相見也"。[4] 這以後,蔣介石與赫爾利接觸頻繁。在蔣要求美國召回史迪威的過程中,赫爾利曾給予支持,蔣、赫關係日益密切。[5] 9月12日,赫爾利提出10條建議,其中第3條提出,在委員長指揮下統一一切軍事力量。第5條提出,支持委員長在民主的基礎上實現政治統一。[6] 10月9日,蔣介

1　《駐華大使(高斯)致赫爾國務卿》,1944年8月31日,《中美關係資料彙編》第1輯,第584—585頁。

2　《赫爾國務卿致駐華大使》,《中美關係資料彙編》,第1輯,第586頁。

3　關於高斯此次與蔣見面的情況,參見《事略稿本》第58冊,第356、368、512頁。

4　《蔣介石日記》,1944年9月8日。參見《事略稿本》第58冊,第305頁。

5　《事略稿本》第58冊,第511、574—590、651、699頁。

6　《史迪威將軍提議之議程》,台北"國史館",002-020300-00024-058。據《史迪威指揮權問題》一書載,宋子文提出,將"在民主的基礎上"一語刪去,《抗戰時期國共合作紀實》(下卷),重慶出版社1992年版(以下簡稱《紀實》),第372頁。

石致電羅斯福，稱讚赫爾利"異常諳達人情"，"似亦能與共產黨領袖相周旋"，要求羅斯福委派赫爾利為"長時期之個人代表，並授以廣泛之職權"，以便配合自己，與中共談判，將共產黨軍隊編為正規國軍，對日作戰。[1]

華萊士訪華之後，美軍觀察組於 7 月 22 日抵達延安，打開了中共與美國聯繫的通道。9 月 8 日，周恩來為爭取美國的援助和支持，為中共中央起草致董必武電，請時在重慶的董代表中共及軍隊歡迎赫爾利等來延安，並在適當時候向他們正式提出說帖。[2] 11 日，赫爾利接到朱德以中共中央、八路軍、新四軍的名義發來的電報，邀請他赴延安，到中共地區作私人訪問，同時訪問中共領導人。

赫爾利將中共邀請他訪問延安一事報告蔣介石。蔣介石不反對此行，但要求他推遲。其後，赫爾利與受蔣介石委派和中共談判的王世杰和張治中商量，赫爾利發現，二人認為：中國還未達到建立兩黨或多黨政府的階段。根據孫中山的思想，中國必須堅持一黨統治，直到在訓政時期為建立民主政府做好準備。[3] 9 月 19 日，王世杰、何應欽、張治中在重慶黃山與赫爾利聚會。赫爾利傳達了他在莫斯科和莫洛托夫的談話，聲稱蘇聯不支持中共，他表示願以"協助之資格"陪王世杰等赴延安一行。王世杰表示：毛澤東是中共黨內唯一能做主之人，赴延安商談一次或有裨益，赫爾利參加談判也可能有益，但何時，以何種方式參加尚須詳細考慮。如赫氏參加，應設法使中共不認為得到美國的奧援，因而對政府採取更強硬的態度。[4] 10 月 17 日，赫爾利和林伯渠、董必武會談，林、董要求結束國民黨的一黨專政，建立民主的聯合政府。赫爾利讚揚中共武裝的組織和訓練都好，力量強大，是決定中國命運的一個因素，批評國民黨政權不民主。他告訴二人，他和中共代表談話，蔣介石是允許的，不僅如此，蔣還允許他去延安。18 日，三人繼續會談。

10 月 20 日，蔣介石審核對共條件，轉示赫爾利。[5] 21 日，蔣介石在黃山官

1　《事略稿本》第 58 冊，第 623—624 頁。
2　《周恩來年譜》，第 595 頁。
3　《美國駐華大使赫爾利致國務卿》，1945 年 1 月 31 日，《紀實》（下卷），第 416 頁。
4　《王世杰日記》，1944 年 9 月 19 日。
5　《事略稿本》第 58 冊，第 689 頁。

邸與赫爾利談對共方針，聲稱"應以對君子之心理對之，不可預存成見。"[1] 22日、23日，宋子文與赫爾利、蔣介石多次辯論、討論。[2] 23日，林、董與赫爾利第三次會談。赫稱"蔣態度已變好"。他向林、董描繪自己設想的美妙途徑：國共合作後，中共應取得合法地位；將約張治中、王世杰與林、董會談，有初步結果後再與蔣談，蔣如同意，他將赴延安與毛澤東會談，尋求雙方合作基點。然後，蔣、毛見面，發出合作宣言。[3]

10月27日，蔣介石再次與赫爾利商談，確定的對共方針為"健全本身"、"積極準備"、"預防其阻礙反攻"等三方面。在"積極準備"方面又分：1. 無形清剿（不用剿共名義），肅清當地"共匪"之不聽命令者。2. 召開國民大會，代表全國公意，成立決議案，取消共黨之軍政與邊區，實行統一。[4]

次日，赫爾利在和宋子文商量之後，擬就和中共談判的 5 個條件：

1. 中國政府與中國共產黨，將共同合作，實現國內軍隊統一，以便迅速打敗日本和解放中國。

2. 中國政府與中國共產黨均承認蔣介石為中華民國的主席及所有中國軍隊的統帥。

3. 中國政府及中國共產黨將擁護孫中山之主義，在中國建立民有、民治、民享的政府，雙方將採取各種政策，促進和發展民主政治。

4. 中國政府承認中國共產黨為合法政黨，所有國內各政黨，均予以平等、自由及合法的地位。

5. 中國只有一個中央政府和一個軍隊。中國共產黨的官兵，經中央政府整編後，將根據其等級，享受與政府軍隊同等的待遇，其各單位軍火和軍需的分配，亦享受同等待遇。[5]

11月3日，王世杰、張治中與赫爾利談話，赫稱：中共不願與腐敗的國民政府妥協，美國軍官或外交官都勸他不必調解國共關係，但他還決意一試，擬於日內赴延安，與毛澤東面談，偕同毛到重慶與蔣先生晤見。王、張都勸赫前

---

1 《事略稿本》第 58 冊，第 698 頁。
2 《董必武年譜》，第 216 頁；《事略稿本》第 58 冊，第 713 頁。
3 《董必武年譜》，第 216 頁。
4 《事略稿本》第 58 冊，第 731 頁。
5 《美國對外關係》，1944 年中國卷，《紀實》（下卷），第 373 頁。

往延安一行。赫則表示將晉見蔣先生，做最後決定。[1] 當晚，蔣介石與王、張研究赫赴延安的"利害問題"。[2] 11 月 4 日，王世杰對蔣介石說，赫此項計劃，一定事先徵得羅斯福的同意。倘此舉終歸無效，則美國政府對中國政府的疑惑當可稍減。[3] 蔣介石聽了王世杰的陳述後，決定批准赫爾利赴延"調停"。他想來想去，覺得不論成敗，均有益無害，日記云："如其果能照其所言方針進行成功，則於我有益；若其調停失敗，則於我無損，而匪之拖延詭計可以暴露矣。"[4] 6 日晚，蔣介石告知赫爾利談判條件與注意各點，赫爾利向蔣介石提交其 10 月 28 日草擬的《協議之基本條件》5 點，蔣則提醒赫：一不可提供共黨宣傳資料；二不可使其延宕時間，務必速決；三、各種談話必須記錄核對，勿使其將來反噬。赫爾利一一表示同意。[5]

11 月 7 日晨，王世杰、張治中趕到蔣介石處商議，又從蔣處趕到赫爾利住處，詳細討論，對赫爾利提出的 5 條略加修改。其內容為：

> 1. 中央政府與中國共產黨將共同合作，求得國內軍隊之統一，期能迅速擊敗日本，並建設中國。
> 2. 中國共產黨之軍隊應接受中央政府及其軍事委員會之命令。
> 3. 中央政府及中國共產黨將擁護孫中山之主義，在中國建立民有、民治、民享之政府，雙方將採取各種政策，以促進及發展民主政治。
> 4. 中國僅只有一個中央政府及一個軍隊，中國共產黨軍隊之官兵經中央政府編定後將依其職階，享受與國軍相同之待遇，其各單位對於軍火及軍需品之分配，亦將享受相等之待遇。
> 5. 中央政府承認中國共產黨並使之為合法之政黨，所有在國內之各政黨將予以合法之地位。[6]

這一方案與赫爾利 10 月 28 日的方案，除 4、5 兩條位置互換外，其他不同之點在於：第 1 條的"解放中國"改為"建設中國"。第 2 條原來強調中國政

---

1 《王世杰日記》，1944 年 11 月 3 日。
2 《蔣介石日記》，1944 年 11 月 3 日。
3 《王世杰日記》，1944 年 11 月 4 日。
4 《蔣介石日記》，1944 年 11 月 5 日。
5 《蔣介石日記》，1944 年 11 月 7 日。
6 《赫爾利呈蔣中正國共〈協議之基本條件〉》，台北"國史館"藏，002-020400-00003-018。其英文打字稿注：As corrected by Wang Shih Chieh and General Chang Tze Chun, November 7, 1944。

府與中共雙方均承認蔣介石的"主席"與"統帥"地位，現在則僅要求中共接受中央政府及其軍事委員會的命令。第4條，赫原案強調所有國內各政黨均予以"平等、自由及合法的地位"，新案刪去"平等、自由"，僅保留"合法"二字。因此，新案較赫原案略有退步。

當天，赫爾利帶著新方案，偕同林祖涵秘密飛赴延安。蔣介石在日記中寫道："不知能否見效？"[1]

三、毛澤東、赫爾利的第一、第二次會談

毛澤東得知赫爾利要來延安談判的消息，於11月6日召開中共六屆七中全會主席團會議。當時，日軍正猛烈進攻廣西桂林，重慶形勢危急，因此毛澤東在會上說："蔣介石要赫爾利來調停，可得救命之益。至於能拿出什麼東西來，多少可以拿一點。他給以小的東西，加以限制，而得救命的大益。對國民黨問題，赫爾利看得相當樂觀。赫爾利來我們要開個歡迎會，由周恩來出面介紹，再搞點音樂會。"[2] 7日，當赫爾利的飛機還在空中飛行時，毛澤東、周恩來、朱德、葉劍英等接到美國軍事視察團巴勒上校的電話通知，就擠到一輛用救護車改裝的汽車裏，越過崎嶇的山路向機場疾駛。飛機降落，毛澤東等人上前迎接，臨時樂隊號角齊鳴。赫爾利在檢閱軍隊後，坐上毛的改裝汽車，越過草地，越過延河，到達延安。

當晚，延安舉行慶祝蘇聯十月革命二十七週年宴會，出席宴會的有蘇聯、美國、英國來賓，以及在延安的國際友人百餘人，赫爾利成為主客。第二天的會議從上午10點10分開始，到11點30結束。出席會議的中共人員有毛澤東、朱德、周恩來，以及周恩來的秘書陳家康等。美方人員有赫爾利、美軍觀察組組長包瑞德上校等。

赫爾利發言的主要內容如下：

"美國並無意捲入中國國內政治。美國是中國的朋友，美國相信民主，中國

---

1 《蔣介石日記》，1944年11月7日。
2 《毛澤東年譜》（中卷），第555頁。

也相信民主。美國和中國面臨共同的敵人。"接著，赫爾利自我介紹，稱自己是："民主以及'民有、民治、民享'政府的忠實信徒"，此行目的是"鼓勵中國民主進程的發展"，"幫助整合和團結中國的軍事力量，與美國合作共同打敗日本"。赫爾利稱：行前與蔣委員長進行過長談，"委員長建議，承認中國共產黨和其他政黨的合法地位"，"考慮讓中共加入中國最高軍事委員會"，"有必要成立一支統一的、建立在平等自由基礎之上的軍事力量，共產黨的軍隊將會受到與其他軍事力量同等待遇"。

在拿出包含五點內容的協定文件後，赫爾利說："蔣介石願意在此基礎上與毛澤東和朱德達成協議"，"這並非最終稿"，"請主席及在座的共產黨人士認真研究，美國為建立一個可以與國共雙方坦誠交談的基礎，我們在此事上非常盡心努力"。

毛澤東想知道五點建議是誰的想法，赫爾利說："這是他自己的意見，根本內容是他的想法，但是，我們大家都做過研究"，"委員長已經同意"。赫爾利說："他全部的目標是，實現一個統一的中國並打敗日本，而且他希望統一不僅能讓中國獲得自由，而且還能夠阻止內戰爆發。如果我們能夠幫助這些人達成理解和共識，那麼就會產生一個幸福和平的中國，而且戰後中國能夠在民主自由的基礎上進行重建。我們將會非常高興。"他接著說："富蘭克林·羅斯福總統非常渴望中國能夠成為世界四大強國（中國、俄國、英國和美國）之一，並在世界舞台上佔有一席之地。""我們沒有，美國也沒有任何想法在未來控制中國，我們所希望的是中國的友誼、善意、自由和統一，就像我們在美國所享有的一樣。""我們並不願意對中國的意識形態和經濟政策指手畫腳。中國可以選擇自己的道路。我們希望中國通過經濟規律和人民的意願來選擇自己的經濟政策，而不是通過流血和衝突來實現。"

赫爾利還說："在與委員長交談之初，認為委員長堅決反對共產黨。但是，在談話中發現，委員長非常渴望實現中國的和平和統一，他相信共產黨正在努力提升普通民眾的福祉，而且他自己也希望人民能夠獲得幸福。""委員長甚至表達過與毛主席親自會面的想法，他們會給世界人民和中國人民留下印象，即兩人都希望中國普通民眾獲得幸福，希望阻止內亂、異議的產生和內戰的爆發。"

赫爾利又說:"很高興聽到蔣介石先生說他畢生都在致力於維護中國統一,促進民眾福祉,相信這也是毛主席所支持的。""如果在座各位能夠找到一個共同基礎,與蔣介石先生達成協議,實現中國統一,那麼我們將會非常高興。"

最後,赫爾利說:"相信毛主席和蔣介石先生都是為中國的利益而努力,而我們也將會與兩位一起共同努力來打贏這場戰爭。""蔣介石先生給我的印象是一個真正愛國的中國人,毛主席也給我相同的印象。""雙方能夠首先確立一個基礎,達成一個真誠、持久的協議,推進中國的民主進程。"

在赫爾利講話之後,毛澤東僅說:"感謝赫爾利將軍來幫助中國實現統一以聯合抗日。問題是如何聯合中美軍事力量共同儘快打敗日本,重建中國。這是最根本的問題。"[1] 會議散會。

第二次會談於同日下午點舉行。會議持續三個半小時。毛澤東作了長篇發言。針對赫爾利所稱蔣介的目標是"實現一個統一的中國並打敗日本",毛首先強調,中國需要"民主基礎上的統一"。他說:

"中國擁有巨大的人力和豐富的自然資源。但問題是,如何聯合這些力量共同抗日。中國需要統一,但為了實現統一,我們需要民主。換句話說,我們需要在民主基礎上的統一。考慮到中國缺少民主的事實,當世界範圍內的反法西斯戰爭進展順利之際,中國的戰事卻步履維艱,這也是為什麼赫爾利將軍代表羅斯福總統來中國幫助促進中國統一的原因,這也是為什麼我們對你表示衷心歡迎的原因。"

根據國民黨軍在西南戰場節節敗退,而美軍已經進抵菲律賓的情況,毛澤東提出中國應該出現"轉捩點":他說:"尤其在當前,日軍已經攻打西南,美軍已經進抵菲律賓之際,的確需要中國戰場的配合和努力。但是,在國民黨當局負責的主要前線卻遭遇慘敗。對此,全體中國人以及外國友人都十分憂慮。我們希望能出現一個轉捩點。過去,事態似乎朝一個錯誤的方向發展,國家統一遭到破壞,中國的戰鬥力量分散,民主受到干擾,中國與世界大國的關係惡

---

1 Memorandum of Conversation, 893.00/1-1049: 1944 年 11 月 8 日,延安,*FRUS*, 1944, China, p.677. 本文所用美國對外關係文件,部分為本人助手賈亞娟女士所譯,部分則採用牛軍教授所譯,見《紀實》(下卷)。

化。因此，是該將這個機器朝著新的方向扭轉的時候了，朝著團結、民主、增強抗日力量的新的方向努力。因此，赫爾利將軍在扭轉局勢方面提供的幫助，所有中國人民對赫爾利將軍表示感激。"

接著，毛澤東肯定國民黨和政府的"好的一面"："到目前為止，國民黨仍然是一個大的政黨，擁有龐大的軍隊。這支軍隊在抗戰的最初兩年裏，戰果是比較不錯的。目前，仍然還在打日本。國民黨當局還未最終破壞民族團結，這顯然是蔣介石先生領導的黨和政府的好現象。""以此為出發點，緊接著，我們需要團結一致抗日。我們從沒有放棄這一點，也就是與蔣介石合作共同抗日。"

赫爾利對毛澤東肯定國民黨和蔣介石很高興，回答說："謝謝，非常好。"

毛澤東陳述"困難"和"危機"，他說："但是我們必須看到事情的另一方面，也就是今日中國之困難、我們的弊病以及嚴重的危機。如果我們看不到這一面，我們就無法解決問題。

"目前，中國政府的政策是全國人民團結的障礙，換句話說，團結存在障礙。我們希望中國的政策會有一個改變。今日中國被分成三個部分或三個區域。其一是日本佔領的地區，其二是中國共產黨以及與中共並肩作戰的黨外人士佔領的解放區，其三是國民黨統治的區域。

"關於日佔區，國民黨當局並沒有積極組織地下力量，也沒有在這些地區開展抵禦入侵者的鬥爭。至於解放區，國民黨當局卻採取各種辦法來阻撓，甚至破壞。你可以看看地圖。當你看到解放區廣袤的疆域時，你就能明白這是中國人民八年來艱苦鬥爭所取得的成果，而且這些鬥爭都是在最為困難和艱苦的環境中展開的。我想重申，國民黨當局想盡一切辦法阻撓解放區人民的鬥爭。他們嘗試各種辦法發動攻擊，往解放區安插間諜，這類活動數不勝數。因為時間有限，所以我覺得沒必要向你細述這些事情。

"在國民黨當局直接控制的區域裏，存在著嚴重的危機。很大一部分國民黨軍隊已經失去戰鬥力。說'很大一部分'，意思是也有很少一部分國民黨軍隊還沒有失去戰鬥力。從四月至今，國民黨軍隊的規模從二三百萬減少至不到兩百萬，更確切的數字是一百九十五萬。國民黨軍隊很大一部分在遇敵之初就四散潰逃，所以，他們無法承擔激烈的戰鬥。

"在國民黨控制的地區，土匪遍野，恣意橫行。人民對政府的信任度從未像現在如此之低。如我之前說過，這是一場嚴重的危機，在大學教授、學生，甚至是國民黨黨員，以及小黨派內部廣泛存在著極強的不滿情緒。"

接著，毛澤東提出對赫爾利的"五點建議"的意見，認為"很有必要討論一下與該協議基礎有關的幾個問題"，"至於具體條款，我還不準備提出"。

毛澤東提出，首先必須改組政府，成立聯合政府，改變政府政策。

"包括共產黨在內的絕大多數中國人首先希望在政府政策以及政府組織方面有所改變。這是最基礎的東西，否則將無法達成任何協議。這個問題不解決，協議不可能有一個堅實的基礎。改組政府十分必要，為了建立一個真正的國民政府，建立包括國民黨、共產黨，以及其他政黨和無黨派人士在內的聯合政府十分必要。

"除此之外，政府的政策應為團結全國人民一致抗日的事業服務。這是為什麼不適合團結抗日的政府政策應該改變和調整的原因。重組政府不僅必要且十分重要。首先能夠避免國民黨統治區發生軍事、政治、財政、經濟危機。在解放區，儘管我們面臨很多困難，但沒有任何危機。如果政府未能改組，即使軍隊配備有新武器、戰鬥機、坦克，軍隊的鬥志和士氣都無法提高，而且國民黨當局一直以來對外國未能提供充足的武器裝備心存抱怨。但是，如果政府未能重新改組，那麼即使部隊得到了更多的供應和補給，軍隊的士氣也根本無法提升，因為包括軍事、政治、財政在內的整個組織機構都已經腐敗至極點。因此，改組政府首先能夠避免國民黨統治區發生危機。國民黨是該區域的當權者，如果他拒絕改組政府，那麼，危機就不可避免。因此，政府改組的問題首先是為了防止國民黨當局自己發生危機。

"至於民主進程的問題，我黨認為應該是改組政府，建立聯合政府，改變政府政策。過去許多事情表明，蔣介石先生的想法是一拖再拖直至抗戰結束。危機日益深重，照此以往，危機的發生不可能避免，將會拖延和擴大，而政府也存在崩潰的危險。不僅是共產黨，我們的國際友人以及記者也能感覺到政府崩潰的危險。因此，如果依照蔣介石先生的思路，將問題擱置到抗戰結束後，那麼，危機將拖延，而且將擴大，也存在政府崩潰瓦解的危險。"

接著，毛澤東介紹共產黨人的工作，分析國民黨統治區的"危機來源"，指責國民黨對共產黨的"錯誤政策"。他說：

"在日佔區，共產黨竭盡全力組織地下力量，積極準備與登陸中國的盟軍合作，抵禦日軍侵襲。

"在解放區，共產黨展開公開的活動，以推動抗日事業。因此，我們從來沒有妨礙國民黨在其統治區的工作，但是，國民黨卻妨礙我們在解放區以及日佔區的工作。195 萬人的軍隊中，77 萬 5 千的國民黨軍隊用來包圍我們，甚至襲擊我們的解放區。但就我方而言，我們傾盡全力與日作戰。我們從來沒有採取任何行動干擾他們在我們區域內的工作。

"在國民黨控制的地區，國民黨當局一見到共產黨就逮捕殺害。從 1939 年起，我黨在大後方只能被迫轉至在地下開展工作。只有在重慶，我們的日報才允許出版，一些黨員才允許公開開展工作，在西安，也有一些黨員允許公開開展工作。在國民黨控制地區，我黨不得不被迫展開地下工作。儘管如此，我們還是命令在大後方的同志不要在工廠和市場組織罷工、罷市的活動，而要支持國民政府抵禦日軍的行動。"

毛澤東強調，國民黨統治區危機的來源是國民黨的錯誤政策與腐敗機構，而不在於共產黨的存在，相反，共產黨和解放區的存在對於"保衛"國民黨大後方有著重要意義。他說："這表明，危機的根源在於國民黨當局的政策本身，以及無法抵禦敵人進攻的腐敗軍隊。共產黨不存在危機根源。如果我們從另一個角度看，如果沒有共產黨，沒有解放區，國民黨當局早就被日本人擊潰了。近期，我們的軍隊的規模擴展到 63 萬人，還有超過 200 萬的民兵和 9000 萬人口，這是一股非常強大的力量。如果我們在後方與日本入侵者戰鬥，我們好比拉住了牛尾，我們正在保護國民黨的大後方。若沒有這些，他們早就被日本人徹底消滅了，因為他們不可能抵禦日軍的攻擊。"

當年 6 月國共談判期間，國民政府代表王世杰、張治中向中共代表林祖涵提交《對中共問題政治解決之提示案》，提出中共部隊"合共編為四個軍，十個師，陝甘寧邊區定為 "陝北行政區"，主席由中央任免。[1] 對此，毛澤東批評說："建議的實質是解散 80% 的第十八路軍和新四軍，並解散由人民自己選舉產生的解放區政府。如果解散了大後方的第十八路軍和新四軍，將不會有人拉住牛尾，屆時日本侵略者將直指國民黨控制地區，因此，我們認為此建議只能危害到他們自己。"

毛澤東分析國共兩軍情況，認為需要改組的應該是國民黨軍。他說："協議基礎中有一點可能出自蔣介石先生之手，即，我們的軍隊、官兵在重組之後，將會受到與國民黨官兵一樣的俸祿和待遇。我認為，接受改組的軍隊應該是失去戰鬥力、不服從命令的部隊。比如，這些部隊在遇敵時四散潰逃，不服從命令，而且極為腐敗墮落，只有此類的軍隊才需要改組。至於我們的軍隊，我希望我們的朋友能夠看看敵人後方更多的根據地，我們有許多根據地，其中 17 個是比較大的。美國軍事觀察組已經訪問了包括延安在內，以及位於五台山的敵後抗日根據地以及晉綏軍區。我希望我們的美軍友人能更多地參觀一些根據地。我希望你們能參觀所有的根據地。我認為，這也是中國人民的觀點，重組那些腐敗、沒有戰鬥力的軍隊是當務之急。"

關於軍餉和軍隊供應問題，毛澤東比較國共兩軍說："國民黨軍隊食不果腹、缺衣少穿，甚至虛弱到無法行軍，國民黨士兵的每月軍餉是 50 元，這僅能夠買一包香煙。而我們的軍隊豐衣足食，因此你看，如果我們軍隊被重組，與國民黨軍隊享受同等待遇，這將如何進行呢？如果我們軍隊被重組，與國民黨士兵得到相同的軍餉，你能想像這將如何實現和完成呢？他們將會忍飢挨餓，甚至虛弱到無法行軍打仗。"[2]

中共領導的軍隊一度經濟十分困窘，在不長的時間內迅速轉為 "豐衣足食"，與國民黨軍隊的飢寒交迫形成鮮明對比，赫爾利沒有詢問其原因，靜聽毛澤東繼續講下去。毛說："在不干擾解放區抗日力量的前提下，在不放棄民主原則的條件下，我們願意與蔣介石先生達成協議。但是，首先解決一些問題或者

1　《中共中央文件選集》(14)，第 343—344 頁。
2　當時解放區經濟問題的解決，一靠大生產運動，二靠 "土特產" 交易。據蘇聯駐華大使潘有新回憶："邊區在 1943 年向 '外界' 拋售了 120 萬兩鴉片，主要供應者是八路軍 120 師駐紮地區。"《近代史資料》總 109 號，第 171 頁。

逐漸解決這些問題都是無可厚非的。我們不期望一下子解決所有問題。但是，對我們而言，放棄民主的原則，或者干擾破壞解放區的抗日力量都是不可取的。而且，長久以來，我都十分願意並期望同蔣介石先生見面，但在過去，似乎非常困難。我們之間漸行漸遠，而不是越走越近，但是現在，在赫爾利將軍出面調停的最佳時機，我十分願意與蔣介石先生會面以期達成協議。"

在聽了毛澤東的長篇講話，特別是聽到毛澤東表示願意與蔣介石會面以期達成協議的話以後，赫爾利說："非常高興聽到毛主席這麼說，也非常感激。這是非常大的一步。如果我們能夠讓這兩個人會面，我們或許能夠解決很多困難。"

赫爾利以中國遠征軍在緬甸的勝利為國民黨軍的困境辯解，他說："蔣介石的部隊在抗日的七年多，將近八年的時間裏，處境比較艱難。他們被封鎖圍困，而且沒有像共產黨軍隊那樣多的資源，也就是糧食和衣物。"

說到這裏，赫爾利指著出席談判的中共人員所穿的土製呢衣："國民黨無法獲得這樣好的材料。"

赫爾利這樣說之後，馬上聲明："為國民政府辯護不是自己的職責範圍"，"不想為其辯護"，"只想說，在去年，國民政府的軍隊在緬甸北部以及薩爾溫江（中國稱怒江——筆者注）的戰役中取得了不錯的戰績，而且打通利多公路（後稱史迪威公路——筆者注）延伸至緬甸的密支那。國民黨軍隊為此消耗了很多人力物力，使得國民黨軍隊在其他地區的實力受到削弱。"

赫爾利不同意毛澤東對國民黨軍隊的批評，他說："譴責中國軍隊的言論都是出自那些希望中國分離的國家"，"我感到毛主席所說的，和我們的敵人所說的，有相同之點。"他表示："我想我們應當設法使中國的領袖們在一起冷靜地商討中國的局勢，尋求中國各種力量是否可能團結。如果今天已經沒有團結中國各種力量的可能，那麼我們的努力就會徒勞無功。在我與委員長再次會面之前，我願毛主席說明他希望國民政府做什麼。""在上午，我還沒有了解到感情上存在著這樣深刻的鴻溝，和你們這樣強硬的對抗。"

赫爾利在批評了毛澤東之後表示："蔣介石已經同意重組軍隊，也同意改組政府。他說他希望共產黨能與他一道推動孫中山先生的'三民主義'，促進民主發展。""如果中國想要統一，避免內亂，那麼，中國的領導人找到一個能夠達成協定的基礎十分必要"，"應該在中國的領導人之間建立起合作"。

赫爾利說："我已與蔣介石進行過細談，希望他能夠理智公道，而且能從服務於中國的利益出發行事。我現在希望毛主席也合理一點，給我一份聲明，可以做些什麼，以便與蔣合作。"

毛澤東馬上表示："這個可以辦。"

赫爾利再次表示："我希望毛主席合理一些。剛才毛主席說的話，有重複敵人所說的地方，這是不公平的。蔣苦戰八年。他周圍的貪污腐化份子利用了他。毛主席應該幫助蔣肅清這些份子。"

毛澤東馬上抓住赫爾利的話追問："你承認那裏有貪污腐化份子？"

赫爾利："是的。"

赫爾利批評毛澤東，毛澤東開始為自己辯護，他說："赫爾利將軍不應該將我的看法說成是中國敵人的看法。我只是複述過羅斯福總統、丘吉爾先生，以及孫科博士和孫夫人宋慶齡的觀點。我想重複這些人的話是可以的吧？說我重複敵人——日本人的話，那是不合事實的。"

在雙方小有辯駁之後，毛澤東說："赫爾利將軍說這些希望中國團結的人，也談中國的缺點和中國缺乏民主。正因為不團結，我們才談團結；正因為不民主，我們才談民主。如果中國已經團結，已經民主，那麼又何用我們來談它們呢？""有兩類人說中國不團結不民主的。一種人希望中國繼續分裂。還有一種人希望中國團結、民主。""我的話決不反映前一種人，而是反映後一種人的意見，就是反映希望中國團結、民主的人們的意見。"

在毛澤東作了解釋之後，赫爾利表示："在幾分鐘以前，我曾誤解毛主席的意思。現在我了解了，你是要團結、民主的。如果毛主席和我一起工作，我們可以使蔣介石和我們一起工作，我們就可以促成中國團結，發展民主，肅清貪污。為此，我們必須在一起工作，毛主席同意不同意？"

毛澤東："同意。"

接著，雙方討論上午赫爾利提出的"五點協議"，毛澤東表示，"有幾條可以充分被接受。"

其後，接下來，雙方就有關各條款的措辭內容進行一個小時的討論。在討論中，赫爾利提出毛澤東參加統帥部問題。毛表示"不寫上也可以"。最終，雙方達成五條共識。據美方文件稱：討論在親切友好的氛圍裏進行。

四、毛澤東、赫爾利談判成功，二人欣然簽字

11月9日下午3時，雙方進行第三次會談。

毛澤東："我們所同意的方案，如蔣介石先生也同意，那就非常好。"

赫爾利："我將盡一切力量使蔣接受，我想這個方案是正確的。""如果蔣先生表示要見毛主席，我願意陪同毛主席去見蔣。""他將作為我的上賓，我們將以美國國格來擔保毛主席及其隨員在會後能安全地回到延安，不管會議的成敗如何。"

毛澤東："我很早以前就想見蔣先生，過去情況不便，未能如願。現在有美國出面，赫爾利將軍調停，這一好機會，我不會讓它錯過。"

在討論進行步驟時，毛澤東提出："我還不了解蔣先生是否會同意我們的五要點。他如同意，我即可與他見面。我總覺得在我和蔣先生見面時，要沒有多大爭論才好。"

赫爾利也提出他的擔心，問毛：在協議達成之後，是否能與蔣合作，要蔣"當政府主席"？毛澤東立即回答："要他當政府主席。"赫爾利非常高興，表示很好。他說："我以前以為蔣是不公正的，後來我改變這一意見，覺得他還是公正的。我深信毛主席是真正為人民利益奮鬥的。當中國二大領袖在一起，增進團結，消滅內戰，使中國真正成為四強之一，這是多麼好啊。"赫爾利當時就告訴毛澤東，明天早晨簽字後就要趕回重慶去，他說："明天星期五是我的吉日，我的生日是星期五，結婚在星期五，第一個小孩生於星期五，獲得第一個勳章也在星期五。"他要毛澤東不要嘲笑他的"迷信"。

當日晚上，毛澤東召開中共六屆七中全會全體會議，報告與赫爾利會談情況，毛澤東說：

"經過三次會談修改後的五點協定，沒有破壞我們的解放區，把蔣介石要破

壞解放區的企圖掃光了，破壞了國民黨的一黨專政，使共產黨得到合法地位，使各小黨派和人民得到了利益。如果蔣介石簽字承認這個協定，就是他最大的讓步。明天簽字後，我們的文章做完了，問題就在重慶了。關於見蔣介石的問題，不能拒絕，尤其此時要考慮，為了民族的利益，簽字後不去見蔣，我們就輸理了。現在我不去，將來再說。"[1] 周恩來分析：蔣介石認為，允許中共參加政府和成立聯合政府兩者有別，赫爾利將二者混而為一，將來蔣介石肯定會提出修改意見。[2] 全會一致同意五點協定。

11 月 10 日上午 10 時，毛澤東與赫爾利進行第四次會談。毛澤東要求將五點協議轉達羅斯福總統，說明協定已經中央委員會通過，授權自己代表中共中央簽字。他表示，今天還不能和赫爾利將軍同去重慶，決定派周恩來同去。最後，毛澤東說："總之，我們以全力支持赫爾利將軍所讚助的這個協定，希望蔣先生也在這個協定上簽字。"

1944 年 11 月 10 日 12 時 45 分，毛、赫雙方在延安汪家坪簽字。

協議全文如下：

一、中國政府、中國國民黨與中國共產黨應共同工作，統一中國一切軍事力量，以便迅速擊敗日本與重建中國。

二、現在的國民政府應改組為包含所有抗日黨派和無黨無派政治人物的代表的聯合國民政府，並頒佈及實行用以改革軍事政治經濟文化的新民主政策。同時，軍事委員會應改組為由所有抗日軍隊代表所組成的聯合軍事委員會。

三、聯合國民政府應擁護孫中山先生在中國建立民有民享民治之政府的原則，聯合國民政府應實行用以促進進步與民主的政策，並確立正義、思想自由、出版自由、言論自由、人身自由與居住自由，聯合國民政府亦應實行用以實現下列兩項權利即免除威脅的自由和免除貧困的自由之各項政策。

四、所有抗日軍隊應遵守與執行聯合國民政府即聯合軍事委員會的命令，並應為這個政府及其軍事委員會所承認。由聯合國得來的物資應被公

1 《毛澤東年譜》（中卷），第 557 頁。
2 《周恩來年譜》，第 600 頁。

平分配。

　　五、中國聯合國民政府承認中國國民黨、中國共產黨及所有抗日黨派的地位。

中國國民政府主席蔣中正　　　　　中國共產黨中央委員會主席毛澤東（簽字）
中華民國三十三年十一月　日　　　中華民國三十三年十一月　　日

北美合眾國大總統代表赫爾利
（見證人）（簽字）
中華民國三十三年十一月　　日[1]

　　這一份文件有中英文兩種文本。現在台北的"國史館"還保存著這一文件的英文文本（打字稿），左側留有蔣介石的簽字空間，右側有毛澤東的中文毛筆簽字。

　　簽字之後，毛澤東應赫爾利建議，致電羅斯福："我很榮幸地接待你的代表赫爾利將軍。在三天之內，我們融洽地商討過一切有關團結全中國人民和一切軍事力量擊敗日本與重建中國的大計。為此，我提出了一個協定。""這一協定的精神和方向，是我們中共共產黨和中國人民八年來在抗日統一戰線中所追求的目標之所在。""我現在託赫爾利將軍以我黨我軍及中國人民的名義將此協定轉達於你。"[2]

　　毛澤東對談判結果很滿意，他沒有想到，談判會這樣順利。

五、蔣介石拒不同意，國民黨提出《修正案》

　　11 月 10 日，赫爾利和周恩來同機飛返重慶。

　　當赫爾利初到延安時，和已在當地的美國《時代雜誌》和《生活週刊》駐中國記者白修德（Theodore White）有過一次談話，白修德告訴赫爾利，他剛與

1　《延安協定草案》，《中共中央文件選集》（14），第 393—394 頁；《毛澤東函述赫爾利國共合作五項條件》，台北"國史館"藏，002-020400-00003-019。
2　《毛澤東年譜》（中卷），第 558 頁。

毛主席交談過，毛主席告訴他，與蔣介石之間沒有任何達成協議的可能性。白修德還向赫爾利分析了毛澤東不認同國民政府的幾個原因。[1] 這使赫爾利感到自己 "承擔的使命" 希望渺茫，但是現在，渺茫的希望卻將成為現實，赫爾利頗為躊躇滿志，自覺完滿地完成任務，可以向羅斯福交代了。

然而，事情沒有赫爾利所想像的那樣簡單。中共最早提出成立 "聯合政府" 問題，始於 1944 年 8 月毛澤東、周恩來給董必武的電報。當時，在重慶的國民參政會準備增補參政員，毛澤東指示董必武和林伯渠，"首要的問題是與民主黨派商談組織各黨派的聯合政府問題"[2]。當時，毛澤東、周恩來已經有了 "召集各黨派及各界團體代表會議，改組政府，然後由此政府召開真正民選的國民大會"[3] 的一整套想法。9 月 15 日，林伯渠在國民參政會三屆三次大會上報告，正式提出組織 "各抗日黨派聯合政府"[4] 的要求。後來，周恩來甚至設想，"如蔣介石失敗了，聯合政府中我們就是大股，是中心。"[5] 這一切，自然與國民黨長久以來的 "一黨統治" 模式構成尖銳的衝突，遠不是在國民政府的委員中增加幾名非國民黨成員所可以解決的。

11 月 11 日上午，赫爾利因在延安得了重感冒，在寓所休息。他將協議副本送交宋子文和王世杰等人。宋、王二人氣急敗壞地趕到赫爾利住處。宋稱："你被共產黨的舊貨單子欺騙了，國民黨人永遠不會答應共產黨人的要求。" 宋隨即指出《協議》中的 "所有缺陷"。[6] 王世杰責問赫爾利為何不堅持原提五項協議，赫爾利答稱：堅持了，但無效，不得不改訂如此。王世杰批評修改方案 "大不妥"，赫爾利受此批評，大為懊喪。他認為，宋、王的批評中只有建立 "聯合政府一條值得考慮，但並不是大問題，實際上不過是要求改變中國政府的名稱"，是 "細微末節，容易糾正"，"共產黨的建議至少已經提出了一個基礎，在此之上可以達成協議"。會見後，王世杰與宋子文一起往見蔣介石彙報，交

1　Memorandum by Major General Patrick J. Hurley, 1944 年 11 月 8 日，延安，893.00/1-1049: *FRUS*, 1945, China, pp.673-674。
2　《董必武年譜》，第 206 頁。
3　《毛澤東年譜》（中卷），第 536 頁。
4　《林伯渠在國民參政會三屆三次大會上關於國共談判的報告》，《國民參政會資料》，四川人民出版社 1984 年版，第 196 頁。
5　《周恩來年譜》，第 606 頁。
6　《美國駐華大使赫爾利致國務卿函》，1945 年 1 月 31 日，《紀實》（下卷），第 417 頁。

換意見。王世杰認為"此事前途益可慮"。[1]

當日正午,蔣介石和宋子文、陳誠等談話,對赫爾利此行既感意外,又極為失望。日記云:"其結果之惡劣,殊出意料之外。美國人之糊塗與粗暴,只有被英國欺詐與俄共蒙混及威脅所制服也。"[2]當時,日軍正在猛攻廣西。11月10日,桂林失陷。次日,柳州守軍張發奎部轉移。蔣介石日記稱:"余得哈雷(赫爾利)之報告,比桂、柳之失陷,其喪心與失望,更不可以道裏計也。""余初以為哈雷之經驗與老成,赴共交涉,必不如其他美國淺薄者流為共匪所誘惑,不料其糊塗失察甚於一切美國人也。尤其以毛澤東所要求條件簽字後,彼乃允可攜之而歸也。此實於我政府為一最大之打擊,而共匪詭計最大之成就也。"[3]當日,他在《上星期反省錄》中思考此事,認為表現出"美國對華政策不誠之真相"和"欺善怕兇之惡態",對中國的接濟已經"根本無望",因此,發出"世界豈果有扶弱抑強之國家"的感歎。同時,他又認為,此事表明美國已經成為中共的"外援",中共從此"多一保障,多一有力之後盾",今後的宣傳與行動皆將"重見倡狂"。同日,他在《本星期預定工作課目》中甚至寫道:"此其成為最後、最大之打擊乎?痛苦淒慘,數月以來,以此為甚。"

11月12日,美國駐華大使高斯卸任返國,蔣介石舉行茶會送別。會後,王世杰、宋子文商議,如何處理赫爾利帶回、毛澤東已經簽字的協定草案,決定不必拒絕,但要求再修改,改定之件仍由赫爾利出面,作為其最後主張提出。11月13日,蔣介石與赫爾利談話,儘管此時蔣對赫爾利大為不滿,但是,因為繼續有求於赫爾利,便努力控制自己的感情,"婉辭勸誠以慰之"[4]。14日,王世杰、張治中向蔣介石提出擬定《修正協定案》,蔣介石與王世杰、宋子文等討論了一個多小時,才大體確定下來。15日,王世杰向赫爾利提出《協定修正案》,赫爾利頗有難色。

11月16日,赫爾利致電羅斯福回報調停情況及進展艱難。電報說:"在和共產黨完成這個建議案並返回重慶後,我發現國民黨和國民政府根本不接受

---

1 《王世杰日記》,1944年11月11日。
2 《蔣介石日記》,1944年11月11日。
3 《蔣介石日記》,1944年11月11日。
4 《蔣介石日記》,1944年11月13日。

這個提案。不過幾天來國民黨、國民政府和委員長一直在為修訂或提出建議而工作。我與兩黨一致同意，在沒有達成一致意見或最終否決之前，要對建議案的條款保密。局勢非常困難。蔣介石似乎認為，建議案最終會導致共產黨控制政府。我認為，他不能證明其觀點是正確的。我正不斷與委員長和他的助手磋商，可能會使他們認識到，與共產黨達到合理的協議是必要的。蔣宣稱：他希望統一中國軍隊，在政府中給中共代表席位，並為便於組成民主政府，進行一定的改革。但是，他希望這一切不能好像是受共產黨所迫而為之。" 在敘述國民黨和蔣介石政府中的許多高級官員，以及他的私人助手都強烈反對他這樣做之後，赫爾利向羅斯福報告："我想你明了，建議案中幾乎所有的基本原則都是我們的。仍在尋找一個方案，實現統一，卻不出現打敗任何重要派別的現象。這本身就是一個大難題。" 赫爾利接著陳述時間的重要性。他說："從統一中國軍隊和軍事形勢的嚴重性來看，我知道時間是決定性因素。儘管如此，我仍儘量耐心地與各方協商，而且正不懈地努力爭取儘早達成協議。"[1]

這一《修正案》一直到 18 日才基本定稿。蔣介石下定決心，不再退讓。其 11 月 18 日日記云："今日美國要求我與共黨妥協，而欲犧牲我國體與人格，若我無限度的一意遷就，此乃由我自棄，烏乎可！故決示以最後之限界。至於美國是否接濟，則概可不論。"[2] 當日，蔣介石與赫爾利商談，蔣在日記中記下了"頗近"二字，說明二人的意見趨於一致。蔣介石這一天和赫爾利談了些什麼，蔣介石未記。據後來赫爾利向美國國務院回報，其內容大致是：蔣介石提出："五點建議中的計劃與孫中山博士在遺囑中為中國制訂的程序相抵觸。接受這些建議，就會嚴重影響為戰爭所作的努力，在中國形勢危急之際引起糾紛。" 因此，蔣介石發狠說，在他沒有承認自己的政府被共產黨徹底擊敗時，不會同意組成聯合政府。赫爾利被蔣介石所說服，在向美國國務院彙報時說："我當然深切同情他。同時，我完全理解，國民政府必須維持下去。國民政府的崩潰將引起混亂。"[3] 自此，赫爾利的立場發生變化，從同情中共轉為同情蔣介石。

1 《赫爾利致羅斯福總統》，《紀實》（下卷），第 370—371 頁。
2 《蔣介石日記》，1944 年 11 月 18 日。
3 《美國駐華大使赫爾利致國務卿》，1945 年 1 月 31 日，《紀實》（下卷），第 418 頁。

11 月 19 日，《修正案》經蔣介石批准。文本如下：

　　一、國民政府為達成中國境內軍事力量之集中與統一，以期實現迅速擊潰日本及戰後建國之目的，允將中國共產黨軍隊加以整編，列為正規國軍，其軍隊餉項、軍械及其他補給與其他部隊受同等待遇。國民政府並承認中國共產黨為合法政黨。

　　二、中國共產黨對於國民政府之抗戰及戰後建國應盡全力擁護之，並將其一切軍隊移交國民政府並指派中共將領以委員資格參加軍事委員會。

　　三、國民政府之目標本為中國共產黨所贊同，即為實現孫總理之三民主義，建立民有民治民享之國家，並促進民主化政治之進步及其發展之政策。除為有效對日作戰之安全所必需者外，將依照《抗戰建國綱領》之規定，對於言論自由、出版自由、集會結社自由及其他人民自由加以保障。[1]

　　這一文本絕口未提中共成立“聯合政府”與“聯合軍事委員會”的主張，其核心所在是將中共掌握的軍隊拿過來，然後才能承認中共的合法地位。作為讓步，文本寫明，“指派中共將領以委員資格參加軍事委員會”，但是，邀請共產黨人參加國民政府一點，仍只在口頭上向赫爾利及中共方面提出，沒有明文寫入協定。[2]

　　《修正案》批准之後，蔣介石決定與赫爾利事先說明：1. 中共代表參加政府不能要求一定職位與人數。2. 中共改編為國軍應以十二師為限。3. 中共代表參加政府與共黨公開時間，必須先將其軍隊改編以後。同時，蔣介石和赫爾利詳細交談，“詳告以此案與我國家、政府與軍隊，及本黨革命方針、遺教及其法律喪失與犧牲之程度，以及今後所發生軍事、政治、社會上之危險”。據蔣日記記載，經過了這一場談話後，赫爾利才開始了解此案關係中國存亡者關係“甚大”，聲明一定遵照蔣介石“所指示之範圍進行”。[3]

　　11 月 20 日，蔣介石在日記中提醒自己，應向赫爾利說明：1. 共黨在國法上為破壞抗戰之叛徒與敗類。2. 共匪實無抗戰力量，更無重要城市與地區，決

1　《王世杰提交赫爾利轉交周恩來修正之國共協議條件三項》，1944 年 11 月 21 日，台北“國史館”藏，002-020400-00003-024。

2　《蔣介石日記》，1944 年 11 月 14 日；《王世杰日記》，1944 年 11 月 14 日。

3　《蔣介石日記》，1944 年 11 月 19 日。

不能列為正規國軍。3. 美國未參加調停以前，中共並未要求有其代表參加政府之夢想。4. 中共公開參加政府以後，我革命紀律與政府威聲即形低落，而中共鴟張。5. 此舉只有使中國軍政社會紛亂而不能收統一之效。6. 如果美國對中共政策用壓力，則其目的反可達成，且對於俄亦可發生效用，否則如今日之政策，對俄共專事遷就、姑息、怕事，則反致養奸多事矣。[1] 蔣介這一天的日記是他內心世界的坦率暴露。在國共合作最初的"蜜月"過去之後，他既對中共積累了越來越多的怨憤，也從根本上瞧不起中共，不想與中共談判。在他看來美國調停純粹多事，對中共和蘇聯，只應用"壓力"。當日，蔣介石在和赫爾利談話時，更直言："美國政府督促國民政府與中共妥協，實屬錯誤。" [2]

11 月 21 日，王世杰、張治中將《修正案》交給赫爾利，赫爾利提出，第二條中"指派中共將領參加軍事委員會"一語，應加"以委員資格"五字，王世杰當即表示同意，後送蔣介石，獲得批准。在《修正案》的文字敲定之後，赫爾利想起前日蔣介石對美國參與調停的嚴厲批評，突然怒火中生，"大發牢騷"。他批評國民政府"不願求得解決，而中共則希望覓得解決"，同時指責國民黨不應該"諉過失於彼"，王世杰則再次詢問赫爾利，何以不堅持最初的五項解決方案，雙方發生爭執。赫爾利言辭激烈，聲稱"如此事無結果，彼只好返美"。王見狀，從埋怨改為和顏勸說，赫爾利才表示，願將政府修正案轉交周恩來，"與周恩來作更大之奮鬥"。[3] 事後，王世杰向蔣介石彙報與赫爾利見面爭執情況，蔣介石在日記中寫道：赫爾利"態度突變橫暴，余以為無足為奇。" [4]

除《修正案》所提三項原則外，11 月 22 日，國民黨方面又提出，準備實行三項辦法：1. 在行政院設置戰時內閣性之機構（其人數為 7 人至 9 人）。俾為行政院決定政策之機關，並將使中國共產黨及其他黨派之人士參加其組織。2. 關於中共軍隊之編制及軍械等補給等事，軍事委員會將指派中國軍官二人（其中一人為現時中共軍隊之將領）暨美國軍官一人，隨時擬具辦法，提軍事委員會委員長核定。3. 在對日作戰期間，軍事委員會委員長將指派美國將領一人

1　《蔣介石日記》，1944 年 4 月 20 日。
2　《王世杰日記》，1944 年 4 月 22 日。
3　《王世杰日記》，1944 年 11 月 21 日。
4　《蔣介石日記》，1944 年 11 月 21 日。

為總司令，本國軍官二人為副司令，為原屬中共軍隊之直接指揮官。這三項辦法，也經過蔣介石親筆修改。[1]

可以看出，國民黨和蔣介石作了部分讓步，但是在反對成立"聯合政府"和"聯合軍事委員會"上，則堅持未變。

六、中共拒絕國民黨提出的《修正案》

11 月 21 日，周恩來兩次會晤赫爾利，赫將蔣所提修正案交周。周當即反對，認為這一方案說明國民黨方面沒有改變一黨專政的誠意，按照這一方案，中共參加政府和軍事委員會，只是掛名，毫無實權。他表示要立即返回延安，同中共中央商量。22 日上午，周恩來、董必武到赫爾利寓所會見王世杰，再次聲明不同意國民黨提出的修正案。王世杰答稱：一黨專政"首先是個法律問題。在法律上，目前無從宣佈廢止黨治，因為訓政是載在《建國大綱》和國民黨黨綱上面的，中央委員會無權廢止，必須有更大的會議才行，就是蔣先生要廢止也不行，我們黨員會說他違法。不過政府在實際上並非不準備容納黨外人士。"[2] 其後，周、董二人一起會見蔣介石。蔣要中共交出軍隊，然後政府才能承認中共的合法地位，聲稱"政府的尊嚴不能損害"，周則堅持聯合政府主張，聲稱"政府是內閣，並非國家，不稱職，就應該改組。"[3] 董則說："赫爾利說委員長願做華盛頓，很高興。但目前不僅沒有實行憲政，就連《訓政時期約法》也未實行，請委員長督促政府實行才好。"[4]

在周恩來將與赫爾利會談情況電告毛澤東的當日，毛澤東即在周電上批示："黨治不動，請幾個客，限制我軍。"[5] 23 日，毛澤東主持中共六屆七中全會主席團會議。毛澤東提出："我們堅持同赫爾利在延安簽訂的協定是有道理的，現在蔣介石不同意，要發動一個尖銳的批評。"他並提出要進一步擴大中

1　《中華民國重要史料初編》第 5 編。原注：第三項"將指派美國將領一人為總司令，本中國軍官二人為副司令"，其中"為總司令"以下各字，蔣介石以紅鉛筆所加。
2　《周恩來、董必武與國民黨代表王世杰談話紀要》，《紀實》（下卷），第 381 頁。
3　《周恩來年譜》，第 603 頁。
4　《董必武年譜》，第 219 頁。
5　《毛澤東年譜》，第 560 頁。

共的地盤：「可調一些人到廣西、廣東去，中國的國土蔣介石丟到哪裏，我們就到哪裏。華中來電決定向南發展，基本上可同意。還要準備幾千幹部到滿洲去。」[1]

中共方面要求成立聯合政府，但是，當時尚無明確的具體方案。11月下旬，周恩來致電毛澤東，聲稱正在與英、美人士及民主同盟、救國會、文化人會談，磋商聯合政府綱領草案，詢問延安方面的"民主綱領"是否已經起草。21日，毛澤東復電周恩來，要周起草並和小黨派非正式商量。[2] 周即起草針對國民黨提出的《修正案》的《復案》，其主要內容為：將國防最高委員會改組為聯合的最高委員會，頒佈各項"新民主"政策，成立聯合內閣和軍委會。將中共軍隊編列為正規國軍；承認中共和所有抗日黨派為合法政黨，釋放政治犯，給人民以各項自由等。[3] 這一《復案》採納了孫科的意見，"用現有形式放進我們內容"。29日，周恩來將國民黨提出的《修正案》和自己的《復案》電告毛澤東，詢問可否將《復案》交赫爾利轉給蔣介石。30日，毛澤東復電，聲稱"國民黨方面的對案同五條協定距離太遠，聯合政府和聯合統帥部是解決目前時局的關鍵，既不同意，則無法挽回時局。" 12月1日，毛澤東再次復電周恩來，認為過早向國民黨提交《復案》不利，應堅持五條協定，待中共七大以後再議《復案》。他要求周、董二人同時返回延安，並告赫，周將不能原機返回重慶。[4] 12月2日，周恩來會見赫爾利，告知毛澤東的意見，赫爾利則勸中共"參加一隻腳進來"，聲稱"國民黨已經僵化了，失卻彈性，你們進來，可以大有作為"。[5] 12月4日，周恩來應約與赫爾利及魏德邁談話。兩次談話，美方均勸中共務必參加聯合政府，周恩來均答稱，現在的政府並非聯合政府，共產黨參加"不過是做客，並無實權"，"政府不改組，就無法挽救目前的時局"。[6]

12月7日，周恩來、董必武飛返延安，參加中共六屆七中全會。8日，毛澤東、周恩來與同機來延的包瑞德談話。毛批評赫爾利背棄與中共簽訂的五點

---

1 《毛澤東年譜》，第561頁。
2 《周恩來年譜》，第602頁。
3 《周恩來年譜》，第603頁。
4 《毛澤東年譜》，第561頁。
5 《周恩來訪晤美國羅斯福總統特使赫爾利談話紀要》，1944年12月2日，《紀實》（下卷），第389頁。
6 《周恩來年譜》，第604頁。

建議，並為蔣介石的反建議作說客。毛說："蔣介石提出的三點建議等於要我們完全投降，交換的條件是他給我們一個全國軍事委員會的席位，而這個席位是沒有任何實際作用的。赫爾利說我們接受這個席位，就是一隻腳跨進大門，我們說如果雙手被反綁著，即使一隻腳跨進了大門也是沒有任何意義的。我們歡迎美國的軍事援助，但不能指望我們付出接受這種援助要由蔣介石批准這樣的代價。美國的態度令人不解，五點建議是赫爾利同意的，現在他又要我們接受犧牲我們自己的蔣介石的建議。在五點建議中，我們已經作了我們將要作的全部讓步，我們不再作任何進一步的讓步。"[1] 關於蔣介石，毛澤東表示："鑒於蔣介石的歷史，如果美國願意繼續支持他，那是美國的權力。但是我們相信，儘管美國盡其一切努力，蔣介石也注定會失敗。"據包瑞德記載，在全部會談中，毛澤東的態度極其強硬，幾次大發雷霆，說："如果蔣介石在這裏，我要當面痛罵他！"包瑞德對毛說："我以為，在蔣介石看來，'五點建議'是逼他下台的手段。"這時，毛澤東呼地一下站起來，特別憤怒地大聲說："他早就應該下台了！"[2]

談話中，毛澤東還向包瑞德透露了一個正在醞釀中的秘密：由於蔣介石已拒絕成立聯合政府，中共決定成立解放區聯合委員會，作為組成一個"獨立政府"的初步步驟。包瑞德當場就表示不贊成，後來，毛澤東擔心此事中國的中間派也不贊成，中共可能孤立，決定暫緩成立，口號還是"建立中國一切力量的民主聯合政府"。

毛和包瑞德的談話可以看作是中共方面對美國的回答。在毛、包談話同日，周恩來根據中共七屆六中全會的決定，致函赫爾利，通知他，自己已再無去重慶談判的必要。函稱："抵延後，我即將在渝談判經過，詳報毛主席及我黨中央，嗣經縝密討論，僉認為蔣主席及國民政府既拒絕我黨五條最低限度之提案，而政府所提三條，又明顯不同意聯合政府聯合統帥部的主張，使我們實無法找得兩方提案的基本共同點，因此我實無再去重慶談判之可能，同時我們為答復各方詢問，擬早日公佈五條提案，希望促起輿論注意，督促政府改變態

1　《毛澤東年譜》，第 563—564 頁。
2　《美軍駐延安觀察組組長包瑞德與毛澤東談話紀要》，《紀實》（下卷），第 451 頁。

度。特此奉告閣下。"中共這時候還是準備和美國搞好關係的。函中，周恩來轉達毛澤東對赫爾利關懷並努力於"中國團結事業的感謝"，特別寫了一段話，希望增進與美方的軍事合作："關於貴我兩方軍事合作，目前雖由於蔣主席之多方限制，不能謀取迅速解決，但我們為擊敗共同敵人計，始終願與閣下及魏德邁亞將軍繼續磋商今後軍事合作之具體問題，並已與包瑞德上校領導之美軍觀察組，保持密切聯繫。"[1] 12 月 11 日，赫爾利致電毛澤東，認為談判尚在進行，要求他不要公佈五點建議，電稱："如果現在採取任何關閉進一步談判大門的行動，我認為，對於中國和它的真正朋友都是一場莫大的悲劇。"[2]

同日，留在重慶南方局的王若飛致電毛澤東、周恩來、董必武，報告說，包瑞德擔心，當中共成立解放區聯合委員會時，蔣介石會宣佈中共搞分裂而打擊中共。12 日，毛澤東和周恩來聯名復電王若飛，聲明"犧牲民主原則，去幾個人到重慶做官，這種廉價出賣人民的勾當，我們決不能做"，"希望美國朋友不要硬拉我們如此做"。電報中，毛、周告訴王若飛，中央三個月內集中精力開"七大"，解放區聯合委員會一事待"七大"以後再說。他們要王轉告包瑞德及美國駐華大使館的官員戴維斯。[3]

12 月 16 日，包瑞德返回重慶，周恩來託包帶信給赫爾利，中稱："吾人自與美軍觀察組及閣下接觸以來，即一本合作精神，力謀有利於擊敗日本的共同事業之發展，此次我們堅持五條協定，原為動員和團結全中國人民抗日力量之最低限度要求，不圖國民黨當局竟加拒絕，致使談判沒有結果，我亦無法重往重慶，但此次決非對於美國有何不滿。五條協定原文閣下既不贊成立即發表，我們已決定暫不發表。不過我們認為，以後在適當時期。為公之國人，督促政府改變態度，仍有發表此五條之必要。一俟時機成熟，我們仍當事先通知閣下。閣下如有意見，仍可通知我們。至於閣下在延談判經過，見證簽字及毛主席與閣下交換之信件，在不得閣下同意前，絕對不會發表，此可向閣下保證者。"11 月 20 日，國民黨中央臨時常委會和國防最高委員會決定，局部改

1　《周恩來函赫爾利無再去重慶談判之可能及願與美方磋商軍事合作問題》，1944 年 12 月 8 日，台北"國史館"藏，002-020400-00003-026。亦見於宋子文檔案。中譯見《紀實》（下卷），第 421—422 頁。
2　《美國駐華大使赫爾利致國務卿》，《紀實》（下卷），第 422 頁。
3　《毛澤東年譜》，第 564—565 頁。

組國民政府和國民黨中央，任命宋子文等為國民政府委員，張勵生為內政部部長，陳誠繼何應欽為軍政部長，俞鴻鈞繼孔祥熙為財政部長，朱家驊繼陳立夫為教育部長，陳立夫則改任國民黨中央組織部長，王世杰任宣傳部長。赫爾利認為，這次人事變動代表國民黨向“自由”、“民主”前進了“一步”，周恩來反對赫的觀點，在信中說：“關於兩方談判問題，我們認為，國民黨當局此時毫無真正按照人民意志解決問題之誠意，在我們方面，則始終未閉談判之門，不過目前進行此談判，根本困難在於國民黨當局拒絕放棄一黨專政和接受民主的聯合政府的主張，而此主張的讚否是代表了民主與反民主的實質。閣下認為國民政府最近人事變動是向自由與民主之一步，我們對此具有不同見解。我們認為，只有國民黨放棄一黨專政與建立民主的聯合政府，才能使中國向著民主走進一步，才能使中國人民由此開始得到自由，才能動員與統一中國一切抗日力量，反對日本侵略者，而在國民黨一黨統治下的任何人事變動，都不可能變更目前國民政府的制度和政策，這也就是我們與國民黨談判不能獲得正當解決的癥結所在。”信件表示：“我黨中央及毛主席深深感謝閣下對於團結全中國人民擊敗日本，重建中國的事業所具之高度熱忱，我想全中國願意抗戰團結和民主的人們也必同此感謝。”“我們深信只要全中國人民更廣大的起來，中國的團結和民主是有保證的。中美兩大民族合作以打敗共同敵人並謀戰後和平也是有保證的。”[1]

在包瑞德返回重慶的時候，毛澤東又託包帶信給赫爾利，表示完全同意羅斯福的“和一切中國抗日力量作強有力的的合作”的方針。[2]

1　《周恩來函赫爾利，我們堅持五條協定，國民黨竟加拒絕，致談判無結果》，1944 年 12 月 16 日，台北“國史館”藏，002-020400-00003-029。另見《美國駐華大使赫爾利致國務卿》，《紀實》（下卷），第 423 頁。
2　《毛澤東致美國駐華大使赫爾利》，《紀實》（下卷），第 393 頁。

七、毛澤東提出召開黨派會議，
周恩來再到重慶，談判重開

赫爾利仍在繼續斡旋。1944 年 12 月 20 日，赫爾利致電毛澤東、周恩來，表示他很高興，中共沒有關上解決問題的大門，國民政府也傾向於繼續談判，建議周恩來再來重慶。[1] 12 月 22 日，毛澤東復電赫爾利，建議赫先派包瑞德來延一談，電稱："在目前，吾人認為國民政府尚無根據我們提議的五條方針來進行談判的誠意，而周恩來將軍又因有某種會議需要準備，一時難以抽身，故我們提議請你先派包瑞德上校來延一談。"[2] 12 月 26 日，羅斯福任命赫爾利為駐華大使。28 日，周恩來致函赫爾利，表示不願再繼續抽象討論，特向國民黨提出釋放全國政治犯；撤退包圍陝甘寧邊區等地的國民黨軍；取消限制人民自由的各種禁令；停止一切特務活動等 4 點要求。"誠能如此，則取消一黨專政，建立根據人民意志的民主聯合政府的可能性，方得窺其端倪。"[3]

1945 年 1 月 7 日，赫爾利致函毛澤東、周恩來，批評周恩來前函，認為背離了原定先就一般原則達成協議，而後討論特殊細節的議程，提議由本人陪同行政院長宋子文和王世杰、張治中，短期訪問延安，私下討論，在達成協議後與毛、周一同返回重慶，簽署協議。[4] 1 月 11 日，毛澤東致函赫爾利，批評八年來兩黨秘密會議，國民政府方面均毫無誠意，擔心赫爾利等來延，仍無結果，徒勞往返，毛澤東提出新方案："在重慶召開國事會議之預備會議"，"國民黨、共產黨、民主同盟三方代表參加"，"保證會議公開舉行，各黨派代表有平等地位及往返自由"。毛表示："上述建議，如荷國民政府同意，則周恩來將軍可到重慶磋商。"[5] 毛提出建議後的第三天，王若飛、徐冰即在重慶召集民盟的左舜生、張申府、沈鈞儒、黃炎培、章伯鈞、楊杰、王炳南等七人座談，與會者一致贊同，提議加速準備中共、民盟及國民黨內的民主派之間的共同綱領草案。

---

1 《美國駐華大使赫爾利致毛澤東、周恩來先生》，《紀實》（下卷），第 394 頁。

2 《毛澤東年譜》，第 568 頁。

3 《周恩來書信選集》，中央文獻出版社 1988 年版，第 252—253 頁。

4 《美國駐華大使赫爾利致毛澤東、周恩來先生》，《紀實》（下卷），第 395 頁。

5 《毛澤東關於召開國事會議預備會議致赫爾利信》，《中共中央抗日民族統一戰線選編》（下），檔案出版社 1986 年版，第 765 頁。

毛澤東的新建議自然使赫爾利很高興。1月14日，赫爾利與蔣介石共同討論。蔣稱：不論有無共產黨參加，不顧目前所處的戰爭狀態，他都將立即採取步驟使政府自由化和淨化。其主要內容為在下星期一宣佈成立有其他黨派成員參加的戰時內閣，邀請共產黨參加，而不論其是否拒絕。[1] 1月20日，赫爾利派機飛赴延安，致函毛澤東，聲稱國民黨準備做出重要和切實的讓步，決定組織包括非國民黨員在內的戰時內閣，並有廣泛的權力，希望周乘派去的飛機返回重慶談判。[2] 22日，毛澤東復赫爾利表示同意。24日，周恩來再飛重慶。行前，毛澤東指示：1. 爭取聯合政府，與民主人士合作；2. 召開黨派會議作為具體步驟，國民黨、共產黨、民盟參加；3. 要求國民黨先辦到：釋放張學良、楊虎城、葉挺、廖承志等，撤退包圍陝甘寧邊區的軍隊，實現一些自由，取消特務活動等。[3]

1月24日周恩來抵達重慶的當晚，王世杰、赫爾利即與周在宋子文宅會談。周恩來表示：中共不願參加國民黨黨治之下的戰時內閣，須先召集各黨派會議，宣告黨治廢除，然後成立聯合政府。王世杰認為周意在延宕，並無求解決誠意。[4] 25、26兩日，赫爾利、宋子文、王世杰、張治中等與周恩來會談。赫爾利、宋子文、王世杰提出在政務委員會之外的兩個補充辦法：1. 由美國、國民黨、共產黨各派一人組織軍隊整編委員會，2. 由美國派一將官任敵後中共軍隊的總司令，國民黨、共產黨各派一人為副總司令。周恩來拒絕這兩個補充辦法，認為是不公允的和無理的。[5] 28日，毛澤東復電周恩來表示："這是將中國軍隊尤其將我黨軍隊隸屬於外國，變為殖民地軍隊的惡毒政策，我們絕對不能同意。"毛澤東估計會談有可能涉及國民大會，指示周聲明："我們不贊成在國土未完全恢復前召集任何國民大會，因為舊的國大代表是賄選的、過時的，重新選舉則在大半個中國內不可能。即在聯合政府成立後也是如此，何況沒有聯合政府。"毛要求周徵求小黨派同意，共同抵制蔣的"國大把戲"。[6]

---

1 《美國駐華大使赫爾利致羅斯福總統》，《紀實》（下卷），第412頁。
2 《美國大使赫爾利致國務卿》，《紀實》（下卷），第398、427頁。
3 《毛澤東年譜》，第574頁。
4 《王世杰日記》，1945年1月24日。
5 《毛澤東年譜》，第574頁。
6 《毛澤東年譜》，第574頁。

1月25日，王世杰、張治中、宋子文、赫爾利與周恩來再次會談。王世杰在去年 11 月 22 日政府所提三項辦法的基礎上，提出補充三項，面交周恩來，請其參考後答復：1. 於行政院組織類似戰時內閣性質的政務會議，使各黨派均得參加。2. 組織中共軍隊整編委員會，由中央將領、中共將領及美軍官各一人組成。3. 組織中共軍隊總指揮部，由政府派美國軍官一人為總指揮，以中央將領及中共將領各一人為副。[1]

1月26日，王世杰、張治中、周恩來第三次會談。周恩來堅持前議，但稱，如在原提五項基礎上略加修改，彼亦可接受。他提出聯合政府必須是廢除黨治後之各黨派政府。王世杰語氣嚴重地提出，不應斤斤於黨治廢除之形式，此事牽涉孫中山《建國大綱》之修改。國民黨還政於民之時，必須以國民代表大會為接受之機關，不能以"各黨派會議"為接受者。[2]

1月28日晚，孫科邀各黨派人士聚餐，周恩來、左舜生、黃炎培、李璜、沈鈞儒、章伯鈞等在座，王世杰、邵力子、吳鐵城亦被邀。周恩來提出，由國民政府召集各黨派會議，成立聯合政府，仍名為國民政府，由此建立憲法上之政府，周表示，"願以互信互讓之精神解決一切。"[3] 孫科痛斥國民黨"過去之錯誤"，認為已由反共而走入法西斯途徑，力言國共必須合作，國民黨必須容納中共。最後，孫科表示贊同周恩來所提議之國是會議。當時，邵力子、吳鐵城對孫科的發言都感到驚駭。王世杰藉此稱："只說三句話：1. 孫科先生在黨內黨外如此指斥本黨，足見國民黨內空氣自由，並非如外間所言，黨內無民主。2. 國共雙方須互讓才能合作。3. 余希望其他各黨中亦有人如孫先生，以客觀態度考慮黨之是非功過。"[4]

1月31日，王世杰與周恩來繼續談判。周續提召開黨派會議的主張。王世杰表示：參與會議者何能以黨派為範圍，當詳細考慮。他和周商談中共參加國防最高委員會辦法，周表示，當看該會是否有最後決定權。[5]

---

1 《王世杰日記》，1945 年 1 月 25 日。
2 《王世杰日記》，1945 年 1 月 26 日。
3 《黃炎培日記》，1945 年 1 月 28 日，華文出版社 2008 年版，卷 9，第 10 頁。
4 《王世杰日記》，1945 年 1 月 28 日。
5 《王世杰日記》，1945 年 1 月 31 日。

2月1日，蔣介石約王世杰商討中共問題，陳立夫、吳鼎昌等在座。王世杰力陳：必須以最大之忍耐與努力，求取政治解決政策之成功。張厲生反對。王世杰稱："共產黨是一種病菌，在太陽下便死亡，在黑暗中便發育。本黨應一面健全自己的主張，一面允許中共公開活動，如此我們便可以戰勝中共。如純賴軍隊、特務、警察與之鬥爭，則成功難而失敗易。"[1]

2月2日，王世杰與周恩來繼續談判。周恩來提交關於黨派會議協定草案4條。1.包括國民黨、共產黨及民主同盟三方代表，會議由國民政府召集，代表由各方自己推出。2.有權討論和決定如何結束黨治，改組政府，起草共同施政綱領。3.會議的決定和施政綱領草案，經國民政府召開的國事會議通過後，方能成為國家的法案。4.會議應公開進行。[2] 王世杰聲稱，中國現有黨派不止三黨，且大多數人民均不在黨。因此，會議名稱不宜稱為 "黨派會議"。2月3日，王世杰提出協議草案，將周案提出的三黨擴大至國家社會黨、中國青年黨及其他無黨派人士，名稱則改為 "政治諮詢會議"，其任務為研討：1. 結束訓政與實施憲政之步驟；2. 今後施政方針與軍隊統一之辦法；3. 國民黨以外黨派參加政府之方式。草案提出，如獲一致結論，當提請國民政府准予施行。在會議期中，各方應停止攻擊。周恩來同意以之作為 "政府提案" 電延安請示。[3] 他對赫爾利表示，"第一次感到我們正達到一個可能完全合作的基礎"。[4] 當日午後，王世杰約張治中向蔣介石彙報與周恩來大體商定的方案，蔣介石以為可行。2月5日，王世杰再向宋子文出示方案，宋子文也表示同意。[5]

2月9日，周恩來會見王世杰，聲稱延安對於王草擬的會議方案尚未能接受，但可考慮，將奉召先返延安商量。當時給王的感覺是 "中共全力實集中於毛澤東一人"。[6]

2月10日，周恩來、赫爾利、王世杰、張治中在宋子文宅聚會，周強調

1　《王世杰日記》，1945 年 2 月 1 日。

2　《張治中回憶錄》，第 710 頁。

3　《張治中回憶錄》，第 711 頁。

4　《美國駐華大使赫爾利致國務卿》，《紀實》（下卷），第 436 頁。據《軍委會致各地軍政首長電》稱，周返延前，曾應赫爾利之宴，"舉杯互慶統一成功"。見《中共活動真相》（4），第 307 頁。

5　《王世杰日記》，1945 年 2 月 3 日。

6　《王世杰日記》，1945 年 2 月 9 日。

在召開黨派會以之前，國民政府必須實現中共提出的釋放政治犯等四條主張。赫爾利提出以周、王名義發表由赫和宋子文起草的共同聲明，說明談判現狀，周恩來反對。赫爾利遂提出由周恩來起草，周稱：如要發表聲明，則必須說明中共方面的要求以及國共雙方主張的不同之點。次日，王世杰向周恩來建議，再約赫爾利商談發表《共同聲明》，周再次拒絕。12 日，毛澤東復電周恩來，肯定他"斷然拒絕赫爾利，完全正確，我們必須堅持八條，並先做四條，否則將長獨裁之志氣，滅民主之威風。"電報中，毛澤東告訴周恩來，民主同盟的綱領已經賣到 200 元一份，美洲十家華僑報紙要求廢止一黨專政，成立聯合政府，外國多數輿論擁護此項主張，因此，"美國扶蔣主張可能被迫放棄，我黨必須攻掉此項主張"。[1]

八、蔣介石、周恩來直接衝突，周憤而離開重慶

就在此際，突然發生變化。2 月 13 日上午 11 時，蔣介石召見周恩來，王世杰、赫爾利均在座。據王世杰記載，蔣介石對周講話時，聲色俱厲，其主要之點為：1.《建國大綱》所定還政於民的程序不能變更，國民黨只能還政於未來的國民代表大會，不能將政權移交於中共要求召集的"黨派會議"。2. 中共不能推翻國民黨或蔣先生本人，因此，必須與國民黨徹底合作。周恩來當時的表現是："亦倔強，辭出後態度甚憤憤"。[2]

《建國大綱》全稱《國民政府建國大綱》，為孫中山在國民黨第一次全國代表大會前親手擬訂，作為國民政府的施政綱領。1924 年 2 月 22 日定稿。《大綱》規定，在全國半數省份完全達到自治縣水準時，開始憲政時期，召開國民大會，制定憲法；憲法公佈後，中央統治權歸國民大會行使，選舉、罷免中央政府官員，創制、複決中央法律，三個月國民政府解職，授權於民選政府。蔣介石這時提出《建國大綱》的一整套程序不能變更，自然就否定了"黨派會議"的地位和作用，"聯合政府"也就失去產生依據。

---

1 《毛澤東年譜》，第 578—579 頁。
2 《王世杰日記》，1945 年 2 月 13 日。

蔣介石的言論激起周恩來的強烈反駁。蔣介石日記載當時情況說：余對其共黨所主張之黨派會議與聯合政府以及余根本方針懇切明示之，並對其提及總理北上為變更革命制度之言，余嚴加斥責，彼自不樂，然余必嚴正訓之，以慰吾心，別時已十二時半矣。[1] 1924 年 10 月，北京政變，曹錕政府被推翻，孫中山應邀北上，提出召集有現代實業團體、商會、教育、大學、各省學生聯合會、工會、農會、反曹錕各軍、政黨等 9 種團體參加的國民會議，周恩來提出此事應是為反對蔣介石否定"黨派會議"而發，但是，遭到了蔣的嚴屬"斥責"。

據赫爾利報告，蔣介石之所以不願意向"黨派會議"交權，其理由是："中國所有黨派，包括他自己，僅構成中國人民中的百分之二，把政府權力交給任何政治組織或政黨聯盟，都不符合中國的最高利益。""他的責任是通過全民參與的會議，而不是黨派會以來制定憲法。"[2]

2 月 14 日，周恩來在重慶中國民主同盟總部——民主之家特園舉行餐會，招待于右任、孫科及左舜生、沈鈞儒、黃炎培等 24 人，報告國共談判情況，聲稱昨晚見蔣時，蔣居然表示："各黨派會議等於分贓會議，組織聯合政府無異於推翻政府"。因此談判已無法進行，明早立即飛返延安，黃炎培挽留周恩來"緩歸，即歸勿使商洽中斷"。[3] 當夜，黃炎培憂慮國事，不能成寐。

2 月 14 日，王世杰在重慶外國記者招待會上聲明，政府方面已提出若干重要讓步，其內容為：承認共產黨為合法政黨；在軍事委員會中容納共產黨高級人員；在行政院內容納共產黨及其他政黨代表；組織由美國軍官任主席，政府及共產黨代表有同等地位的三人聯合委員會，考慮改組共產軍及給養問題。[4] 15 日，周恩來發表聲明，認為王的聲明是"不坦白和不公平的"，沒有說明政府"在什麼條件或前提下，才有這些所謂的讓步"。他表示，由於國民黨堅持一黨專政不能結束，因此國民黨的所謂讓步，"不是落空，便是沒有任何實際意義，甚至不是讓步而是束縛或破壞抗戰的力量"。周稱：他們曾提議，由國民政府召開黨派會議，討論和決定如何結束黨治，如何改組政府，使之成為民主的聯

1　《蔣介石日記》，1945 年 2 月 13 日。
2　《美國駐華大使赫爾利致美國國務卿》，1945 年 2 月 18 日，《紀實》（下卷），第 434 頁。
3　《黃炎培日記》，1945 年 2 月 14 日。
4　重慶《新華日報》，1945 年 2 月 15 日。

合政府，並起草共同施政綱領，但國民黨表示，這只是一種"諮詢性的會議"，主要內容是"維持一黨專政"。因此，中共只能拒絕這些提議。他並提出，政府對中共提出的"釋放愛國政治犯"等提議並未接受。[1]

2月15日，黃炎培得知周恩來，知周已赴機場，因飛機故障折回。他在與王世杰通話中表示：1.雙方爭持之點，距離並不過遠。2.領袖並未無意於圓滿解決。3.時不可失，在赫爾利回國之前，雙方再談一次。王世杰同意黃炎培的意見，相約訪問周恩來。當晚，王世杰、周恩來、李幼椿、黃炎培見面，黃提議，雙方在4月25日聯合國會議之前獲得初步解決辦法，再次確認雙方意見並無多大差遠，蔣介石的態度也並非"無善意存在"，希望周迅速返回重慶。[2]

2月16日，周恩來返回延安。17日，毛澤東為新華社撰寫新聞稿，批評國民黨當局依然堅持一黨專政，反對聯合政府，反對人民與民主，並企圖吞併八路軍、新四軍，以致仍和過去一樣未能成立任何協議。[3] 18日，毛澤東在中共六屆七中全會上說："國民黨和赫爾利都是要我們廉價或無代價下水，我們抵制了這些東西，現在又要套我們的軍隊，我們也抵制了。"[4]

九、蔣介石提出召集國民大會，中共堅決反對，發動批蔣高潮

由於周恩來返回延安，國共在重慶的談判陷於停頓。

1945年元旦，蔣介石在廣播講話中提出，準備建議中央，在軍事形勢穩定，反攻基礎確立，最後勝利更有把握之時，召集國民大會，還政於民。[5] 1月4日，"延安權威人士"發表評論，聲言戰前準備召開而始終未能開成的"國民大會"早已"死了"、"臭了"、"爛了"，蔣介石舊話重提，不過是為了抵擋全國人民立即建立聯合政府的要求。該文將重慶國民政府指為"蔣氏自己及其一

---

1 《周恩來關於數月來國共兩黨談判情況的聲明》，重慶《新華日報》，1945年2月16日。
2 《黃炎培日記》，1945年2月15日。
3 《解放日報》，1945年2月17日；參見《毛澤東年譜》，第580—581頁。
4 《毛澤東年譜》，第581頁。
5 《中央日報》，1945年1月1日。

群的法西斯主義與失敗主義的寡頭專政"，將蔣介石比喻為"渾身浸在糞缸裏"的"一個獨夫"，顯示出對蔣介石和重慶國民政府的深惡痛絕的態度。[1]

3月1日，蔣介石在重慶憲政實施協進會上演說，認為立即將政權"移交給各黨派"，可能導致中國出現可怕的混亂局面。他再次提出召集國民大會，聲稱"在國民大會召集以前，政府不能違反《建國大綱》，結束訓政，將政治上的責任和最後的決定權，移交給各黨派，造成一種不負責任的理論與事實兩不相容的局面"，認為其結果是"中央政權勢必日日在風雨飄搖之中"，"必使抗戰崩潰，革命失敗"，"國家引起可怖的變化"，"陷民族於萬劫不復的境地"。他宣佈，預定於 1945 年 11 月 12 日，孫中山 80 誕辰之日召開國民大會。[2] 演說中，蔣介石再次強調軍權統一，認為"一個獨立國家決沒有軍權不統一的，尤其是對外抵抗侵略的時候"，"抗戰時期中應集中一切力量，驅逐敵人"，"共產黨不應有獨立的軍隊"。

中共也有過召開國民大會一類設想。早在 1944 年 8 月 23 日，毛澤東和謝偉思談話時就說：中國防止內戰的希望在很大程度上依賴外國，特別是美國的影響，國民黨必須改造自己和改組政府，其方法是：召開臨時的（或過渡的）國民大會，邀請一切團體派代表參加，國民黨代表佔一半，其他代表佔另一半，會議的任務是改組政府，制定新法令，直到憲法通過之日為止。毛澤東並表示，在這次會上，蔣介石將被確認為"臨時總統"。[3] 只是，蔣介石所設想的是繼續執行抗戰前的舊計劃，而中共設想的則是重新推派代表的新國大。早在 1935 年 11 月，國民黨中央就決定於 1936 年 11 月 12 日召開國民大會，當年7 月 1 日開始選舉，但由於抗戰爆發，至 1938 年 12 月，僅選出 874 名，尚有326 名未選出。由於這些選舉是在國民黨統治下舉行的，召開由這些代表舉行的大會自然有利於國民黨，因此，中共將這些代表比之為曹錕時期的"豬仔議員"，堅決不肯承認其合法性，也堅決反對以這些代表為主召開國民大會。

3月3日，新華社發表評論，認為《建國大綱》不過是孫中山先生早年的

1　《解放日報》，1945 年 1 月 4 日。
2　《中央日報》，1945 年 3 月 2 日。
3　《毛澤東年譜》，第 539 頁。毛澤東和謝偉思談話的全部內容見謝偉思《美國對華政策》（1944—1945），中國社會科學出版社 1989 年版，第 218—233 頁。

一種對建國程序的設想，並不是什麼神聖不可侵犯的天經地義。孫中山晚年自己就已修改了這種程序。民國十三年孫先生北上時，主張召開各黨、各派、各界、各軍代表的國民會議，解決國是。文章指責蔣介石"在孫先生死後二十年的今天，還是背著孫先生自己修改了的那篇所謂《建國大綱》，當作維持自己獨夫統治的護身符，豈不令人笑脫牙齒？"[1] 3 月 7 日，周恩來致函王世杰，認為"全國人民尚無自由，各黨各派尚無合法地位，大部國土尚未收復，大多數人民不能參與"，在此條件下，由國民黨一黨政府包辦國民大會，是"完全兒戲"，具有"分裂性質"。[2] 同日，王世杰回答外國記者，聲稱政府決定將召集國民大會問題提交國民參政會審議。8 日，毛澤東為新華社寫作評論，認為國民參政會從無決定問題的權力，現在的做法"豈非犯法亂紀"。[3] 評論要求中國人民"振作精神，整頓國家"，"整頓之法，就是追問獨夫蔣介石喪師失地禍國殃民的責任，堅決反對任何形式的豬仔國民大會，立即廢止蔣介石獨夫專政，成立民主的聯合政府"。同日，中共中央致電王若飛，聲稱蔣介石"要以御用國會偽裝民主，這更危險可惡"，要王說服民盟在昆明、成都等地迎頭痛擊。電稱："民主運動要經過壓迫，才能從其自身經驗和奮鬥中強大起來。"[4] 3 月 12 日，《解放日報》發表社論《紀念孫中山，批判蔣介石》，指出蔣介石"雖然在外國人面前裝出對民主的決心和對共產黨的寬容，但是在實際上，他們正在加緊準備內戰。"社論提出："必須加意防範這種表面冒充民主，內裏積極圖謀絞殺革命的極端反革命派，使其無所施其伎倆。"社論顯示出，中共這時已經將蔣介石視同"極端反革命派"，在批判的烈度上又升了一級。在 1944 年 11 月 6 日的中共六屆七中全會的主席團會議上，周恩來曾經提出："對國民黨仍要批評，但可留點餘地，不點蔣介石的名字。"[5] 現在，中共不僅點了蔣介石的名字，而且在社論得標題上出現"批判蔣介石"等字，是一個重大的政策變化。不過，社論也還表示："中國人民仍可以給蔣介石一條痛改前非，將功贖罪的出路"，"這就

---

1 《新華社評蔣介石在憲政實施協進會上的演講》，《解放日報》，1945 年 3 月 3 日。
2 《周恩來書信選集》，第 260—261 頁。
3 《毛澤東年譜》，第 584 頁。
4 《南方局黨史資料·統一戰線工作》，重慶出版社 1990 年版，第 148 頁。
5 《周恩來年譜》，第 600 頁。

是立即廢除蔣介石獨夫統治，成立聯合政府，但是仍允許蔣介石在聯合政府內佔一個位置"。這就表明，中共但是還是給蔣介石留有"出路"。

3 月 13 日，毛澤東會見返抵延安的美國駐華使館二等秘書謝偉思，聲稱蔣介石現在走的是"直接導向中國內戰和國民黨毀滅的道路"，"在國民黨獨佔的基礎上建立立憲政府"是危險的新策略，和平過渡到憲政的唯一希望就是成立聯合政府。[1] 4 月 1 日，毛澤東再次會見謝偉思，聲稱不管美國採取什麼行動，中共對美國的政策"現在和將來都是繼續擴大合作"，對國民黨的政策則是既批評，又和解：1. 提出批評性的意見以促使國民黨採取較為進步的政策；2. 以共產黨的五點建議為基礎，提出和解方案，導向真正的聯合政府和名副其實的民主政治。毛澤東斷然表示："必須毫不妥協地反對在戰爭結束之前，在所有其他黨派尚未獲得合法地位之前，以及新的代表未經全民選舉之前，召開國民大會。"當謝偉思詢問，當國民黨分配給中共若干席位時，中共是否參加國民大會，周恩來、毛澤東、朱德都表示拒絕。毛澤東表示："國民大會的代表必須由人民自由選舉產生，而不能由各黨派進行討價還價或指定產生。"[2] 和謝偉思的談話顯然是中共對美國的表態。它表明，中共雖然對蔣介石發表了極為嚴厲的批判和譴責，但是，還不想立即關閉談判之門，使得和國民黨與蔣介石還存在繼續談判的可能。

十、赫爾利發表華盛頓談話，毛澤東強烈批判

毛澤東剛剛通過謝偉思向美國政府傳遞資訊，4 月 2 日，赫爾利在華盛頓的記者招待會上發表談話，引起毛澤東的巨大憤怒。

赫爾利宣稱：美國不能支持中共，特別是不能以武器支持中共。他說："只要中國存在公然反抗國民政府，並擁有武裝力量的政黨或勢力強大的軍閥，那麼就不可能實現政治統一，這點是顯而易見的。"赫爾利明確表示支持蔣介石的國民政府，宣稱："我們這個國家，正如你們所知，已經承認了國民政府是

---

1 《毛澤東年譜》，第 585 頁。
2 《謝偉思與毛澤東等談話備忘錄》，《紀實》（下卷），第 567—569 頁。

代表中國的政府，我們堅定不移地在經濟上、軍事上和政治上支持該政府。"
針對中共對蔣介石的指控，赫爾利稱讚蔣介石說："他並非是一個法西斯主義
者。他的志向是希望將權力歸還於政府，該政府是人民的政府，是一個民有、
民治、民享的政府。當前，他正在為建立一個民主政府而努力夯實基礎。他認
為，在中國建立一個民主政府是其職業生涯的真正目標。" 赫爾利稱：國共兩
黨有著共同的 "奮鬥目標"，其 "目的是在中國建立一個分權的政府，並且引入
民主過程，按照民主原則行事"。兩黨 "真正的分歧" 只在於實現上述目標的
"程序和步驟"。據赫爾利說："中共希望國民政府立即進行改革，而且，為此，
他們還主張建立一個兩黨聯合政府"；"國民黨一方則認為，政府的權力應該依
照憲法歸還給中國人民，而不是交給任何黨派的聯合。" 據此，他讚揚蔣介石
在下個月 5 日召開國民黨全國代表大會，實現 "還政於民" 的計劃，聲稱 "讓
人民選擇自己的領導人卻是國民政府所堅持的立場"。[1]

　　5 月 5 日，赫爾利所讚揚的國民黨六大在重慶召開，會議決定以 1945 年 11
月 12 日為召開國民大會、制頒憲法、實施憲政的日期。蔣介石提出："必須使
之如期集會，不可展緩，即使碰到任何困難或阻力，本黨亦應毅然決然執行我
們革命建國的使命，力排萬難，促其實現。"[2] 會議並決定，國民黨在軍隊中原
設之黨部，一律於三個月內取消，各級學校以內不設黨部，各省、縣、市臨時
參議會，依法選舉，成為正式民意機關。

　　國民參政會的參政員褚輔成、黃炎培、冷遹、傅斯年、左舜生、章伯鈞、
王雲五等 7 人企圖改變周恩來離去後國共談判停頓的情況，於 6 月 27 日共同
會見蔣介石，表示願去延安斡旋，得到蔣的同意。6 月 28 日，王若飛拜訪赫爾
利，說明 "中國在目前的條件下實現共產主義是不可能的"，"黨現在支持民
主的原則"，"作為未來共產主義國家的一個基礎步驟"。赫爾利告訴王，準備
提供一架飛機，將褚輔成及王送往延安，他詢問王，中共是否可能參加一個籌
委會，在訓政結束以前的過渡時期，提供改善政府的途徑、方式等建議。王若
飛答以，這取決於共產黨是否有真正的權力。雙方談到周恩來提出的 4 項補充

1　《駐華大使（赫爾利）新聞發佈會記錄》，1945 年 4 月 2 日，893.00/4-245, *FRUS, 1945, China*, pp.317-318。
2　《開幕詞》，《中國國民黨歷次代表大會及中央全會資料》（下），光明日報出版社版，第 904 頁。

條件，王稱：願意看到在同意五點建議之前，四點建議先被接受。赫爾利則稱"討論四點建議只能在與有武裝的共產黨達成協議之後，而不能在此之前。"[1]

為此，褚輔成等 6 參政員於於 7 月 5 日由王若飛陪同，乘坐由赫爾利提供的飛機赴延安訪問，會見毛澤東、朱德、周恩來等中共領導人。[2] 褚輔成等擔心國民大會有可能被認為是某方面的國民大會，所通過的憲法可能被認為是某方面的憲法，因此，建議恢復國共商談，將國民大會的進行展緩。[3] 7 月 4 日，6 參政員在延安與中共達成協議，停止國民大會進行，從速召開政治會議。[4] 中共方面提出，如國民政府停止進行不能代表全國民意的國民大會，中共可同意由國民政府召集民主的政治會議，並就會議的組織、性質、應議事項等問題提出建議。毛澤東"從席上十分莊敬地起立"，囑咐褚輔成等歸去後，"務須向蔣委員長多多道謝，給我們難得的機會，有諸位來延安，使我們聽受到許多平時不易聽到的話，增加了不少的了解。"毛澤東並祝蔣委員長健康。[5] 7 月 5 日，褚輔成等返回重慶。

7 月 7 日，第四屆國民參政會第一次大會在重慶開幕，中共參政員拒絕出席。290 名參政員中，出席者僅 180 名。蔣介石致詞表示，不再堅持國民黨六大原定召開國民大會的決定，他說："政府對於國民大會召集有關問題，擬不提出任何具體的方案，可使諸君得以充分的討論，政府準備以最誠懇坦白的態度，聆取諸位對於這些問題的意見。"[6] 同日晚，褚輔成等 6 人會見蔣介石，報告延安商經過，將會談紀要交給王世杰。參政會上，關於國民大會爭論激烈，決定將是否召開國民大會問題，請政府酌定，大會代表問題，亦請政俯妥定辦法。

毛澤東在延安和褚輔成等會談時，表示了對蔣介石的好意，但是，在公開場合，並沒有停止批判。7 月 10 日，毛澤東為新華社撰寫社論《評蔣介石參政會演講》，指責第四屆國民參政會"以粉飾蔣介石獨裁統治為目的"，指責"帝

1　《美國駐華大使赫爾利就與中共代表王若飛的談話致國務卿》，《紀實》（下卷），第 661—663 頁。
2　王雲五因病未參加。
3　黃炎培：《延安歸來》，《國民參政會資料》，四川人民出版社 1984 年版，第 465 頁。
4　《延安會談記錄》，《國民參政會資料》，第 460 頁。
5　黃炎培：《延安歸來》，《國民參政會資料》，第 493 頁。
6　《中央日報》，1945 年 7 月 8 日。

國主義者"赫爾利為蔣介石"撐腰",特別指責赫爾利4月2日在華盛頓的演說替"國民大會"等項"臭物"捧場,社論說:"中國人民所要的是立即實行民主改革,例如釋放政治犯,取消特務,給人民以自由,給各黨派以合法地位等項。對於這些,你們一件也不做,卻在所謂召開'國民大會'的時間問題上耍花樣,這是連三歲孩子也欺騙不了的。"[1] 12日,毛澤東繼續為新華社寫作評論,批評赫爾利"背叛了他在延安時所說的話",將以蔣介石為代表的國民黨政府"變成了美人",將中共變成了"魔怪"。評論要求美國改變赫爾利式的危險的對話政策,認為如果不變的話,"將給美國政府和美國人民以千鈞重負和無窮禍害"。[2] 19日,新華社發表毛澤東修改的評論《新華社記者再評赫爾利政策》。這些文章表明,中共對赫爾利的調停已經不再抱任何希望。

中共一直在按照自己的日程表行事。

4月23日,中共"七大"召開。24日,毛澤東發表報告《論聯合政府》,要求立即結束國民黨"一黨專政",經過各黨各派代表人物的協議,成立臨時的聯合政府。他應允:這種聯合政府一經成立,它將轉過來給予人們充分的自由;在打倒日本侵略者之後,將在全國國土上進行自由的、無拘束的選舉,產生民主的國民大會,成立統一的正式的聯合政府。6月21日,邊區參議會及邊區政府召開邊區各團體代表會議,決定發起與籌備中國解放區人民代表會議。7月9日,中國解放區人民代表會議籌備委員會在延安開幕。

這時已是抗戰勝利前夜了。

十一、蔣介石拒絕中共五點協議的原因

羅斯福對毛澤東和赫爾利簽署的《延安協定》非常滿意,1945年3月3日,他對應邀來白宮的記者斯諾說:"這個方案的五條協議,應該說,是經雙方協商一致達成的,赫爾利將軍也在那上面簽了字的,共產黨人提出的要求也是符合權利法案的,我看也是完全合情合理的,可延安方面給赫爾利特使的滿意

1 　收入《毛澤東選集》時,改題《赫爾利和蔣介石的雙簧已經破產》。
2 　《赫爾利政策的危險性》,《毛澤東選集》卷3,第1115—1116頁。

答復卻被蔣介石提出的一些荒謬絕倫的反對意見給否定了。"[1]

蔣介石之所以拒絕在延安簽署的五點協議，其原因是多方面的：

1. 不願意改變國民黨長期以來形成的"一黨專政"的政治結構。二十世紀二十年代，孫中山受蘇聯影響，提出"以黨治國"，這是國民黨黨治思想的萌芽，其含義是"全國人民都遵守本黨的主義"，"用本黨的主義治國"。"優先任用"本黨黨員，如"本黨求不出相當人才，自非借才於黨外不可"。1924 年，孫中山制定《國民政府建國大綱》，規定軍政、訓政、憲政三個發展階段以及召集國民大會，還政於民的民主程序。孫中山去世以後，他的學說被神化、法典化。國民黨又陸續制定《國民政府組織法》（1925）、《訓政綱領》（1928）、《訓政時期約法》（1931）等文件，規定：訓政時期，由國民黨全國代表大會代表國民大會行使統治權；代表大會閉會期間，以政權託付國民黨中央執行委員會；由國民黨中央委員會選任國府委員；國民政府受中國國民黨之指導及監督，掌理全國政務等。這些規定同樣被視為神聖而不可改變。在國民黨實行訓政期間，持續多年不允許其他政黨成立，形成"黨外無政，政外無黨"的局面。[2] 抗戰爆發後，國民黨有所進步，允許中共、民盟、青年黨的代表和其他獨立人士參加國民參政會，但仍不肯正式承認這些黨派的平等、合法地位，參政會也僅是一種諮詢機構，其任務僅是聽取政府施政報告、詢問、建議、調查，並無強制政府執行其所議案的權力。國民黨的這種"一黨專政"是一種壟斷性、凝固性、排他性的政治結構，行之多年，自然很難一朝改變。蔣介石等國民黨人更擔心一朝改變之後，立即天下大亂。1944 年 10 月，周恩來在延安演講，尖銳地批判國民黨當局"死死守著一黨專政、個人獨裁，絕不容許多黨政治、人民民主。""只有黨治，絕無民選。各級參政會，由縣而省而全國都是指定的。各級官吏，由保甲長直到國民政府主席都是黨部委派的。而這些指定委派，又為國民黨少數統治集團所包辦。""與其稱為黨治，毋寧稱為寡頭專制。"[3] 這是說中了國民黨"黨治"的病症的。

---

1 《關於中國：羅斯福與斯諾的三次密談》，《同舟共進》，2013 年第 2 期。

2 《胡漢民先生文集》第 3 冊，台北中國國民黨黨史會 1978 年版，第 213—221 頁。

3 《如何解決》，《解放日報》，1944 年 10 月 12 日。

其二，長期的懼共與反共心理。蔣介石一生的大部分時間堅決反共。其原因，一在於思想理論、政策路線的不同，一在於革命主體與領導權之爭。這些情況，過去筆者已有論述，茲不贅。這裏想指出的是，蔣介石在反共的同時，又長期懼共。他不怕共產黨員個人，相反，對共產黨員所表現出來的革命精神與積極性倒是欣賞的。蔣介石所懼，一是共產黨的組織力量，二是共產黨的軍隊，三是共產黨掌握的政權。因此，他在和共產黨打交道的過程中，經常擔心共產黨發展、壯大，會將國民黨的統治推翻。1933 年 1 月 20 日，他曾寫過一段日記："近日甚思赤匪與倭寇，二者必捨其一而對其一。如專對倭寇，則恐明末之匪亂以至覆亡，或如蘇俄之克倫斯基及土耳其之青年黨，畫虎不成，貽笑中外。惟以天理與人情推之，則今日之事，應先倭寇而後赤匪也。"蔣介石這段日記寫於日本加緊侵華之時，它反映出其內心矛盾：雖覺理應優先或專一對日，但擔心共產黨乘機發展、壯大。俄國二月革命時，克倫斯基參加推翻沙皇的革命，加入社會革命黨，曾被任命為俄羅斯總理，但在十月革命時，其臨時政府被列寧領導的蘇維埃軍隊推翻，流亡國外，最終病死紐約。"土耳其之青年黨"，指 20 世紀初葉的青年土耳其黨人，其領導人恩維爾帕夏將土耳其拖入第一次世界大戰，被協約國打敗，也逃亡國外。蔣介石的力量這時雖然還很強大，他已經預見到了其未來可能的結局。蔣對中共的這種恐懼心理長期延續。抗戰爆發，兩黨合作抗日以後，蔣介石也仍然擔心共產黨的發展和壯大。初時企圖用國民黨、共產黨共同合併為一個大黨的辦法取消中共組織，後來則企圖以政令、軍令統一等辦法來限制共產黨及其軍隊的發展，兩黨間經常產生限制與反限制，發展與反發展的鬥爭。在這些鬥爭中，兩黨彼此都積累了愈來愈多的隔閡、誤解和仇怨。如 1943 年 5 月 6 日，蔣介石日記云："人心莫測，世事變幻，廉恥掃地，時局混亂有如此者，共匪與汪奸勾結，余實不能置信，然事實俱在，雖欲不信而不可得也。"蔣介石這段日記所據"事實"，尚難考證，不過綜合各種資料，應指潘漢年 1943 年春末夏初之際在南京會見汪精衛一事。潘汪會面，今天人們已經知道潘漢年的目的之一是為了深入虎穴，刺探日偽"清鄉”消息。[1] 在當時，蔣介石自然無從得知這一切，由此，自然極易產生其他想法。其後，蔣介石不斷在日記中指責中共為“破壞抗戰賣國叛徒”，其因蓋出於此。[2]

赫爾利調停期間，蔣介石的懼共、反共心理依然如故，擔心只要中共“插進一個腳趾，就會全身擠進來”。[3] 這樣，他雖一面聽從美國的意見，與中共在談判桌上周旋，一面卻對美國政府的調停存有反感，9 月 25 日，他要赫爾利轉告羅斯福，“自當尊重其意”，但“立國主義即三民主義不能動搖，不能使共產主義赤化中國”，“否則任何犧牲在所不恤”[4]。即使在赫爾利已經動身赴延安談判之時，他也還在日記中寫道：“匪共不滅，國無寧日”。[5] 11 月 15 日，他又在日記中批評美國視中共為“中國抗戰之重心，強逼我政府非與其妥協屈從不可”。[6]1945 年 2 月，他進一步對赫爾利說：中共“實際不是一個民主政黨”，其所以“自稱為民主黨，不過是為了控制國民政府”，“推翻國民黨的統治，使中共獲得對中國的一黨專政”。[7] 蔣介石存有這種心態，自然難以在和中共的談判中做出真誠的重大的讓步。

其三，國外波蘭、南斯拉夫等國家不同派別的聯合狀況及其結果的影響。

其一是波蘭。1939 年，德軍進攻波蘭，波蘭人民開展反法西斯民族解放戰爭。1942 年，流亡國外的波蘭政府在國內成立國民軍。同年，蘇聯支持波蘭共產黨人建立波蘭工人黨和波蘭人民軍。1943 年，波蘭工人黨聯合波蘭社會黨左派、農民黨和民主黨等黨派和抵抗組織，成立全國人民代表會議，由工人黨領袖貝魯特任主席。1944 年 7 月 22 日，在工人黨領導下，組成具有聯合政府性質的波蘭民族解放委員會，發表《七月宣言》。同年 8 月，蘇聯紅軍進至華沙附近，流亡政所領導的國民軍發動起義，斯大林出於制衡西方和蘇聯國家利益

---

1 有關情況，參見尹騏在公安部領導支持下寫作的《潘漢年的情報生涯》，人民出版社 2011 年版，第 164—168 頁。
2 《蔣介石日記》，1944 年 11 月 15 日。
3 《周恩來訪晤美國羅斯福總統特使赫爾利談話紀要》，《紀實》（下卷），第 386 頁；《美國駐華大使赫爾利致美國國務卿》，《紀實》（下卷），第 434、437 頁。
4 《蔣介石日記》，1944 年 9 月 25 日。
5 《蔣介石日記》，1944 年 11 月 9 日。
6 《蔣介石日記》，1944 年 11 月 15 日。
7 《美國駐華大使赫爾利致美國國務卿》，《紀實》（下卷），第 434、437 頁。

的考慮，沒有大力支持，起義軍被德軍殘酷鎮壓，華沙被夷為平地。

其二是南斯拉夫。第二次世界大戰末期，南斯拉夫存在著兩個政治派別，兩個政權。一個是南斯拉夫共產黨領袖鐵托領導的全國解放委員會，擁有幾十萬人民解放軍，一個是設於倫敦的王國流亡政府，沒有國土，沒有軍隊，以首相舒巴希奇為首腦。1944 年 6 月 1 日，舒巴希奇發表聲明，提議聯合南斯拉夫一切愛國力量，加速結束戰爭。6 月 14 日，雙方開始會談，舒巴希奇主張以其政府為基礎，吸收人民解放運動的代表參加。6 月 16 日，雙方簽署《南斯拉夫全國解放委員會和南斯拉夫王國政府協議》。協議規定：舒巴希奇政府的內閣成員要由戰爭期間未與佔領者合作的民主份子組成；該政府要承認人民解放鬥爭的民主成果，承擔支援國內軍隊和人民的義務，同時，動員國外的愛國力量，援助國內的鬥爭。這個協議達成於亞得里亞海東岸的維斯島，被稱為《維斯協議》。同年 8 月 18 日，分別以鐵托和舒巴希奇為團長的兩個代表團繼續會談，討論成立聯合政府問題。舒巴希奇建議全國解放委員會派代表參加他的政府，鐵托則拒絕派人參加。其後，舒巴希奇政府做了若干讓步，實際成為南斯拉夫全國解放委員會的外交委員會。8 月 29 日，國王佩塔爾二世頒佈詔令，承認鐵托是南斯拉夫武裝力量的唯一領袖。9 月 19 日，鐵托在莫斯科同斯大林會談。斯大林勸說鐵托同流亡政府的政治家們合作。斯大林的想法是，人民解放運動已經足夠強大，可以暫時與國王妥協，一俟時機成熟，再把他拋棄。10 月 20 日，蘇軍進入貝爾格萊德。鐵托和舒巴希奇恢復會談。11 月 1 日，簽署《貝爾格萊德協議》，規定由全國解放委員會和王國政府的代表共同組成聯合政府。1945 年 3 月 7 日，南斯拉夫民主聯邦臨時政府誕生。它是南共領導的全國解放委員會的繼續和擴大，由鐵托任總理兼國防部長，舒巴希奇任外交部長，南斯拉夫國內人民解放運動的代表佔絕對優勢。同年 4 月，鐵托同蘇聯簽訂友好條約。不久，舒巴希奇等宣佈退出剛剛成立半年多的臨時政府，停止合作。

上述波蘭、南斯拉夫各派的政情就發生於中國國共兩黨談判期間，其結果給了蔣介石和國民黨人深刻刺激。1945 年初，赫爾利向美國政府彙報說："蔣委員長的立場是：他願意讓共產黨參加政府，並承認其為一政黨，但他反對組織聯合政府。他向我解釋說，他不願演成類如今日南斯拉夫及波蘭之情勢。"[1]
宋子文也有類似於蔣介石的顧慮，認為"接受共產黨協商的結果將是共產黨最
後控制整個政府。""他不願意眼見中國造成現時存在於波蘭和南斯拉夫一樣的
局勢——在這些國家中聯合政府容納共產黨的後果是毀滅了一切民主和反共的
黨派。"[2]

這一時期，蔣介石有過"開放黨禁"的念頭。1944 年 12 月 20 日記云："如
現在不死不活之黨務，只居一黨專政之惡名，而使黨政皆受惡劣滯鈍之影響，
則不如早開黨禁，使其他黨派公開成立，如此，或使本黨在競爭中求得進步與
發展也。"[3] 這段日記說明，蔣介石對國民黨的"黨政"弊端有認識，對"一黨
專政"的弊端有認識，對於在與"其他黨派"的"競爭"中求得國民黨的"進
步與發展"也有某種嚮往，但是，由於以上種種原因，特別是長期實行"一黨
專政"所形成的慣性，使得蔣介石終於不能拋棄被中共所激烈批判的"黨治"，
也就不願在毛澤東、赫爾利已經簽字後續簽。

1　《赫爾利有關中國局勢報告》，1945 年 1 月 14 日，《紀實》（下卷），第 410 頁。
2　《赫爾利致羅斯福無線電報》，1944 年 11 月 16 日，轉引自《赫爾利出使中國前後之戰局》，台北"國史館"
　　藏，第 85 頁。
3　《蔣介石日記》，1944 年 12 月 20 日。

蔣何以邀毛，毛何以應邀？*

—— 以美蘇兩強與重慶談判的關係為重點

* 本文錄自《找尋真實的蔣介石：還原 13 個歷史真相》，九州出版社 2014 年版。

重慶談判，發生於 1945 年，國共兩黨代表，特別是兩黨領袖蔣介石和毛澤東，聚首一堂，決定共同合作、和平建國。這是兩黨關係史上的大事，也是中國近代史上的大事。多年來，有關研究已多，筆者自己也曾寫過一篇《如何對待毛澤東：扣留、"審治"，還是"授勳"、"禮送"？》，考察重慶談判期間蔣介石的心態變化，詳見本書第 5 篇，但是，還有一些重要問題若明若暗，並不清晰。本文將重點研究美蘇兩強和重慶談判的關係。此外的一些問題，我另有長文論述，這裏從略。

一、蔣介石接受赫爾利建議，向毛澤東發出邀請

重慶談判的主動者是蔣介石。1945 年 8 月 15 日，蔣介石致電毛澤東，聲稱"倭寇投降，世界永久和平局面可望實現，舉凡國際、國內各種重要問題亟待解決"，邀請毛澤東"克日惠臨陪都"，共同商討國家大計。

蔣介石的這一手，出於許多人的意料之外。是誰的主意？蔣介石為何要邀請毛澤東到重慶來？

一種說法是出於國民政府文官長吳鼎昌，此說見於當年《大公報》負責人王芸生的回憶，他認為蔣此舉由吳獻策，電報由吳起草，但王並非當事人，他

沒有可能接觸此類機密，有關說法顯然出自傳聞，並無確據。[1] 關於這一問題比較可靠的文獻根據是蔣介石侍從室唐縱的日記。據唐日記，8 月 12 日，唐曾向蔣介石進呈《日本投降後我方處置之意見》，其中稱："中央表示統一團結戰後建設之願望，並重申召集國民大會實施憲政之諾言，同時表示希望中共領袖來渝共商進行。如毛澤東來則可使其就範；如其不來，則中央可以昭示寬大於天下，而中共將負破壞統一之責。"[2] 此件經陳布雷核閱，蔣介石在 8 月 13 日的"紀念週"演講中對唐的意見多所採納，雖未談到邀毛建議，但此建議對國民黨有利無害，而對中共和毛澤東，則可能是陷阱。[3] 另一文獻根據是赫爾利寫給美國國務院的報告。該報告稱：8 月 15 日，蔣介石和赫爾利談話，告訴赫，宋子文自莫斯科來電，中蘇條約在莫斯科時間 14 日晚上（重慶時間 15 日清晨）簽署，條約實際上表明蘇聯方面有意：1. 幫助促成中國軍隊的統一；2. 支持中國創造一個強大、統一、民主政府的努力；3. 支持中國國民政府。赫爾利於 16 日向美國國務院報告稱："這次交談之後，我建議蔣委員長，向中共中央主席毛澤東發出邀請，請其來重慶與蔣委員長商談，這是明智之舉。邀請已經發出。如果毛澤東接受了邀請，中共和國民政府之間的武裝衝突將會緩和為政治鬥爭。"報告並稱："蔣介石現在將有機會發揚實在而真正的領導地位。他將有機會發揚不僅在戰時，且在平時為中國人民領袖的資格。我時常和委員長在一起。我不斷地堅持中國人民必須對他們自己國家的各種政策負責任，選擇他們自己的領導，作出他們自己的決定。"[4] 這一報告明確無誤地表明，是赫爾利向蔣介石提出的建議，蔣才向毛發出邀請電的。蔣電雖署 8 月 14 日，但蔣介石 8 月 15 日日記明確記載："發電邀毛澤東來渝，共商大計。"同日，蔣日記並有和赫爾利、魏德邁談話的記載。因此，可以肯定，蔣發電在 15 日和赫爾利談話之後，是接受了赫爾利建議的結果。1945 年 10 月，《雙十協定》簽字，蔣介石曾命葉楚傖轉告吳稚暉說："今之議和，於國際有利。"[5] 可見，蔣介石之所以邀毛舉行

1　王芸生、曹冰谷：《重慶談判期間的〈大公報〉》，《重慶談判紀實》，重慶出版社 1983 年版，第 412 頁。

2　唐縱：《在蔣介石身邊八年》，群眾出版社 1991 年版，第 688 頁。

3　唐縱：《在蔣介石身邊八年》，第 531、686 頁。

4　《美國對外關係文件》，*FRUS*, 1945, China, Vol.7. pp.445-446。參見《中美關係資料彙編》第 1 輯，第 182 頁。

5　吳稚暉：《跋〈致毛澤東書〉》，吳稚暉檔案，台北中國國民黨黨史館藏，01191。

重慶談判，主要考慮的是"國際"因素。唐縱的意見對蔣有影響，但起決定作用的還是赫爾利和美國因素。

抗戰期間，美國總統羅斯福一直希望中國國民黨和中國共產黨能消除矛盾，團結抗日。為此，先是派副總統華萊士訪華，繼而通過駐華大使高斯勸說，羅斯福並曾表示，願意親自出面調解。1944年9月，羅斯福再派自己的好友、陸軍少將赫爾利到重慶。11月，赫爾利親到延安，直接和毛澤東談判，草簽《延安協定》5條。赫爾利的希望是，偕同毛澤東到重慶，和蔣介石會見，協商解決問題。毛澤東本也有意去重慶和蔣介石簽訂協議，但是，由於蔣介石拒絕在《延安協定》上簽字，赫爾利的計劃落空。不過，赫爾利對促成毛、蔣二人見面仍存有期待，《中蘇友好同盟條約》簽字後，赫爾利重提邀毛建議，正是他此前主張的延續。

抗戰爆發，國共第二次合作，共同抗日，但兩黨都各有自己的打算。中共力爭掌握領導權，建立"實力領導地位"，在"戰爭中建立工農資產階級民主共和國，並準備過渡到社會主義"。[1] 蔣介石企圖利用共產黨，使其"盡其所能"，但又害怕共產黨，力圖"融化"。最初，他力主兩黨合併，成為一個"大黨"，藉此取消共產黨，中共堅決拒絕蔣介石的這一建議。此後，國民黨一方強調政令、軍令統一，中共一方則強調獨立自主；國民黨一方企圖限制共產黨的發展，中共一方則力圖在抗戰中保存、壯大和發展自己的力量。於是，不斷出現限制和反限制，磨擦和反磨擦的鬥爭。在這一過程中，蔣介石雖常存以武力消滅共產黨之心，但在大多數時間內，其基本策略還是"以政治方式解決"。皖南事變期間，白崇禧等人企圖"整個消滅共黨"，蔣介石批評其為"誠不識大體與環境之談"，"明知其不可能而強行之"，是一種"幼稚言行"。[2] 1943年，共產國際解散，國民黨召開五屆中央委員會第十一次會議，蔣介石認為中共"詆譭政府，造謠惑眾"，成為"敵寇變相之第五縱隊"，一度計劃進攻延安，武力討伐，但考慮再三，終於從武力討伐退為企圖"法律制裁"，又認為"尚非制裁

1 毛澤東：《中日戰爭爆發後的形勢與任務》（1937年9月1日），《毛澤東文集》卷2，人民出版社1993年版，第9頁。
2 《蔣介石日記》，1941年1月13日。

之時機＂，再退為＂用側面與非正式方法以制之＂，最後，蔣介石在會上即席指示，共產黨問題＂是一個政治問題＂，＂應用政治方法解決＂，甚至說，＂吾人對共黨之言論，無論其如何百端挑釁，其行動無論如何多方擾亂，吾人始終一本對內寬容之旨，期達精神感召之目的。＂[1]

還在 1942 年 8 月，蔣介石就曾約見在重慶的周恩來，告以一星期後將赴西安，希望能在當地與毛澤東相見。當時，毛澤東也曾準備去西安甚至重慶與蔣介石談判。1943 年 6 月，蔣介石對張治中說：＂我想請毛澤東到重慶來，我們當面談一切問題，你看好不好？＂他當面寫了一封給毛的信交給張治中。[2] 6 月底，蔣委託專程到重慶談判，即將返回延安的林彪帶信給毛澤東，再次表示邀請毛來重慶面談。蔣的這些做法，其目的都是為了＂用政治方法＂解決中共問題。加上當時美國已明確表態，支持國民政府接受日軍投降，《中蘇友好同盟條約》新簽，蘇聯政府也明確支持國民政府，這使蔣介石感到，解決中共問題的好時機到了，赫爾利邀請毛澤東來重慶談判的建議又符合蔣介石儘可能＂用政治方法＂解決的原則，因此，欣然接受。

二、抗戰勝利，毛澤東準備向推倒
國民黨統治的政策回歸

1927 年，國共兩黨的第一次合作破裂，中共上山下鄉，企圖以武裝鬥爭推翻國民黨統治。日寇侵華，為了共同抗日，中共放棄推翻國民黨統治的政策，將八路軍、新四軍隸屬於國民政府軍事委員會的麾下。抗戰勝利，日本投降，原來維繫兩黨合作的目標完成，毛澤東一度企圖向推翻國民黨統治的原政策回歸。這種傾向表現在：

1. 拋棄國民政府軍事委員會委任的職銜

8 月 10 日深夜 12 時，中共得知日本即將投降的消息，周恩來立即起草以

1　參見拙作《第三國際的解散與蔣介石＂閃擊＂延安計劃的取消》，《找尋真實的蔣介石》第 2 輯，華文出版社 2008 年版，第 421—422 頁。

2　《張治中回憶錄》（下冊），文史資料出版社 1985 年版，第 685 頁。

延安總部總司令朱德名義發佈的第一號令，要求解放區各抗日部隊依據波茨坦宣言規定，向其附近各地的敵軍送出通牒，限其於一定時間內交出武裝，如敵偽拒絕，即予堅決消滅。命令同時宣佈，我軍對任何敵偽所佔城鎮及交通要道，有全權派兵接受，進入佔領，實行軍事管制，維持秩序，並委任專員，管理該地區的行政。[1]至 8 月 11 日傍晚，朱德在短短的 18 小時內，連續發佈 7 道命令，要求各部隊進軍察哈爾、熱河、遼寧，山西等省，在北寧路、平綏路、平漢路、津浦路、隴海路、粵漢路、滬寧路、京蕪路、滬杭甬路、廣九路等 16 條全國主要鐵路線及其他交通要道，迫致敵偽無條件投降。[2]朱德此前的職銜是第十八集團軍總司令，這一任命來國民政府軍事委員會，拋棄這一頭銜，改用"延安總部總司令"的新名目，宣佈其受降根據來自《波茨坦宣言》，而非國民政府，顯示出中共與國民黨分庭抗禮的新動向。8 月 18 日，朱德以"中國解放區抗日軍總司令"的另一名義致電蔣介石，直呼蔣介石及國民政府為"你及你的政府"，宣佈其"為人民所不滿"，不能代表中國解放區及其廣大人民和武裝，在接受日軍投降、締結條約時，必須"事先和我們商量，取得一致意見"，完全是一種對等的、不存在任何隸屬關係的口吻。

2. 儘可能奪取大城市及交通要道，在廣大範圍內任命省市行政官員

當時，毛澤東最關心的是如何抓住時機，儘可能奪取大城市及交通要道，擴大解放區。8 月 10 日，中共中央向華中局下發指示，要求採取重點主義、集中主力，奪取蚌埠至浦口、南京至上海、滬杭甬、信陽至武漢各線。同日，中共中中央指示各中央局、中央分局及各區黨委："目前階段，應集中主要力量迫使敵偽向我投降"，"猛力擴大解放區，佔領一切可能與必須佔領的大小城市與交通要道，奪取武器與資源，並放手武裝基本群眾，不應稍有猶豫。"文件要求中共部隊改變傳統的作戰方式，"將我軍大部迅速集中，脫離分散游擊狀態"，"變成超地方性的正規兵團，集中行動，以便在解決敵偽時保證我軍取得勝利"。在發佈這些指示的同時，中共還越過國民政府，在廣大敵佔區範圍內任命省市行政官員。如：8 月 10 日，聶榮臻以邊區政府名義任命宋劭文兼北

---

1 《中共中央文件選集》(15)，第 217—218 頁。
2 據《周恩來年譜》627 頁，朱德的第一至第六號令均為周恩來起草。

平市市長，張蘇兼天津市市長，王昭任石家莊市市長，劉秀峰任保定市市長，祝其文任秦皇島市市長，張夢旭任張家口市市長，張明遠任唐山市市長，劉達任大同市市長。[1] 12 日，新四軍發佈命令，任命黃克誠為江蘇省主席、羅炳輝為安徽省主席、葉飛為浙江省主席，劉長勝為上海市市長、粟裕為南京市市長。[2] 任命的範圍還包括湖北省省主席及武漢市市長等。這些地區，當時尚在日軍手中，未為中共部隊掌握，匆匆任命其行政官吏的做法，從革命的立場出發，當然無可非議，但是，顯然沒有考慮到當時的國民政府是國際公認的合法政府，沒有考慮其感受和態度。

3. 要求打擊、消滅企圖阻止中共部隊進佔敵佔區城鎮的國民黨軍

中共中央在指示中共部隊 "迅速佔領所有被我包圍和力所能及的大小城市、交通要道" 時，特別指示，"如遇頑軍妨礙我們進佔城鎮和要道時，應以各種方法阻止以至打擊、消滅之"。[3] 抗戰中，國民黨部隊或被日軍擊敗、擊潰，或在與中共部隊的磨擦戰中被消滅，被趕跑，大部分軍隊退到西南，但是在淪陷區及其臨近地區，也還殘留著部分國民黨部隊。這一部分國民黨軍，自然成為和中共部隊爭奪淪陷區及其城鎮的重要力量。中共中央指示："在津浦線，準備擊退國民黨軍李品仙、何柱國與我爭奪城市的計劃，在江南，準備擊退顧祝同的進攻。" 當時，國民黨第 12 戰區司令長官傅作義正奉令率軍自寧夏五原東進，準備接受包頭、歸綏（今呼和浩特）與張家口等地的日軍投降，直接進入北平和天津。[4] 12 日，中共中央致電晉綏、晉察冀分局，要求 "務用全力殲滅傅作義東進部隊"。[5] 中共毫不擔心因此而在國共兩軍之間發生戰鬥。文件稱："不怕爆發內戰，而要以勝利的內戰來制止內戰和消滅內戰"。[6]

4. 獨立開展外交活動

8 月 15 日，朱德以 "中國解放區抗日軍總司令" 的新名義，向美、英、蘇

1　聶榮臻：《關於全軍區部隊立即部署向大城市前進致分局電》，轉引自鄧野：《民國的政治邏輯》，社會科學文獻出版社 2010 年版，第 248 頁。

2　《葉飛回憶錄》，解放軍出版社 1988 年版，第 343 頁。

3　《中央關於蘇聯參戰後準備進佔城市及交通要道的指示》，《中共中央文件選集》（15），第 215 頁。

4　《蔣介石日記》，1945 年 8 月 13 日："晚，集敬之等會議軍事方針及人事等問題，即令傅宜生直入平津，接受投降，十時後方畢。"

5　《第十八集團軍總司令給蔣介石的兩個電報》，《毛澤東選集》卷 4，第 1089 頁。

6　《關於奪取大城市及交通要道的部署》，《中共中央文件選集》（15），第 214 頁。

三國駐華大使分送說帖，要求轉送各自政府。《說帖》宣揚中共及其軍隊八年苦戰所取得的巨大戰績，聲言國民政府及其統帥部不能代表中國解放區和淪陷區的廣大人民和武裝，宣稱解放區、淪陷區的廣大人民及武裝，在延安總部指揮之下，有權接受日偽軍投降，派遣代表參加同盟國的受降活動、和平會議及聯合國會議。[1]

5. 越過國民政府軍事委員會，直接向日本侵華軍下達命令

8月15日，朱德電令日本侵華軍總司令岡村寧次投降。命令在華北、華東、豫鄂兩省、廣東的日軍應派出代表分別接受聶榮臻、陳毅、李先念、曾生等將軍的命令，暫時保存一切武器、資料，靜候中共軍隊受降；所有華北、華東之飛機、艦船、應停留原地，沿黃海、渤海之中國海岸的艦船，應分別集中於連雲港、青島、威海衛、天津。[2]

6. 空前強烈地對國民黨和蔣介石進行批判

8月11日，國民政府軍事委員會通令全國各戰區將士，“加緊作戰努力，一切依照既定計劃與命令積極推進，勿稍鬆懈”。[3]但是卻電令第十八集團軍朱德、彭德懷，要求解放區抗日部隊“駐防待命”，“勿再擅自行動”。[4]這份命令將中共系統的部隊和國民黨系統的部隊區別對待，立即引起中共方面的強烈憤怒和抗議。

8月13日，毛澤東為朱德、彭德懷起草聯名致蔣介石電，批評蔣介石11日對中共所發命令“下錯了，並且錯得很厲害”。電稱：“現在日本侵略者尚未投降，而且每時每刻都在殺中國人，都在同中國軍隊作戰，都在同蘇聯、美國、英國得軍隊作戰，為什麼你叫我們不要打了呢？”電報表示，堅決拒絕這個命令，因為它“不但不公道，而且違背中華民族的民族利益，僅僅有利於日本侵略者及背叛祖國的漢奸們”。[5]

中共用“延安總部”的名義發佈第一號令以後，國民黨《中央日報》於13

---

1 《中國解放區抗日軍朱總司令致美、英、蘇三國說帖》，《中共中央文件選集》（15），第238—246頁。
2 《命令岡村寧次投降》，《朱德選集》。
3 《最高統帥令全國將士》，《中央日報》，1945年8月12日。
4 《“總統”蔣公大事長編初稿》，總2627頁。
5 《第十八集團軍總司令給蔣介石的兩個電報》，《毛澤東選集》卷4，第1087—1088頁；參見《朱德年譜》（新編本，中卷），中共中央文獻研究室2006年版，第1199頁。

日刊發該令時加了個"附注"，聲稱"其內容與軍事委員會之電令各節相悖，特錄志參考"。[1] 當日，毛澤東為《解放日報》撰寫評論，引述國民黨中宣部發言人談話，稱延安總部所發命令為"唐突和非法之行為"。[2] 接著，毛澤東嚴厲批評該談話"荒謬絕倫"，進而抨擊蔣介石為"中國法西斯頭子獨夫民賊"，其命令"敵我倒置"，"活畫出他一貫勾結敵偽、消滅異己的全部心理"。評論宣佈："在中國境內，只有解放區抗日軍隊才有接受敵偽軍投降的權利，至於蔣介石，他的政策是袖手旁觀，坐待勝利，實在沒有絲毫權利接受敵偽投降。"[3]

這一天，延安召開幹部會議，毛澤東發表講話，進一步指責蔣介石為"中國大地主大資產階級的政治代表"，是"一個極端殘忍和極端陰險的傢夥"，"消極抗戰，積極反共，是人民抗戰的絆腳石"。"他說：抗戰勝利的果實應該屬誰？這是很明白的。比如一棵桃樹，樹上結了桃子，這桃子就是勝利果實。桃子該由誰摘？這要問桃樹是誰栽的，誰挑水澆的。蔣介石蹲在山上一擔水也不挑，現在他卻把手伸得老長老長地要摘桃子。他說，此桃子的所有權屬於我蔣介石，我是地主，你們是農奴，我不准你們摘。我們在報上駁了他。我們說，你沒有挑過水，所以沒有摘桃子的權利。我們解放區的人民天天澆水，最有權利摘的應該是我們。"[4] 講話中，毛澤東認為中國的時局已經發展到了一個過渡階段，這個階段的內容"就是反對蔣介石篡奪抗戰勝利果實的鬥爭"，"蔣介石要發動全國規模的內戰，他的方針已經定了，我們對此要有準備"。

8 月 15 日，日本宣佈無條件投降之日，國民政府外交部次長吳國楨在重慶召開外國記者會，發表聲明，其中談到："若不是因為唯一的領袖蔣主席的英明領導，這次勝利的獲得是不可能的"。[5] 有記者詢問，任何機關或個人為執行朱總司令所發之命令，因而不能奉行蔣委員長所發之命令時，政府對之作何措施？與吳國楨共同主持會議的行政院參事張平群答稱："必須服從。"記者再問：若

1　《軍委會電令全國各部隊》，《中央日報》，1945 年 8 月 13 日。
2　這一談話不見於重慶《中央日報》及《大公報》，待查。據唐縱 8 月 19 日《上星期反省錄》記載，當時中共將朱德令製成號外，在重慶散發，"（國民黨中宣部）對此毫無辦法，既不敢檢扣，又不敢不檢扣，要請示總裁。"見《在蔣介石身邊八年》，第 533 頁。
3　《蔣介石在挑動內戰》，《毛澤東選集》卷 4，第 1083—1085 頁。據《周恩來年譜》第 628—629 頁，此文為周恩來起草，而經毛澤東修改者。
4　《抗日戰爭勝利後的時局和我們的方針》，《毛澤東選集》卷 4，第 1074—1075 頁。
5　《外記者招待會上，吳次長發表聲明》，《中央日報》，1945 年 8 月 16 日，亦見於同日《大公報》。

有不從者，政府將如何？張答："今日事實已證明蔣委員長確已領導中國獲得拯救，渠今已成全國民眾尊奉之領袖，渠之命令自應為全國所尊從，違反者即為國民之公敵。"[1] 張的答語進一步激起了毛澤東和中共領袖們的憤怒。

8月16日，毛澤東為新華社寫作評論《人民公敵蔣介石發出了內戰訊號》，指稱在吳國楨記者會上回答提問的參事張平群為"蔣介石發言人"，在引述其言論"忽視委員長者將被認為人民公敵，並應以軍事紀律處置"後說，"這是蔣介石公開發出的全面內戰的信號"。[2] 其中，將張原話"國民公敵"，改為"人民公敵"，係兩黨話語系統不同，但"應以軍事紀律處置"則為張答記者問所無。[3] 加上這一句，其目的在於坐實"內戰訊號"一語，激起解放區軍民的憤怒。評論進而指責蔣"叛變了孫中山的三民主義和1927年的大革命"，"將中國人民推入了十年內戰的血海"，"引來了日本帝國主義的侵略"，抗戰中"失魂落魄地拔步便跑"，"從黑龍江一直退到貴州省"。評論在此基礎上嚴厲指斥蔣介石為"人民公敵"，聲稱"在中國，只要提起'人民公敵'，誰都知道這是指著誰"，"現在成為問題的，是這個人民公敵，要打內戰了。"[4] 評論提出制止內戰的唯一辦法是："堅決迅速努力壯大人民的民主力量，由人民解放敵佔大城市和解除敵偽武裝。如有獨夫民賊敢於進犯人民，則取自衛立場，給以堅決的反擊。"該文在《解放日報》刊出時以大號字體突出標題，顯得特別醒目。不到一年之前，中共六屆七中全會主席團會議，周恩來曾提出，對國民黨仍要批評，但可留有餘地，不點蔣介石的名字。[5] 現在公然點出"人民公敵蔣介石"，這就表明，中共對蔣介石的批判已經升到了最高點，準備與其徹底決裂了。

以上種種，都顯示出，中共正積極擺脫其部隊和國民政府之間存在過的隸屬關係，準備與國民黨徹底決裂，在一場以反內戰為名目的革命戰爭中推翻國民黨統治。

然而，這一切，在莫斯科來電後戛然而止。

---

1 《違反蔣委員長命令，即為國民公敵》，《中央日報》，1945年8月16日，亦見於同日《大公報》。
2 《解放日報》，1945年8月16日。
3 查《中央日報》、重慶《大公報》當日所刊，均無此語，後來《毛澤東選集》收入毛在《解放日報》所發評論文章時將此語刪去。
4 《評蔣介石發言人談話》，《毛澤東選集》卷4，第1094—1097頁。
5 《周恩來年譜》，第600頁。

三、莫斯科來電，要求中共改變“錯誤路線”

　　蔣介石邀請毛澤東赴渝，中共中央最初的決定是不去。10 月 16 日，周恩來為中共中央起草致南方局工委負責人徐冰等電，指責蔣的來電“完全係欺騙”，“目前國際國內形勢均極有利於我們反對蔣之內戰，望堅持此方針，以便放手動員群眾，鞏固和發展我們已取得的勝利。”[1] 同日，毛澤東復電蔣介石，要求蔣首先回答朱德總司令的電報，然後再“考慮和你會見的問題”。這封回電直呼蔣介石為“你”，嚴峻冰冷。由於朱德電涉及國共兩黨在抗戰中的作用，誰有資格真正代表中國和中國人民接受日軍投降，以及如何受降等重大問題，在這些問題上，國共兩黨已經顯示出難以調和的原則分歧。蔣介石不可能回答，回答了，毛澤東也不可能滿意，因此毛澤東的實際回答是：不去重慶。

　　8 月 20 日，蔣介石回電毛澤東，對於朱德電，蔣介石不做任何爭辯和說明，而是以彬彬有禮的口氣對毛澤東不能立即受邀表示遺憾，說是“期待正殷，而行旌遲遲未發，不無歉然”，然後委婉地表示“朱總司令電稱一節，似於現在受降程序未盡明了”，藉機將受降辦法上推到“悉由盟軍總部規定”，“自未便以朱總司令之一電，破壞我對盟軍共同之信守”。電稱“朱總司令對於執行命令，往往未能貫徹”，這是對朱德，實際上是對中共既往的批評，語意雖重而輕輕帶過，其重點則在於強調“對內妨礙猶小”，對外則事情重大，“朱總司令如果為一愛國保民之將領，只有嚴守紀律，恪遵軍令”，置朱德於難以提出“異議”的境地。電報進一步聲稱“全國同胞日在水深火熱之中”，“未可蹉跎延誤”，“大戰方告終結，內爭不容再有”等語，企圖封住國共之間展開一場大辯論、大鬥爭的種種理由，迫使中共接受邀請，坐到談判桌前。

　　蔣介石這時候，心中充滿著對毛澤東和朱德的憤恨。日記云：“共匪朱毛，荒謬跳叫，至不可名狀。”“朱之抗命，毛之復電，只有以妄人視之。”[2] 但是，他的這種情緒在復電中卻毫無流露。該電寫於 8 月 19 日夜半醒後，很用過一番心計。其日記自稱：“修正復毛匪電稿。此稿要旨，昨半夜睡醒後，思慮頗切

---

1 《積極宣傳反內戰反獨裁，揭穿蔣介石的欺騙陰謀》，1945 年 8 月 16 日，《周恩來選集》（上卷），第 223—224 頁。

2 《上星期反省錄》，《蔣介石日記》，1945 年 8 月 18 日。

也。"[1]

8月22日，毛澤東復電蔣介石，聲稱："得讀先生復電。茲為團結大計，特先派周恩來同志前來進謁，到後希予接見為懇。" 前電直呼蔣介石為"你"，此電改稱"先生"，並且用了"進謁"、"為懇"等禮節性詞語，口氣溫和了，也鬆動了。周恩來是談判老手，抗戰期間多次到重慶和國民黨交涉，所以毛澤東決定派周先去，試探風色。

毛澤東的變化，和莫斯科來電有關。

在接到蔣介石的邀請電後，毛澤東曾通過蘇共在延安的代表彼得·弗拉基米洛夫（孫平）徵求斯大林的意見。8月18日，原共產國際領導人季米特洛夫和原蘇聯駐華大使潘友新一起起草致毛澤東的復電，認為"形勢發生了根本性的變化"，"建議中國共產黨人改變對蔣介石政府的路線"。[2] 19日，莫洛托夫批准季米特洛夫等所起草的的電稿。關於此電，周恩來 1960 年 7 月 31 日在北戴河會議上回憶說："8 月 22 日或 23 日，那個電報來了，現在不存在了，那時常委們都看了，大概燒了。電報沒有使用蘇共的名義，而是蘇維埃俄羅斯共和國中央委員會致中共中央。" 電報說："中國一定不能打內戰，如果打內戰，中華民族就要毀滅。" 劉少奇補充說："他們說我們的路線是錯誤的路線，要重新考慮我們的路線。"[3] 8 月 23 日，莫斯科再發一電稱："我們在 14、20 日已經忠告過。中國不能再度打內戰，如中國再打內戰，中國民族就進入滅亡之路。"[4] 這裏所說 14 日電，至今尚未發現，其內容，應為向中共通報《中蘇友好同盟條約》之事。

關於莫斯科來電及毛澤東的反應，當時的中央書記處辦公室主任師哲回憶說：這時，斯大林通過蘇軍駐延安情報組轉來一份電報，內容主要是，中國不能再打內戰，要再打內戰，就可能把民族引向滅亡的危險等等。這電文引起了毛主席的極大的不快，甚至是很生氣，他這樣說："我就不信，人民為了翻身搞

---

1 《蔣介石日記》，1945 年 8 月 19 日。

2 《季米特洛夫日記》，廣西師範大學出版社 2002 年版，第 351 頁。

3 《胡喬木回憶毛澤東》，人民出版社 1994 年版，第 401 頁。

4 俄羅斯聯邦總統檔案館，Fond (F.). 45, Opis (Op.) 1. Delo (D.) 322. Listy (LI). 103。該電抄件原存俄國學者列多夫斯基處，韓國學者金東吉教授用韓文抄存，此處所引，為金教授所賜譯稿。

鬥爭，民族就會滅亡？！"

　　過了兩三天，斯大林又來了第二封電報，主要內容是說："世界要和平，中國也要和平，儘管蔣介石挑釁想打內戰消滅你們，但是蔣介石已再三邀請你去重慶協商國事，在此情況下，如果一味拒絕，國內、國際各方面就不能理解了。如果打起內戰，戰爭的責任由誰承擔？你到重慶去同蔣會談，你的安全由美、蘇兩家負責。"師哲所憶，和現存資料大體一致。1956 年 3 月 29 日，毛澤東在和印尼共產黨領袖艾地談話時也說："蘇共中央直接打了一個電報給中共中央，不准我們打，他說只能和蔣介石和，不能和蔣介石打。如果要打就會引起全民族的毀滅。"[1] 兩天後，毛澤東在和蘇聯駐華大使尤金談話時也談及此事，據尤金事後向蘇共中央彙報。毛所談大意為：在以後的時期，斯大林對中國的形勢以及對革命發展的可能性，同樣作了不正確的估計。他繼續更多地相信國民黨的力量，而不是相信共產黨的力量。1945 年他堅持主張同蔣介石份子講和，堅持同國民黨維持統一戰線，堅持在中國建立"民主共和國"。

　　特別是 1945 年中共中央收到了不知為什麼以俄羅斯共產黨（布）的名義發來的（實際上是斯大林發來的）密電，密電中堅持要求毛澤東前往重慶同蔣介石談判。中共中央曾經反對前去重慶，因為預料蔣介石方面會進行挑釁。毛澤東說，"但是我不得不前往，因為這是斯大林所堅持的主張"。[2] 話說得很清楚，毛澤東本來的興奮中心在於應對蔣介石的"全面內戰"，準備"打"，自然不想去重慶談"和"，中共中央也已決定不去，但是由於"這是斯大林所堅持的"，不得不去。

　　二次大戰後期，斯大林即希望戰後繼續維持和英、美等盟國的合作關係，和平共處，也希望國共兩黨之間能合作共存。戰後，斯大林更明確地推行和平政策，認為"在中國發展起義是沒有前途的，中國同志應同蔣介石尋求一項暫

1　《毛澤東同艾地談話紀要》，轉引自楊奎松：《毛澤東與莫斯科的恩恩怨怨》，廣西師範大學出版社 2012 年版，第 218 頁。

2　《尤金同毛澤東同志談話紀要》（1956 年 3 月 31 日），〔俄羅斯〕現代文獻保存中心，5 號全宗，30 號目錄，163 號案卷，第 88—99 頁。同年 4 月 25 日，毛澤東在中共中央政治局擴大會議上也說："斯大林對中國作了一些錯事"，"解放戰爭時期，先是不准革命，說是如果打內戰，中華民族有毀滅的危險"。見《論十大關係》，《毛澤東選集》卷 5，第 286 頁。

行的協議，他們應加入蔣介石的政府，並解散他們的軍隊"。[1] 他曾在與美使赫爾利談話時表示：國民政府官員中雖曾有貪污發生，但蔣介石卻是"不自私"的，而且是"一個愛國志士"，蘇聯政府"願意與英國、美國合作，完成中國軍隊的統一"。[2] 他在和美國特使霍普金斯和哈里曼談話時也表示：蔣介石是"中國領導人中最好的"，是"統一中國的承擔者"，"中國共產黨的領導者就不如蔣介石那樣好"，"沒有能力完成中國的統一"。[3]

斯大林的上述看法，毛澤東當時並不知道，但是，莫斯科的三封來電，其批評之嚴厲，口氣之嚴重，毛澤東是看到了、也感到了的。他一時不能理解，反感，甚至"很生氣"，但是，斯大林長期是國際共產主義運動的最高指導者，毛澤東等不能不認真考慮並尊重他的意見。在考慮了國際情況和中國國內情況後，毛澤東終於決定部分地接受莫斯科的勸告。

四、毛澤東召開會議，決定"走法國的路"，和國民黨合作

8月23日下午，中共中央政治局在延安棗園召開擴大會議，到會者大約五十人左右，幾乎在延安的中共高級幹部都參加了。

會上，毛澤東作了長篇講話，其對蔣的政策和態度已經起了明顯的重大變化。他說："恩來同志先去談判，我後一下。"接著，他分析世界形勢說："現在的情況是抗日戰爭的階段已經結束，進入和平建設階段。全世界歐洲、東方都如此，不能有第三次世界大戰是肯定的。"

毛澤東分析進入"和平建設階段"的兩種情況，他說："我們曾經估計可能

---

1 〔南〕弗拉吉米爾·傑吉耶爾：《鐵托傳》（下），三聯書店1969年版，第118頁。此外，《卡德爾回憶錄》、《蘇南衝突經歷》都記載了1948年2月10日斯大林回憶和中共領導人的談話（應該是打電報）的情況。斯大林說："中國同志同蔣介石達成維持正常關係的條款並解散自己的軍隊，因為他不相信中國共產黨人能取勝。我那時認為美國人將全力以赴地撲滅中國起義。我曾勸毛澤東，最好是與蔣介石和解，與蔣介石建立某種聯合政府；但以後毛澤東開始發動了一場大攻勢，最後取得了勝利。你們看，我也會犯錯誤。"（《蘇南衝突經歷》，260頁）

2 《美國與中國的關係》（白皮書），《中美關係資料彙編》第1輯，世界知識出版社1957年版，第160—161頁。

3 《美國對外關係文件集》，*FRUS*, 1945, China, pp.887-891。

在兩種不同的情況下進入和平階段：一種是我們得到一部分大城市，一種是得不到。現在是得不到。我們曾力爭進入若干大城市，但沒有成功。原因主要有兩條：一條是缺乏外援。我們的武器是步槍，沒有外援，沒有機械化，不能制敵。美國不幫助我們，赫爾利的政策勝利了。蘇聯為了中蘇條約和國際和平，不可能也不適於幫助我們。另一條是蔣介石利用其合法地位，使日本完全向他投降；我們想爭一部分而不可得，因為我們沒有合法地位。此外，我們的城市工作和軍隊工作沒有做好。由於這幾點，我們力爭的那批果實就沒有得到。我們只能承認這個事實，只能在沒有得到大城市的情況下進入和平階段。"

早在 1944 年 6 月，中共就曾在延安召開城市工作會議，要求在對日反攻之際搶佔中心城市。12 月，劉少奇明確指示，華中局和新四軍要在長江以南地區發展，確保南京、上海、杭州三大城市落入人民手中。[1] 1945 年 8 月 19 日，華中局向中共中央報告，上海可掌握控制的力量總共 20 萬人，可以發動武裝起義，其方針是，暫不進攻駐滬日軍，而集中力量進攻汪偽稅警團與保安隊。20 日，毛澤東復電，認為 "發動上海起義的方針是完全正確的，望堅決徹底執行此方針，並派我軍有力部隊入城援助，其他城市如有起義條件，同樣辦理。" [2] 同日，毛澤東致電晉察冀分局並告各分局，在北平、天津、唐山、保定、石家莊等城市，迅速佈置城內人民武裝起義，以便不失時機地配合攻城部隊實行起義，奪取這些城市。從這通電報可以看出毛澤東的雄心和計劃之大。但是，毛澤東審時度勢，很快就決定改變。8 月 21 日，毛澤東致電華中局，認為將浙東部隊調到上海，有被消滅的危險，指示說，"蔣介石已委任上海官吏，在此形勢下，上海起義變為反對蔣介石，必被鎮壓下去。" 22 日，毛澤東審改中共中央和中央軍委的電報，認為 "蔣介石利用合法地位，接受敵軍投降，敵偽只能將大城市及交通要道交給蔣介石，在此種形勢下，我軍應改變方針"。[3]

在收到莫斯科來電以後的政治局擴大會議上，毛澤東進一步分析國共兩黨的有利與不利條件說："蔣介石的地位：有利方面是，他有合法地位與大城市。

1　《劉少奇年譜》（上卷），中央文獻出版社 1996 年版，第 458 頁。
2　《毛澤東年譜》（下卷），第 9 頁。
3　《毛澤東年譜》（下卷），第 9—10 頁。

不利方面是，在他面前擺著強大的解放區，他內部有矛盾，他不能滿足人民的民主、民生的要求。中國的民族獨立由於日本的失敗基本上已完成了，由於英美廢除了不平等條約，（中國）是否還是半殖民地值得考慮，這就使民主、民生的問題突出出來。我們的情況：有利的方面是，我黨在全國人民中的地位為大革命與內戰時期所沒有，廣大解放區的存在使蔣介石無法封鎖，我們為民主、民生而奮鬥的綱領能解決蔣介石所不能解決的問題。不利方面是，我們沒有大城市，沒有機械化的軍隊，沒有合法地位。"

毛澤東分析美蘇兩國的對華政策及影響說："美國不公開幫助蔣介石，決定蘇聯也不能公開幫助我們。蘇如助我，美必助蔣，大戰即爆發，和平不能取得。在歐洲，蘇聯助保加利亞而不及希臘，是因為希臘為英國所必爭；在亞洲，中國則為美國所必爭。主要由於美國的勢力使我們的發展受到限制，我們如果佔領了南京、上海那樣的大城市，美國一定要干涉。中蘇條約是日本投降後簽字的，內容還未發表，大概是蘇軍進軍區域限於東北三省，進入冀察是臨時性質。戰爭這樣快就結束，使蘇聯不可能進一步幫助中國革命。蘇聯現在雖然並不直接幫助我們，甚至不多講話，但還是真正援助我們的，是不幫助的幫助。目前我們要這樣看，蘇聯不幫助我們，比幫我們對中國人民更有利，雖然這可能引起我們某些同志的失望。"

毛澤東看到了國際、國內和平發展的大勢，確認"人民需要和平，我們需要和平"。他說："內戰可以避免，中國需要和平"。他說："和平能否取得？內戰能否避免？我們現在的口號是：'和平、民主、團結'，過去是'團結、抗戰、進步'。和平是能取得的，因為蘇、英、美需要和平，不贊成中國內戰；中國需要和平，過去是大敵當前，現在是瘡痍滿目；前方各解放區損失很大，人民需要和平，我們需要和平；國民黨也不能下決心打內戰，因攤子沒擺好，兵力分散，內部有矛盾。國民黨的中央軍、雜牌軍再加上偽軍共 280 萬，無論如何弱於日本人加偽軍。胡宗南現在只有三個軍包圍我們。國民黨本身的這些困難，加上解放區的存在和我們不易被消滅，人民與國際反對內戰，因此內戰是可以避免和必須避免的。我們提出'和平、民主、團結'這三大口號是有現實基礎的，是能夠得到國內外的廣大同情的。"

儘管如此，毛澤東也指出：“蔣介石想消滅共產黨的方針沒有改變，也不會改變，他之所以可能採取暫時的和平是由於上述諸條件，故只好暫時和平，以便醫好自己的瘡疤，壯大自己的力量，以便將來等待機會消滅我們。我們要利用他這個暫時的和平。”[1]

從上述講話可以看出，毛澤東決定改變方針不是對莫斯科的消極順從，而是在其來電的啟發下深思熟慮的結果。

在討論談判條件時，毛澤東最初拿出周恩來起草的《目前的緊急要求》，共12條，毛澤東當時增加2條，後經博古提議，歸納為6條。這6條的內容是：

1. 承認中國解放區的民選政府和抗日軍隊，撤退包圍與進攻解放區的軍隊，以便立即實現和平，避免內戰。
2. 劃定八路軍、新四軍及華南抗日縱隊接受日本投降的地區，並給予他們以參加處置日本的一切工作的權利，以昭公允。
3. 嚴懲漢奸，解散偽軍。
4. 公平合理的整編軍隊，辦理復員，救濟難胞，減輕賦稅，以蘇民困。
5. 承認各黨派合法地位，取消一切妨礙人民集會結社言論出版自由的法令，取消特務機關，釋放愛國政治犯。
6. 立即召開各黨派和無黨派代表人物的會議，商討抗戰結束後的各項重大問題，制定民主的施政綱領，成立舉國一致的民主的聯合政府，並籌備自由無拘束的普選的國民大會。[2]

這6條，是中共最初提出的關於重慶談判的條件，後來被稱為“六大原則”。[3]

毛澤東說：“最現實的要力爭的是第一條，承認解放區和解放軍。關於這一條，雙方的爭論一定非常激烈，可能要打打停停。總之，他是不會滿足我們的。過去爭論過多年，他只承認我們十二個師，就是為了等到得了大城市再和我們講價錢。現在日本人走了，拖不下去了。”

在談到對國民黨的策略等問題時，毛澤東說：“對國民黨的批評，本來決定

---

1 《胡喬木回憶毛澤東》，人民出版社1994年版，第395—397頁。
2 《中共中央對目前時局宣言》，《中共中央文件選集》(15)，第248—249頁。
3 《第六次談話記錄》，《戰後中國》(2)，第84頁。

要停一下的；因為日本投降，蔣介石下令要我們‘駐防待命’，不得不再批評一下，今後要逐漸緩和下來。以後仍是蔣反我亦反，蔣停我亦停，以鬥爭達團結，有理有利有節。不可能設想在蔣的高壓下不經過鬥爭可以取得地位。最近兩星期的進軍是需要的，集中了軍隊，振奮了人心，今後還要進軍一個時期，奪取更多的中小城市。今冬要整訓軍隊，擺出內戰不好打的姿勢給蔣介石和美國看，以便在談判中取得比較有利於我的解決。士氣鬆下來就談不好。打仗一定要有利，無把握的不打，只要把軍隊拿在手裏就有辦法。各解放區要作持久之計，不增加人民負擔，今冬大減租，明春大生產。”

毛澤東還說：“國民黨統治區的城市工作與軍隊工作是和平時期兩項非常重要的工作。今後要認真的下全力做，過去沒有做好，而不學會做好這兩項工作，中國人民的最後解放是不可能的。”

關於今後道路，毛澤東提出要“大體走法國的路”，他說：“‘七大’時講的長期迂迴曲折，準備最大困難，現在就要實行了。希臘、法國的共產黨人得了雅典、巴黎，但政權落在或主要落在別人手裏，我們現在在全國範圍內大體要走法國的路，即資產階級領導而有無產階級參加的政府。中國的局面，聯合政府的幾種形式，現在是獨裁加若干民主，並將佔據相當長的時期。我們還是鑽進去給蔣介石洗臉，而不要砍頭。這個彎路將使我們黨在各方面達到更成熟，中國人民更覺悟，然後實現新民主主義的中國。四萬萬五千萬人的中國等於一個歐洲，歐洲現在許多國家還沒有勝利或不由共產黨完全領導，我們要準備有所讓步，準備最大的困難。從外國得不到幫助，軍隊可能由談判縮小，內部出現不一致等等。決定的一點就是我們內部的團結，只要我們團結一致，敵人是不能壓倒我們的。”

毛澤東這裏所說“法國的路”指的是當時法國共產黨所走的道路。在反德戰爭中，法共所領導的武裝力量本佔優勢，但英、美只承認戴高樂組建的政府，蘇聯因此要求法共與戴高樂合作，法共所領導的武裝力量被編入正規軍，各地權力機關轉交戴高樂指派的地方官員。斯大林讚賞這一模式，企圖用以維持歐洲和平，換取英美對蘇聯控制東歐國家的支持，並且希望中共也接受這一模式。

毛澤東最後說："準備以中央委員會名義發表一個宣言,以和平、民主、團結的姿態出現。恩來同志馬上就去談判,談兩天再回來,我和赫爾利就去。這回不能拖。應該去。而且估計也不會有什麼危險。我去了請少奇同志代理我的職務。只要我們站穩腳跟,有清醒的頭腦,就不怕一切大風大浪。"[1]

周恩來在毛澤東之後發言說："我很擁護毛主席的報告。求得妥協是雙方讓步,可以估計蔣介石還價很低。我們是爭取主動,迫蔣妥協。也可能一面談,一面打;我吃虧,他理虧。蔣介石今天下決心打下去還不可能,我們有準備就不怕。從抗戰轉到和平,實現這個方針的後盾一個是力量,一個是人心,這兩個東西很重要,是我們的依靠。蘇聯今天不直接援助我們,對中國人民是有利的。實現全國新民主主義的總任務沒有變,將來會有一個新的革命高潮。中央決定我出去談判,我個人想是一個偵察戰,最主要的是看蔣介石開的是什麼盤子。我們是誠意要求和平的,但不能失掉我們的立場。大家關心的是毛主席親自出去的問題,這個今天還不能十分肯定,因為總要談得攏才能出去。今天也不能做不出去的決定,看我出去談判情況如何再決定。對蔣介石的陰謀必須有所考慮。"

張聞天說："毛主席給了我們新的方針,我們在這個時期是賺了錢還是折了本呢?我說是賺了很多錢。這樣大的勝利就是由於毛主席領導得正確。有些同志所以失望,是由於希望高於實際,而事實上是我們得到很大勝利。這一點應該在同志們中間解釋,應該很高興。新階段的戰略是鞏固我們已得到的勝利,並且還得從國民黨處要點民主。這不是革命低潮,而是一種特殊情況,我們就要在這種特殊情況下鞏固與發展力量。"

與會諸人同意毛澤東對形勢的分析,同意中共在戰後必須實行力爭和平的方針,但在毛澤東是否親赴重慶談判問題上有不同意見,多數人為毛的安全擔心,認為不應該輕易出去,看一看再定。朱德和彭德懷支持毛澤東出去。朱德說："現在是要解決問題,出去是有利的。保險不保險?比過去總要好些。毛主席出去,對將來選舉運動也是有利的。讓蔣介石當總統,我們當副總統吧。"

1　《胡喬木回憶毛澤東》,第 397—399 頁。

彭德懷說：“我想出去危險性不大。毛主席出去，我黨是主動的，給全國人民很大振奮，對民主運動是個推動；不過，另一方面是增加了蔣介石的氣焰。因此，我主張毛主席暫時不去，等老蔣和我打一下，把他的氣焰打下一點來，毛主席過幾個月再去，時機成熟些。”[1]

毛澤東最後總結時肯定大家的意見很好。他說：“今天的方針是七大定下來的，也就是抗日時期方針的繼續。七大的方針就是反對內戰的方針。當前，內戰的威脅是存在著的，但國民黨有很大的困難，至少今年不會有大內戰，故和平是可能的，必須的。進攻還是退卻？當然，主要是進攻，是在和平中進攻，在合法工作中進攻，但會有部分退卻。一萬萬人民，一百萬軍隊，蔣介石是不會完全承認的。我們要準備有所讓步，以數量上的讓步，局部的讓步換取（中共在）全國的合法地位，養精蓄銳，迎接新形勢。機會主義的問題是不發生的。”

毛澤東繼續說：“經過三個時期的戰爭，現在來個和平時期，這對於我們是一個新環境，與北伐、內戰、抗日時期均不同。我們很需要這樣一個時期來教育全國人民，來鍛煉我們自己。要學會合法鬥爭，學會利用國會講壇，學會做城市工作。學會做這許多工作才有能力搞大城市，搞全國。”

毛澤東又說：“談判未成功，國民黨進攻我們，是否打？應該打，條件是打勝仗。”

最後，毛澤東說：“我是否出去？我們今天決定出去而不是不出去，但出去的時機由政治局書記處決定。故回赫爾利電為先派恩來出去。如果赫爾利、邵力子來，和他們出去這個姿態好些。”[2]

當天的中共中央擴大會議決定劉少奇代理主席，增選陳雲、彭真為候補書記。

擴大會議召開的當天，毛澤東接到蔣介石的第三通電報。電稱：“二十二日電誦悉。承派周恩來先生來渝洽商，至為欣慰！惟目前各種重要問題，均待與先生面商。時機迫切，仍盼先生能與周恩來先生惠然偕臨，則重要問題方能

1　《胡喬木回憶毛澤東》，第 399—400 頁。
2　《胡喬木回憶毛澤東》，第 400—401 頁。

迅速解決，茲已準備飛機迎迓，特再馳電速駕。”[1] 同日，駐華美軍司令魏德邁也通過在延安的美軍觀察組轉來一封邀請電。當日，毛澤東復電魏德邁：“來電奉悉，極表歡迎，為謀中國團結，遠東和平，鄙人亟願至渝與蔣委員長共商大計，將先派周恩來將軍前來接洽，請轉達赫爾利大使並給交通便利為感。”[2] 24日，毛澤東復電蔣介石云：“梗電誦悉，甚感盛意。鄙人極願與先生相見，商討和平建國大計，俟飛機到，恩來同志立即赴渝晉謁，弟亦準備隨即赴渝。晤教有期，特此奉復。”[3] 與前兩通復電相比，此電有被邀的感謝之詞，也有願意見面晤談的期待，透露出毛澤東對蔣介石態度的微妙變化。蔣介石接到此電後，特別在日記中寫道：“毛澤東第三復電，溫馴已極，匪性固如此也。”又記云：“共毛之態度，橫逆與馴順，一週三變，可恥也。”[4]

8月25日，劉伯承、鄧小平等一批中共將領乘美軍觀察組的飛機自延安回太行。毛澤東和他們說：“我們的口號是和平、民主、團結，首先立足於爭取和平，避免內戰。我們提出的條件中，承認解放區和軍隊為最中心的一條。中間可能經過打打談談的情況，逼他們承認這些條件。今後我們要向日本佔領地進軍，擴大解放區，取得我們在談判中的有利地位。你們回到前方去，放手打就是了。不要擔心我在重慶的安全問題。你們打得越好，我越安全，談得越好。別的法子是沒有的。”[5] 他要求劉、鄧到達前線後，一定要組織好上黨（今山西長治）反擊戰，拔掉閻錫山指向晉冀魯豫根據地的“刀子”。

同日晚，中共中央政治局的七位委員與自重慶回延安的王若飛一起商量，反覆權衡，討論了一夜，決定毛澤東與周恩來、王若飛一起動身，立即去重慶談判。當日，毛再次答復魏德邁電報云：“鄙人承蔣委員長三電相邀，赫爾利大使兩次表示願望來延，此種誠意，極為心感。茲特奉達，歡迎赫爾利大使來延面敘，鄙人及周恩來將軍可以偕同赫爾利大使同機飛渝，往應蔣委員長之約，以期早日協商一切大計。”[6]

---

1 《中央日報》，1945年8月25日。
2 《毛澤東文集》，卷4，第12頁。
3 《戰後中國》（2），第29頁。
4 《上星期反省錄》，《蔣介石日記》，1945年8月25日。
5 《毛澤東年譜》（下卷），第13頁。
6 《毛澤東文集》卷4，第17頁。

8月26日，在棗園政治局擴大會議上，毛澤東說：“根據各地反映，黨內一些同志因為我們不能進入大城市，何應欽不分配給我們受降繳械的地點，蘇聯紅軍不入關，情緒有些波動，需要安定一下。其實這一向我們已經有了很大的勝利，察、熱沒有蔣介石的足跡，江淮、山東、河北、山西、綏遠的大部分，都可以在我們手中。同志們現在的憤激是可以理解的，但還要仔細地計算一下。”

會上，毛澤東向中共高級幹部宣佈了立即動身去重慶的決定。他說：“我去重慶的問題，現決心答復魏德邁的電報——去！這樣可以取得全部主動權。要充分估計到城下之盟的可能性，但簽字之手在我，自然必須作一定的讓步，在不傷害雙方根本利益的條件下才能達到妥協。我們讓步的第一批資本是廣東至河南（的根據地），第二批資本是江南（的根據地），第三批是江北（的根據地），這就需要看看（談判的情況），在有利的條件下有些是可以考慮讓步的。如果我們做了這些讓步還不行，那麼就城下不盟，準備坐班房。我們黨的歷史上除何海鳴事件外，還沒有隨便繳械的事，所以絕不要怕。如果要軟禁，那更不怕。國際壓力是不利於蔣介石的獨裁的。將來，中外注意力集中於上海、南京，（我）正是要在那裏辦點事情。現在蘇聯紅軍不入關，美國軍隊不登陸，形式上是中國自己解決的問題，實際上是三國過河，三國都不願中國打內戰，中蘇條約有利於中國人民，蘇聯紅軍攻佔東三省是有很大影響的。所以，重慶是可以去和必須去的。我可以打一個電報給蔣介石，說我要去，明天報上要發消息。黨的領導中心還在延安，黨內也不會有什麼擾亂，將來，還可能有多一些同志到外面去工作，領導核心還在延安。延安不要輕易搬家，因為有了裏面的中心，外面的中心才能保住。”

毛澤東提出：“隴海路以北以迄外蒙一帶一定要我們佔優勢，東北我們也要佔優勢，行政大員是國民黨派，我們去幹部，那裏一定有文章可做。”

毛澤東甚至提到了選舉蔣介石為大總統的問題。他說：“將來召開國民大會時，共產黨員可否投票選蔣介石當大總統，這要看情況才能決定。蔣介石是共產黨的敵人，但我們又不得不和他搭夥。”

在估計談判前途時，毛說：“由於有我們的力量，全國的人心，蔣介石自己的困難和外國的干預四個條件，這次去重慶是可以解決一些問題的。"[1]

8月26日，中共中央下發《關於同國民黨進行和平談判的通知》，要求儘可能擴大控制地區，"凡能爭得者應全力爭之"，"凡能控制者均控制之"，以造成"我黨的有利地位"。《通知》分析形勢，認為國民黨"可能在談判後，有條件地承認我黨地位，我黨亦有條件地承認國民黨的地位，造成兩黨合作，和平發展的新階段"。

這樣，中共對形勢的認識就有了重大變化，從中國一定會爆發內戰發展為有可能避免內戰，政策也就相應變化，從推翻國民政府轉為參加國民政府，進入"和平發展的新階段"了。

不過，毛澤東仍然保持著高度的警覺性，另據師哲回憶，毛澤東離延前，曾同劉少奇整整談了一天一夜，大意是："我在重慶期間，前方和後方都必須積極活動，對蔣介石的一切陰謀都要予以揭露，對蔣介石的一切挑釁行為，都必須予以迎頭痛擊，有機會就吃掉它，能消滅多少就消滅多少。我軍的勝利越大，農民群眾活動越積極，我的處境就越有保障，越安全。須知蔣委員長只認得拳頭，不認識禮讓。"[2]

8月27日，延安《解放日報》刊發8月23日政治局擴大會議通過的《中共中央對目前時局宣言》，要求國民政府立即實施6條緊急措施，中共表明："願意與中國國民黨及其他民主黨派，努力求得協議，以期各項緊急問題得到迅速解決，並長期團結一致，徹底實現孫中山的三民主義。"[3]同日，赫爾利、張治中飛赴延安，迎接毛澤東等人。

赫爾利曾邀蘇聯駐華大使彼得羅夫同行，但由於蘇聯政府採取不干涉政策，彼得羅夫拒絕同行。[4]赫爾利臨行前發表聲明稱："余現赴延安，曾獲蔣主席同意與充分讚許，以及應中國共產黨主席毛澤東之邀請，余將陪同毛氏及其隨員來渝，並在渝與蔣主席以及國民政府作直接談判。余現赴延安，至感愉快。吾人曾不斷作一年以上之努力，以協助國民政府消除中國內爭之可能性，在此

1　《赴重慶談判前在政治局會議上的講話》，《毛澤東文集》卷4，第15—16頁。
2　師哲：《在歷史巨人身邊》，中央文獻出版社1991年版，第309頁。
3　《中共中央文件選集》（15），第248—249頁。
4　〔俄〕列多夫斯基：《斯大林與中國》，新華出版社2001年版，第232頁。

一爭論上衝突之因素至大，但吾人始終能獲得雙方領袖之尊重與協助，此實為吾人感覺愉快之來由。"[1]到延安後，赫爾利和毛澤東長談，互相試探對方的看法。"赫爾利沒有說什麼肯定的話，只是表示，希望能看到毛澤東和蔣介石最終能到一張桌子旁邊來解決爭端。"延安方面想知道，"蔣介石的政治錦囊中為這次重慶談判，裝了些什麼妙計。但毫無結果。客人們說，他們什麼都不知道。"[2]毛澤東也曾和彼得·弗拉基米洛夫談話，詢問蘇聯政府是否準備保障他在重慶的人身安全，提出在他的安全受到威脅時，到重慶蘇聯軍事代表團駐地去避難。彼得明確地告訴他，他的人身安全是有保證的，請他放心，必要時可以到蘇聯軍事代表團去避難。[3]

中共方面態度的變化使在莫斯科的斯大林很高興。當時，美國駐蘇大使哈里曼會見斯大林。斯大林表示，相信蔣和中共之間將會達成一項協議，因為這對雙方都有利。他說："在中國，有兩個政府，多麼愚蠢！"[4]哈里曼隨即將斯大林的這一表態通知了赫爾利。

五、中共的妥協、讓步和堅持

莫斯科要求中共改變對國民黨的路線，和國民黨合作，在延安的政治局會議上，毛澤東提出"走法國的路"，準備和蔣介石"搭夥"。朱德甚至在會上表示，"蔣介石當總統，我們當副總統"。這些方面表明，中共在總體上、大原則上接受了莫斯科的意見，在重慶談判的實際進程中，做了相當大的妥協和讓步，但是，中共有自己的原則和堅持。法共當年將自己的武裝全盤交給了戴高樂政府，中共則堅持保存自己的武裝和抗戰中取得的解放區，不肯照貓畫虎地全盤走法國道路。

中共所作的讓步首先體現於 9 月 3 日，周恩來、王若飛向國民黨代表提交

1　《美國對外關係文件集》，*FRUS*, 1945, China, pp.453-454。譯文見曹聚仁、舒宗僑：《中國抗戰畫史》，中國文史出版社 2011 年版，第 761 頁。
2　彼得·弗拉基米洛夫：《延安日記》，香港哈耶出版社 2009 年版，第 534 頁。
3　《延安日記》，第 534 頁。
4　《美國對外關係文件集》，*FRUS*, 1945, China, p.454。

的《談判要點》，提出建議 11 項，其中兩項為：

> 1. 確定和平建國方針，以和平、團結、民主為統一的基礎，實行三民主義（以民國十三年第一次代表大會之宣言為準）。
> 2. 擁護蔣主席之領導地位。[1]

在此後政府代表與中共代表的多次談話會中，中共代表多次重申上述兩點。如 9 月 4 日第 1 次談話會，周恩來表示：承認"國民黨是中國的領導黨，本黨乃一小黨"。王若飛表示："我黨所提建議案，其第一、二兩項，即係承認國民黨之政權並擁護蔣主席之領導地位。"

9 月 8 日第 2 次談話會，周恩來再次表示："此次建議之精神，在承認國民政府的法統與蔣主席的領導地位。故政治會議，由國民政府召集，各黨派參加政府，順從政府的邀請，我方已為很大的讓步。"王若飛也表示："此次我等來渝，乃正視現實，承認國民政府之法統，與軍令政令統一之原則。"

9 月 11 日第 4 次談話會，周恩來表示，在未來國民大會召開時，"一致選舉蔣先生為大總統，此點毛先生亦已同意"。他說："吾人批評國民黨為一事，承認國民黨之領導地位，又為一事。我黨對於國民黨政權之擁護，固十年如一日。"

9 月 15 日第 6 次談話會，周恩來表示："我黨對於國民黨，已作重大之讓步。如承認蔣先生之領導，承認國民黨之統治權。國民大會（代表）如不重選，國民黨固為第一大黨，即令重選，國民黨亦能得多數，故國民黨之前途，已獲保障，決無動搖。"

9 月 19 日第 7 次談話會，討論談判《公告》，邵力子提出，將中共承認"擁護蔣主席之領導地位"一語刪去，但周恩來提出，文字可以斟酌，或改為"在蔣先生領導之下"亦可。

9 月 21 日第 8 次談話會，周恩來表示："今日我黨已承認蔣先生之領導地位，已承認國民黨為中國之第一大黨。就蔣先生之領導地位而言，只有他可以領導各黨各派，領導全中國，因為蔣先生不只是國民黨之總裁，而且是全國的

---

1 《中共代表周恩來王若飛提出之談判要點》，《戰後中國》（2），第 39 頁。

領袖。"[1]

至 10 月 10 日，由周恩來起草，毛澤東修訂的《政府與中共代表會談紀要》第一項仍然表述了上述思想："在蔣主席領導之下，長期合作，堅決避免內戰，建設獨立、自由和富強的新中國，徹底實行三民主義。雙方又同認蔣主席所宣導之政治民主化、軍隊國家化及黨派平等合法，為達到和平建國必由之途徑。"[2]

在 1927 年四一二政變以後的長時期，除抗戰 8 年期間外，國民黨、國民政府、蔣介石，一直是中國共產黨及其軍隊打倒、推翻的對象。前文已述，抗戰剛剛結束，中共在短時期內即表現出向原方針回歸的傾向，當時已經公開指責蔣介石為"人民公敵"，是"一個極端殘忍和極端陰險的傢夥"，在重慶談判中，中共反覆承諾蔣介石的"領導地位"。有了上述承諾，國共兩黨在政治上的對立在很大程度上就可以消融了。這是當時中共所作最大的讓步，也是莫斯科影響中共的最大方面。

在是否必須成立聯合政府以及國民大會代表是否必須重選等問題上，中共也作了讓步。中共甚至表示，可以讓出南方的 8 個解放區。中共所堅決堅持者為：中共部隊必須保持一定數額，中共將領必須有指揮權，在北方的解放區必須保持，中共部隊必須有特定駐地。

9 月 2 日，毛澤東和政府代表王世杰談話，毛澤東提出，"中共軍隊須改編為 48 師"。"宜以（軍事委員會）北平行營（主任）給予中共將領，俾秉承蔣委員長之命，指揮中共在山東、江蘇、河北、熱河、察哈爾、綏遠等地方的軍隊"。[3] 其中"秉承蔣委員長之命"是虛語，客套話，其實質是要求牢牢地掌握中共對部隊的指揮權。中共代表所提 11 項《談判要點》中，其第 4 項為，承認解放區政權及抗日部隊。第 9 項"政治民主化之必要辦法"的第 3 款列出解決辦法 4 條：（1）山西、山東、河北、熱河、察哈爾五省主席及委員由中共推薦。（2）綏遠、河南、安徽、江蘇、湖北、廣東由中共推薦副主席。（3）北平、天津、青島、上海四直轄市由中共推選副市長。（4）參加東北行政組織。其第 10

1　上述表態，分別見《會談經過記錄》，《戰後中國》（2），第 45—97 頁。
2　《政府與中共代表會談紀要》，《戰後中國》（2），第 98 頁。
3　《政府代表王世杰與毛澤東談話記錄》，《戰後中國》（2），第 39 頁。

項 "軍隊國家化之必要辦法" 第 5 款,要求 "設北平行營及北平政治委員會,由中共推薦人員分任"。這些條款的大部分,也是為了牢牢掌握中共對軍隊的指揮權,同時掌握部分省市政權。

毛澤東和中共代表的上述主張都遭到政府代表的堅決反對。關於中共軍隊數額,蔣介石以抗戰勝利,全國軍隊均須縮編為理由,只允許保持 12 師。9 月 19 日周恩來與毛澤東商量,提出七分之一說。即中央 263 師,中共應有 43 師,中央 120 師,中共應有 20 師,但政府代表仍不同意。[1] 9 月 21 日第 8 次談話會,張群提出,中共於 12 個師之外,可增加幾個補充師,這是政府所能允諾的 "最高限度"。至《雙十協定》中,中共表示,由現有數目縮編至 24 個師,至少 20 個師,政府方面表示 20 個師的數目可以考慮。這樣,關於軍隊數額大體達成協議了。不過毛澤東在訪問蘇聯駐華大使館時向彼得羅夫大使透露,"關於改組中國共產黨軍隊的讓步是形式上的。我們同意將師的數量壓縮到 20 個,但這並不意味著我們要裁減自己的武裝力量。沒有一份文件,沒有一次談話說,我們的師應是什麼編制,應有多少人,因此,我們可以組建任何編制的師,可以是 1 萬人的師,2 萬人的師,也可以是 3 萬人的師,也就是說,我們需要什麼樣的師就編什麼樣的師。"[2] 毛澤東在返回延安後,通知各中央局並轉各區黨委說:"解放區軍隊一槍一彈均必須保持。將來實行整編時,我方自有辦法達到保存之目的。"[3] 毛澤東這裏所說,應該就是他向彼得羅夫大使透露的辦法。

關於軍隊指揮權、解放區及中共部隊的駐地等問題,雙方爭論更為激烈。

以第一次談話會為例:政府代表邵力子表示,中共代表《談判要點》中的 9、10 兩項,"實令政府為難"。他說:設立北平行營一事,王世杰已申明不能考慮,北平政治委員會一事,政府現時根本無此制度。他認為中共這一意見,與九一八事變前處於半獨立狀態的華北、西南兩個政治委員會相同,"其於國

1　《第七次談話記錄》,《戰後中國》(2),第 86 頁。
2　《彼得羅夫與毛澤東會談紀要:國共談判等問題》(1945 年 10 月 10 日),〔俄羅斯〕聯邦對外政策檔案館,АВПРФ, ф.0100, оп.40, п.248, д.7, л.39-44.
3　《〈雙十協定〉公佈後應注意的問題》,《毛澤東軍事文選》卷 3,軍事科學出版社等 1993 年版,第 54、55 頁。

家之統一，實相違背"。"吾人一切主張，不應使國家退步，恢復十年、二十年前之舊態"。[1]

張群批評中共所提承認"解放區問題"使"國家領土分割，人民分裂"，"在抗戰期間，不妨為權宜之計，但現在戰爭已經結束，國家要求和平統一，此種狀態，豈可任其繼續存在！自非遵循國家法令規章及時加以改善不可。"

周恩來力圖說明中共主張的合理性。他說："凡一省、一市我黨佔多數者，其省主席與直轄市市長由我黨推薦；佔少數者，由我黨推薦副主席或副市長。此係為讓步合作設想，在使兩黨不對立。至於北平政治委員會之設置，乃為改組過程中增強兩黨團結之辦法，求人事與組織之調和配合，絕非於中央體制與法令規章之外，另外成立一種相反的體制與法令系統。"

周恩來說明之後，邵力子立即批評周恩來："以此種方式提出要求，無怪乎社會評論將形成為南北朝。"

王若飛鑒於政府代表的立論基礎在"統一"，便以"根據事實"相對抗。他首先表明："我們要求和平、民主、團結，以求中國政令軍令之統一，此一原則，彼此都是同意。"但是，"有了原則與方針，還鬚根據事實，一步步去進行。"他擺出事實說："今日我黨之客觀事實為何？即擁有120萬軍隊，19個解放區政權，此種事實如不承認，而要用武力解決，則不僅為今日之國情所不容許，而且為我黨所堅決反對。"當王若飛說明中共當時的軍隊與解放區政權的數目時，周恩來特別補充了一句，中共當時已"擁有百餘萬黨員"。在周恩來補充之後，王若飛接著表示："我黨建議中之北平行營與北方政治委員會，即係應此目前之實際之需要而設置。""如無此安置之辦法，則我黨即無以對全體之官兵與黨員民眾。"

針對王若飛所言，張群表示："中共承認中國國民黨為第一大黨，自居於第二大黨地位，我們亦承認中共之政治地位。""中共要保持並增高其政治地位，不再堅持所謂解放區之承認，而須就整個國家的統一來打算。""解放區取消以後，一切人事，中央自可於法令規章範圍以內儘量設法調整。"

---

1 《戰後中國》（2），第48頁。以下所引，均見同書相關談話會記錄，不一一注明。

　　王若飛覺得張治中所言"政治地位"空洞，緊逼一句："承認中共之政治地位，必須承認中共解放區之事實及其軍隊與人民所建立之政權。"

　　張治中認為，保留"解放區"與"中共軍隊"會妨礙"統一"，便說："我們必須朝現代化的方向前進。""絕不可再蹈軍閥時代的覆轍。""中共此時如能放棄其地盤，交出其軍隊，則其在國家的地位與國民中之聲譽，必更高於今日。"他建議中共將抗戰有功人員列名呈報中央，保證中央必一秉至公，論功酬賞，現在抗戰勝利，"吾人尚要保持此龐大之軍隊，豈非失其意義乎？"

　　為了說服中共不再爭論軍隊人數多寡，邵力子說："中共即令無一兵一卒，國民黨也不能消滅他；即使中共軍隊再多些，亦絕不能打倒國民黨。"

　　張治中提到"軍閥"問題，周恩來立即反駁說："兄等以封建軍閥割據來比擬中共，我不能承認。"

　　此後的談話會在討論到相關問題時，無不舌劍唇槍，針鋒相對。如9月8日第二次談話會，張治中表示：中共"要求完全佔有五個省及一個邊區，參加六個省與四個直轄市，猶如分割地盤，我們不贊成"。

　　王若飛表示："要求統一，必須根據現實。""華北五省，過去係由中共軍隊堅持抗戰，始有今日，故要求此五省由我黨負責，其他六省由我黨參加，何能謂為爭奪地盤？"他以國共"兩黨皆有軍隊"為據，要求"彼此互相承認"。

　　張治中認為這一說法"殊有未當"。他說："國民黨自從完成北伐，取得國家統治權以後，所有軍隊即為國家所有，而非國民黨一黨所私。本年六次全國代表代表大會且已正式決議將軍隊黨部取消，即其證明。"又說："既然國民黨已無軍隊，則中共復何理由要保持其一黨所私有之軍隊？"

　　王若飛反對"國民黨已無軍隊"的說法，駁斥說："國民黨現在尚在黨治時期，故所稱中央軍隊尚是國民黨之軍隊。"

　　話題轉到中共要求山西等五省主席及委員由中共推薦，張治中說："此種辦法，實在違反現代國家之辦法。"

　　邵力子為張助力，補充說："中共要求分割省區，殊與國家之統一原則不符。"

　　周恩來為中共主張辯解："我方建議，乃於盤根錯節，痛定思痛中想出辦法。本來我方一貫主張普選。如今既不普選，又不牽就事實，何能走上和平建國坦途？"

邵力子企圖揭露中共主張中的矛盾："今中共要促成國家和平統一，而又要政府承認其所造成之既成事實，實不可能。"他要求中共"放棄武力與地盤"，表示蔣介石不僅不會"虧待中共，而且將敬重不置"。

此後的有關討論大體是政府代表以軍令、政令和國家統一為言，而中共代表則以承認事實為言。政府代表咄咄逼人，取高壓進攻姿態，而中共代表在有限讓步之後則堅決抵抗。如第七次談話會：

周恩來表示："中共軍自海南、廣東、浙江、蘇南、皖南、湖北、湖南、河南等8個地區撤退，集中蘇北、皖北及隴海路以北地區，此為第一步。"

張群立即詢問："所謂隴海路以北地區，究竟指何處？"

周恩來答稱："指山東、河北、熱河、察哈爾四省全部，山西之一大部，綏遠之一小部，以及豫北與陝甘寧邊區等七個地區，作為中共軍駐地。"他提出：山東等四省與陝甘寧邊區主席由中共推薦，山西、綏遠兩省副主席，天津、北平、青島三特別市副市長，由中共推薦，北平行營由中共主持，仿東北行營例，由中共負責。

對周恩來提出的新方案，張群表示"甚難考慮"，"候轉呈蔣主席請示"。張治中則批評說："中共軍隊悉數撤退至黃河以北"，"無異分疆而治，欲三分天下有其一"。他表示：中共"要求太過"，"非為謀軍令政令之統一，而完全為分裂。"

張群、張治中的發言激起王若飛的憤慨。他說：現在"漢奸部隊都已獲得中央之委任，而中共抗日部隊，反不能得中央之承認，須知中共軍隊即令不獲中央之承認，不獲中央之接濟，亦必能生存發展。"

再如第8次談話會：

張治中嚴詞責問："兄等所提華北四省主席應由中共推薦，省政由中共主持，此何異乎割據地盤！是否中共欲由此四省以北聯外蒙，東北聯東三省，果如此，則兄等究係作何打算，作何準備？"

聽了張治中的話，王若飛十分生氣，甩出一句話："那末，中央將我黨軍隊都消滅好了！"

張治中見王若飛動怒，婉言道："既係商談，我等即應本溫和之態度從容協商。"

周恩來發言調解，指出"應相互體諒彼此之困難，應設身處地，推己及人，以互讓互諒之精神，求問題之解決。"他隨即批評說："國民黨之觀念是自大的，是不以平等待中共的。""今日既言民主團結，彼此即應立於平等地位。""今日我黨已承認蔣先生之領導地位，已承認國民黨為中國之第一大黨。""蔣先生不只是國民黨之總裁，而且是全國的領袖，但國民黨卻不能以領導者自居，而以被統治者視我黨，否則，此種觀念一經表露，必惹起我黨之憤怒。"他解釋中共不能交出軍隊的原因說："現在國民政府尚在國民黨黨治時期，我們何能將軍隊、政權交與一黨之政府。"他提醒政府代表："欲求達到統一全國軍政之理想，必須採取民主之方式，循一定之步驟，而非可一步登天，一蹴即就。"

在周恩來作了一番理直氣壯的發言後，王若飛說："軍隊國家化，所謂國家乃人民的國家，而非一黨的國家。如能召開黨派會議，成立聯合政府與聯合統帥部，則一切軍事政治皆可解決。"他批評國民黨說："過去人民從敵人手中取得政權，現在中央要從人民手中取回政權。"

談到黨派平等合作問題，張群稱："如果中共不以軍隊為一黨私有，則各黨派團結合作，原是平等的。"他強調："一切軍隊必須脫離黨派關係。"

王若飛強調，關鍵在民主："如能實行民主，問題即易解決。"據會議記錄，這時，王若飛血脈賁張，握拳擊椅，尖銳地批評說："你們國民黨政府是什麼政府，是墨索里尼政府！是希特勒政府！"

上述記錄表明，政府代表企圖以統一為名，吃掉中共部隊和解放區，而中共代表則寸步不讓，維護解放軍和解放區的存在。雙方爭持不下，到簽訂《雙十協定》時，只能各自表述立場。駐地問題由"中共方面提出方案，討論決定"，其他"具體計劃"，由國民政府軍令部、軍政部及十八集團軍各派一人組成"三人小組"討論，將問題掛了起來。

中共代表在中共部隊、解放區、解放區政權等問題上的堅持，不僅是對國民黨的抗爭，也是對莫斯科意見和法共道路的逆反。正是由於這些堅持，中共才使自己的實力和掌控地盤基本無損，成為以後打敗國民黨及其政府的物質基礎。

六、赫爾利的強力干預

赫爾利不僅向蔣介石提出邀請毛澤東來渝的建議，並且親自赴延安迎接。毛澤東、周恩來、王若飛等到達重慶後，赫爾利強力介入，企圖干預談判進程。

最初，重慶談判的政府代表為張群、邵力子、張治中、王世杰4人。中共方面為周恩來、王若飛2人。9月4日雙方代表第一次談話會，王世杰因赴倫敦參加外長會議，討論對意大利、羅馬利亞等5個戰敗國的處理，缺席，政府方面未增補代表。赫爾利對於這一陣容並不樂觀。9月6日，他訪問蘇聯駐華大使彼得羅夫，直率地表示："國民黨的代表沒有能力與共產黨人進行談判，因為張群完全是個新人，而張治中總是被一些瑣事所吸引，從而把整個事情搞複雜了。宋子文和王世杰為避開參加談判，到國外去了。談判的優勢落到了具有巨大智慧的毛澤東和周恩來一邊。"他向彼得羅夫建議："蘇聯和美國應該共同發表一個聲明，說他們希望看到一個統一的中國，並以此來冷卻共產黨人的熱情。"但是，彼得羅夫沒有回應。[1]

9月16日，周恩來草擬了一份《公告》，交給赫爾利，內稱：

經過二十天努力，以及與黨外民主人士的密切交往和接觸之後，雙方最終達成一致決議，並發佈了以下公報：

1.有關和平建國的基本方針，大家一致承認，中國的抗日戰爭已經勝利結束，和平建設的全新時期即將到來，中國人民以及所有抗日的民主黨派應該：

（1）在和平、民主、團結、統一的基礎上，堅決反對內戰，建立一個獨立、自由、繁榮和強大的新中國，徹底踐行孫中山先生的"三民主義"。

---

1 《彼得羅夫與赫爾利會談紀要：國共談判及美蘇對華政策》（1945年9月6日），〔俄羅斯〕聯邦對外政策檔案館，АВПРФ, ф.0100, оп.33, п.244, д.12, л.218-219。

（2）承認蔣介石先生的領導地位。

（3）在平等的基礎上，承認國民黨、中共以及其他抗日民主政黨的合法地位；制定長期合作以及和平時期國家建設方針。

2.有關戰後相關問題，一致同意：

（1）承認為抗戰做出貢獻的所有抗日力量，以及敵後解放區政權的合法地位。

（2）依法嚴懲漢奸，解散偽軍。

（3）所有抗日的軍隊應有權參與受降相關的工作。

3.有關結束訓政、實現憲政的問題，一致同意在結束黨治的過程中，為實現軍事和政治統一，應該立即採取必要措施實現政治民主化、軍隊國有化以及承認各個黨派的平等和合法地位。具體措施如下：國民政府負責召集召開由各黨派及無黨派代表參加的政治會議，以商談國家統一和建設計劃、民主政府建設、不同政黨參政問題，以及召開國民大會、戰後恢復和重建等問題。

（1）積極推行地方自治，推動地方憲章的起草，實行自下而上的普選。

（2）公平合理地整編全國軍隊，制定明確計劃，分階段實施。

（3）設立軍區，建立徵兵制度。

（4）保障和平時期民主國家人民所應當享有的言論、出版、結社、人身、信仰等自由；廢除或修改違背上述原則的現行法律、法令和規章制度。

（5）嚴格禁止除司法和警察機關之外的任何組織擁有任意逮捕、審判和懲處的權利。

（6）釋放政治犯。

4.在即將召開的政治會議上討論上述提要和相關問題的具體實施計劃。

5.兩黨在過去二十天的談判是在友好和諧的氛圍中進行的。雙方相信在互相信任，雙方讓步的基礎上，彼此共同努力，或許能夠在即將到來的談判和政治會議上取得令人滿意的結果。

6.對駐華大使赫爾利將軍的熱忱幫助深表感謝。[1]

這份《公告》總結了當時雙方代表談判所已經達成的協議，成為後來《雙十協定》的最初草本。

9月18日，赫爾利與魏德邁擬回美述職，經國共雙方要求，赫爾利同意延

1　《美國對外關係文件集》，*FRUS*, 1945, China, pp.463-465。

期 4 天。

1944 年 11 月，赫爾利訪問延安時，曾向毛澤東保證："如果蔣先生表示要見毛主席，我願意陪同毛主席去見蔣。""他將作為我的上賓，我們將以美國國格來擔保毛主席及其隨員在會後能安全地回到延安，不管會議的成敗如何。"[1] 現在赫爾利要走了，9 月 18 日這天，周恩來出於對毛澤東安全的擔心，於 9 月 18 日通知赫爾利，毛澤東將在赫爾利離渝前返回延安。赫爾利當即答以願在毛希望的任何時間安排離開重慶的交通工具。19 日，赫爾利為此會見蔣介石，要求蔣再次保證毛在重慶的安全。蔣當即答應，聲稱毛"受本人之邀來到重慶，本人及政府願承諾並以本人人格保證毛在重慶的安全。毛無須因赫爾利的離開而選擇離開。如果毛希望離開，可以隨時提供飛機。"蔣並稱：在談判結束之前，毛留在重慶將"將大有裨益"。9 月 19 日，赫爾利致信毛澤東，勸其打消離意。函稱：

> 當然了，如果能在我離開之前看到談判順利結束，我會十分高興的。但是，如果不行，我同意委員長的看法，如果您能在重慶多待些時日，這將有助於國民政府和中共之間達成令人滿意的協議。如若早日達成協議，那麼中國就能早日開展和平建設。

函末，赫爾利表示："臨行之際，對您的友好以及在許多場合對我的親切接待表示感謝。希望談判一切順利。"[2]

9 月 21 日晚，蔣介石與赫爾利談話，決定將中共軍額限為最多 20 個師，如中共繼續要求華北各省主席，則不再談判。日記云："考慮共產黨問題對國家禍福利害甚久，此時主動尚在於我，不患其作惡賣國，吾仍以理導之。"[3] 23 日，赫爾利與雙方代表進行在離渝前的最後一次會談，毛澤東到場。雙方從下午 5 時一直談到次日凌晨 2 點 30 分。

談判中，赫爾利對中共施加壓力。他要中共交出解放區，說是"要末承認蔣介石的要求，要末破裂。"毛澤東答以"不承認，也不破裂。問題複雜，還

1　參見本書《蔣介石何以拒絕在〈延安協定〉上簽字》一文。

2　《美國對外關係文件集》，*FRUS*, 1945, China, p.466。

3　《蔣介石日記》，1945 年 8 月 21 日。

要討論。"[1] 赫爾利批評雙方"試圖解決的細節問題過於龐雜"。他說:"試圖在重組政府和改編軍隊等細節方面提前達成一致,這將有可能使會談拖入無休無止的境地。"他建議,"就總體原則達成一致,細節問題可以再依照這些原則來解決。"在此情況下,雙方部分達成協議。赫爾利高興地致電美國國務卿報告說:

> 雙方都同意,他們願意為建立民主政府、復興中國、避免內戰而齊心並力、精誠合作。
>
> 1. 雙方同意支持蔣介石作為中華民國主席的領導地位。
>
> 2. 雙方同意兩黨都將繼續貫徹孫中山的政治主張,並為建立一個強盛、統一、民主的政府而團結協作。
>
> 3. 中共願意承認國民黨作為領導政府、佔主導地位的政黨,並且願意在過渡期間,即從當前政府過渡到民主政體期間,同國民黨團結合作。
>
> 4. 雙方就其他一些問題也達成了共識,包括釋放政治犯、民眾的人身、言論、出版、信仰、集會和結社自由。

赫爾利稱:儘管兩黨都為達成協議做出了讓步,但有兩點問題雙方並未達成一致,一是中共要求保留在某些省份任命、委派或選舉中共省主席和市長的權力。國民政府卻堅持認為,在憲法實施、民主政府建立之前,指定省主席和官員的權力仍應屬於中華民國主席。國民政府認為,在從當前政府向立憲政府過渡實現之前,現狀保持不變。兩黨都認為在過渡時期應該精誠合作。二是在和平時期的軍隊中,中共軍隊的數量和比例問題。雙方談判雖取得進展,但最終未能達成一致意見。首先,中共認為他們應該改編為 48 個師,而國民政府指出,預計和平時期軍隊應該由 80 至 100 個師構成,國民黨認為中共軍隊應該佔少數,而中共卻聲稱應該佔改編軍隊總數的大約一半。就此,國民黨方面斷然否定了中共的要求,但是國民黨卻同意中共可改編為 20 個師,或者大約佔到和平時期軍隊總數的五分之一。毛澤東主席說,昨晚他們沒有拒絕國民黨的建議,但是,中共希望能再深思熟慮一下。

赫爾利稱:"在幾乎所有支持中國分裂的人預計中國發生內戰之際,中共

---

1 《毛澤東在中共中央政治局會議的報告》(1945 年 10 月 11 日),《毛澤東年譜》(下卷),第 33 頁。

和國民黨能就和平時期的合作問題進行商談，這便是此次會談的最大成就。會談仍將繼續，毛澤東還在重慶。委員長也承諾，請毛澤東放心，他許諾為毛澤東和他的政黨提供通行證。在任何時候，如果毛澤東及其隨行人員希望終止會談，蔣介石同意為其提供返回延安的交通工具。毛澤東對蔣委員長的承諾非常滿意。"[1]

報告說："談判雙方的態度和情緒是好的。中國兩大政黨之間的關係似乎正在改善，隨著會談的進行，有關內戰的討論和流言有所消退。"9月24日，赫爾利離開重慶，毛澤東到機場送行。赫爾利叮囑說："既然實質的問題談不通，最好再從民主政治的原則商談。"[2]

毛澤東對赫爾利的強力介入很不滿。10月10日，他告訴蘇聯駐華大使彼得羅夫說："談判過程可劃分成兩個階段。第一階段談判基本上正常，已經決定發表聯合公報，但是這時美國大使赫爾利干預談判，發表聯合公報一事就告吹了。第二階段就是從這個時候開始的。其特點是談判進行得非常艱難、緊張。蔣介石的代表採取了拖延談判的方針。看到這種情況，在第一個階段對國民黨代表保持克制態度的共產黨代表，開始採取了進攻的方針，無論是在政治方面，還是在軍事方面。"[3]

七、彼得羅夫的靜觀靜聽

與赫爾利不同，蘇聯大使彼得羅夫重在了解情況，掌握動態，對談判基本上採取靜觀、靜聽態度。

重慶談判期間，周恩來、毛澤東、王若飛等人曾多次訪問蘇聯駐華大使館。

8月30日，周恩來訪問彼得羅夫，告訴大使說："我們的初步觀察使我們有理由相信，國民黨領導人可能同意做出一些政治上的讓步。當然，很難預料，這從根本上能夠解決多少中國重大的政治問題。我們不可能指望蔣介石做

1　《美國對外關係文件集》，*FRUS*, 1945, China, pp.466-468。

2　蔣勻田：《同毛主席的一次談話》，《重慶談判資料》，第 447—448 頁。

3　《彼得羅夫與毛澤東會談紀要：國共談判等問題》（1945 年 10 月 10 日），〔俄羅斯〕聯邦對外政策檔案館，АВПРФ, ф.0100, оп.40, п.248, д.7, л.39-44。

出過多的讓步。在任何情況下，無論這種讓步採取何種方式，它對於國民黨政權的益處，將永遠會多於對反對黨的益處。"

周恩來又說："有鑒於此，我們將面臨著一個極其重大的任務。18 年來，我們黨一直在進行著反對國民黨反動派的武裝鬥爭，我們目前面臨的是具有歷史意義的問題：我們應該從武裝鬥爭急劇地轉向和平建設。應該說的是，不僅是廣大的黨員群眾，而且還有中國共產黨的領導幹部，並沒有完全準備好在自己的工作中完成一個 180 度的大轉彎。戰爭的結束和日本的投降，對於我們來說是出其不意和突然的事件。我們完全沒有料到，戰爭會這麼快地結束。"

在介紹了談判議程及國民政府方面的基本觀點後，周恩來表示："對於我們來說至關重要的是，能夠從您那裏獲得我們制定方針所必需的情報以及客觀評價中國業已形成的局勢和採取相應的具體措施所必須的意見。"

對於周的請求，大使答稱："周恩來同志在黨政工作方面經驗相當豐富，他本人將能夠正確地評價中國目前的局勢，並採取正確的措施。"

周恩來就《中蘇友好同盟條約》某些章節的內容，向大使提出了一系列問題。彼得羅夫作了相應的解釋。周恩來問是否還有某些文件是在莫斯科中蘇談判期間簽署的，但目前尚未公佈，大使回答說，沒有這樣的文件。[1]

9 月 6 日，毛澤東、周恩來、王若飛拜訪彼得羅夫。毛澤東說："談判非常清楚地表明，國民黨和蔣介石本人極力追求徹底保留自己從前的政治立場，確保繼續實行一黨專政，並爭取獲得中國共產黨的讓步，然後藉助於武力，實現對共產黨所在的地區和軍隊進行封鎖。在與張群、張治中、王世杰、邵力子以及蔣介石本人進行會晤和會談時，國民黨方面沒有提出任何不同於國民黨以前立場的新提案。"毛澤東比較詳細地介紹了國民政府代表的觀點，然後說："如果國民黨同意將除邊區以外的 5 個省——山東、河北、山西、察哈爾和熱河的行政管理權移交給我們的話，那麼，我們將會同意放棄華南和華中的解放區，那裏共計有 4000 多萬居民和我們的 30 多萬人的軍隊。我們還允許國民黨對一些重大的城市，如北平、天津、青島、濟南以及一些重要的交通幹線實行監

1　《彼得羅夫與周恩來會談紀要：國共談判的前景》（1945 年 8 月 30 日），〔俄羅斯〕聯邦對外政策檔案，АВПРФ, ф.0100, оп.33, п.244, д.14, л.205-208。

督。同時還規定國民黨的代表可以參加上述省的行政管理機關，而同樣的，中國共產黨的代表也應該參加北平、天津、上海、南京、廣州、青島和其他城市的市政機關。"

毛澤東強調指出，目前有充分的理由可以做出結論：在國民黨和日本人之間存在著默契與合作。不應該懷疑，這種合作的首要目的是反對中國共產黨。同時，國民黨當局還使偽軍的地位合法化，把他們變成自己的正規軍部隊。毛澤東指出，這樣一來，中國共產黨將同加倍的國民黨軍隊的武裝力量進行鬥爭。目前，蔣介石已將這些軍隊裝備完畢。

在會談結束時，毛澤東敘述中共在今後談判中的基本戰略原則。他說："我們早就知道，我們的許多要求不可能被國民黨接受，我們已經準備做出讓步。但是，我們將盡一切努力堅持自己的立場。如果不得不做出讓步的話，那麼，我們也將儘可能慢地、帶著巨大的抵觸情緒去做這種讓步。這種讓步只可能在基本條件，即我們的具體利益不受到損失的情況下，才能夠做出。我們將不會偏離我們切身利益所在的那些界線。這樣一來，我們的策略可歸結為：進攻和退卻同時進行。與此同時，中國共產黨最大限度的讓步是受我們事業的具體利益制約的。"

毛澤東、周恩來，尤其是王若飛，都很關心蘇聯對於一系列問題的評價和看法。例如：在中國爆發內戰的情況下，美國的行為將會如何？堅守中立呢，還是積極地給予國民黨軍事援助？如果美國幫助國民黨軍隊消滅共產黨軍隊的話，蘇聯將會採取何種步驟？毛澤東稱："目前正確地確定方向非常困難，朋友們的忠告和建議對於中國共產黨來說是非常寶貴的。"

彼得羅夫不願多說，只是多次強調，蘇聯非常希望看到中國在政治上統一，兩黨的談判應該繼續下去，並通過相互的讓步達成一致意見。[1]

10月5日，周恩來、王若飛再次訪問彼得羅夫。周應大使的要求，概述了國共談判的結果、國共雙方準備簽署的談判紀要內容，答應把會談紀要原稿寄給大使館，供蘇方參考。

---

1 《彼得羅夫與毛澤東等人會談紀要：國共談判問題》（1945 年 9 月 6 日），〔俄羅斯〕聯邦對外政策檔案館，АВПРФ, ф.0100, оп.33, п.244, д.13, л.220-224。

周恩來稱，現在中共代表力爭解決三個任務：1. 簽署談判紀要，2. 發表聯合公報，3. 讓蔣介石同意毛澤東回延安。他說：解決這三個問題對雙方都有利。由於中國目前的局勢，國民黨希望發表聯合公報，這將有利於解決龍雲和雲南的事態，也是國民黨手中握的一張向美國要貸款和援助的牌。但是，簽署會談紀要和發表聯合聲明，對共產黨更為有利。"共產黨將得到非常有力的政治武器，可以充分用來反對國民黨發動內戰的任何企圖。共產黨也將承擔不少責任，採取許多措施，這是沒有疑問的，但共產黨從不背棄自己的諾言。至於國民黨，會談紀要和公報將使國民黨不僅在中國社會輿論面前，而且在聯合國面前，承擔巨大的政治責任。"

周恩來說，蔣介石今後的表現在很大程度上是以下兩個重要因素決定的：第一，紅軍在中國領土上的存在；第二，倫敦外長會議的失敗。"考慮到這兩個國際現象，蔣介石今後很可能加緊秘密的反共、反蘇活動。與此同時，當然，他的親美傾向進一步加強是不可避免的。"

周恩來認為，蔣有許多機會可以發動國內戰爭，而不必履行任何手續，但是，"國民黨今後的軍事政治方針將取決於該黨的強點與弱點的對比關係。"周恩來認為，"蔣介石最大的弱點是兵力不足，還有運輸軍隊的現實條件問題。在最好的情況下，通過空運和海運把軍隊運到華東、華北、東北地區，需要一個多月，在這個期限內我們也可以做許多事情。……國民黨政權的第二個弱點是，許多地區的政治形勢不穩，如新疆、蒙古、東北以及雲南等地。還有，必須考慮到強大的共產黨軍隊的存在這個事實，國民黨軍隊在同這支軍隊的武裝衝突中已多次有機會領教它的戰鬥力。"

周恩來強調蘇美相互關係的重要性，他指出，在正統的國民黨人看來，蘇美友好關係的存在是不可能的和不能容許的。他將蔣介石視為"蘇美關係的挑撥者"，認為蔣介石在執行反蘇政策方面還不是孤立的。美國當前的統治集團正在給早已公開奉行親美路線的重慶政府以大力援助。他表示，不能排除美軍直接參加中國內戰的可能性，也不能低估美軍在準備和發動這場戰爭過程中的作用。毫無疑問，美國人正極力最大限度地保證國民黨軍隊各種軍事行動的順利進行。

周恩來和王若飛向彼得羅夫提出：很想知道蘇聯對美軍在天津和北平地區登陸的立場。彼得羅夫回答：美軍在中國的存在不是新問題，也不是出乎意料的事。周、王再問：如果美軍試圖在張家口、長春和東北的內陸地區著陸，蘇聯將採取何種態度？彼得羅夫說，現在很難預見這種形勢發展的一切具體細節。

最後，周恩來問，為了對付國民黨特務機關的搗亂，在保證毛澤東同志停留重慶期間的安全方面，中共從蘇聯使館可以得到哪些實際幫助？對此，彼得羅夫回答："周恩來同志在提出這類問題時，應當考慮一個外國駐華使館所處地位的複雜性。"[1]

10月10日，彼得羅夫在使館設宴為毛澤東等餞行。雙方就各種問題暢談。

彼得羅夫問：毛澤東同志如何評價蔣介石和中共代表談判的結果？毛答："不能說結果很好或好，但也不能說結果很糟。結果要比倫敦外長會議好一些。"

毛澤東說：聯合公報將於10月12日發表。這也是中國共產黨的勝利。"如果國民黨食言，聯合公報將是我們進行宣傳的某種依據。"

在座的武官羅申問：蔣介石是否會給中國共產黨的軍隊提供軍需？毛答，中國共產黨將力爭，但對結果不抱希望。

彼得羅夫問，蔣介石從西康回來後表現如何？毛答，蔣介石的態度明顯好轉，變得比較客氣、和善、坦率，不固執了，這一次他同意就談判的初步結果發表聯合公報。

毛澤東告訴彼得羅夫等，蔣介石在和毛單獨談話時說："國家的命運操在你我手中，若我們之間不能達成協議，那我們就有罪於後人。"還說："共產黨不擁有自己的武裝力量為上策。今後它只用政治手段就能在國內贏得政治權利。"毛澤東回答說，共產黨人從不拒絕由國家統一軍隊，如果允許中國共產黨在中國政治生活中擁有像美國民主黨那樣的地位，在這種條件下，中國共產黨可以放棄武裝力量。

彼得羅夫再問：目前蔣介石依靠國民黨中的哪個政治派別？其中哪個政治

---

1 《彼得羅夫與周恩來談話紀要：國共談判的準備工作》（1945年10月5日），〔俄羅斯〕聯邦對外政策檔案館，АВПРФ, ф.0100, оп.40, п.248, д.7, л.120-123。

派別在他身邊佔有更重要的位置？毛答，"蔣目前還沒有一個根深蒂固的思想政治目標，或者說還沒有一個能夠左右其他一切的主心骨。在內政方面，蔣介石自己也不知道該走哪一條道路：是走獨裁的道路還是走國家民主化的道路。在外交政策方面，蔣介石不知道倒向誰：倒向美國還是倒向蘇聯。考慮到蘇聯的國際影響力，蔣介石還沒有拿定主意完全倒向美國。儘管如此，他也不可能完全倒向蘇聯。他對於中國共產黨的態度是由如下因素確定的：中國共產黨自身的力量、蘇聯的國際地位、新疆的狀況和駐在東北地區的紅軍。在對外政策方面，蔣介石求助於'政學系'，他和這一派解決與對蘇關係有關的問題。在內政方面，特別是在對付我們方面，他利用 CC 派和黃埔系。在解決其他問題時，他誰都會利用。因此，無法得出蔣介石現在依靠哪一個政治派別的結論。"

彼得羅夫問，蔣介石的政策今後會是什麼樣的政策？毛答，"蔣的政策將帶有兩面性：一方面是他表面上竭力妥協，而另一方面是他會繼續進行反共的軍事準備。他正在搞軍事準備，而且很快就能準備好，到了那個時候，在豁區、軍事和政治問題上，蔣介石顯然會試圖逼迫共產黨接受他的條件。國民黨軍會試圖把共產黨從佔領的地盤上擠出去。因此，中國共產黨的軍隊正在三個主要方面加緊作應戰的準備。"

毛接著又說：蔣介石不會履行達成的協議，那時，出於政治上的考慮，共產黨不得不消滅國民黨的幾個師，譬如胡宗南的七八個師，共產黨能夠做到。

羅申問：如果蔣介石繼續讓他的軍隊向前推進，包圍共產黨的軍隊，切斷共產黨軍隊通往東北道路的計劃，共產黨的軍隊怎麼辦？毛答，共產黨不怕國民黨的軍事進攻，蔣介石並不擁有足以打垮共產黨的力量，如果蔣介石對共產黨的地盤進行軍事進攻，那麼共產黨就要應戰。

在討論這一問題時，周恩來分析說，蔣介石的武裝力量會沿各個地區分散。要集結這些部隊，使他們形成一個拳頭，需要時間。

羅申問，會不會出現這樣的情況：由空投到天津和北平的美軍先頭部隊作掩護，蔣介石率兵北上，津浦線和平漢線成為蔣介石軍隊的主要運動方向？毛答，這將是美國對中國內政的公開干涉，中共唯一擔心的就是這一件事。說到這裏，毛澤東詢問在場的人：美國人會不會公開和共產黨的軍隊作戰？

彼得羅夫和羅申回答，現在很難說，因為從國際方面考慮，這樣做，對他們不利，他們這樣做，只會失敗。

毛澤東再問，如果美國出兵中共佔領的地區，怎麼辦？

彼得羅夫答：在這種情況下，必須通過和平的途徑，妥善調解局面，儘量避免和美國人發生武裝衝突。與此同時，必須在報刊上報道，進行反對美國公開干涉中國事務的宣傳。

彼得羅夫問：國民黨會不會向東北派兵？毛答：蔣介石這樣做會遇到許多困難，其中最主要的困難是華北地區有共產黨的軍隊。蔣介石只有在與中共就所有未決問題達成協議的情況下，國民黨軍隊才能到東北去，否則，中共不會讓國民黨軍隊到東北去的。

羅申問：蔣介石的軍隊何時能夠結束鎮壓共產黨人的準備工作？毛答：蔣介石的軍隊將在 11 月中旬完成進攻準備。在此之前，我們將完成自己的全部準備工作。

彼得羅夫問：國民黨在談判中表現如何？毛答：國民黨代表對談判沒有準備，他們沒有自己預先準備好的方案，提倡議和唱主角的基本上是共產黨，是共產黨的代表，提出了經過斟酌和認真研究的建議。國民黨扮演的角色歸結起來就是千方百計地竭力推翻中國共產黨的建議。美國大使赫爾利扮演了主要角色，他是蔣介石的常務顧問。[1]

可以看出，赫爾利和彼得羅夫都在努力貫徹本國的對華政策，但各自風格不同。

八、重慶談判的成就及其歷史經驗

重慶談判 43 天，雙方雖仍有分歧，但都能本著以民族、國家的前途與大局為重的精神，將和平、民主、團結、統一、富強定為中華民族的大目標，因而在若干問題上取得一致，共同簽署《政府與中共代表會談紀要》。該《紀要》

1 《彼得羅夫與毛澤東會談紀要：國共談判等問題》（1945 年 10 月 10 日），〔俄羅斯〕聯邦對外政策檔案館，АВПРФ, ф.0100, оп.40, п.248, д.7, л.39-44。

共 12 條。其中：

一致同意者 5 條，為：關於和平建國的基本方針，關於政治民主化；結束訓政，實施憲政，召開政治協商會議；關於人民自由問題；關於黨派合法問題；關於特務機關問題。

原則同意，無重大分歧者 4 條，為：關於釋放政治犯問題；關於地方自治問題；關於奸偽問題；關於受降問題。

有較大分歧者 3 條，為：關於國民大會；關於軍隊國家化問題；關於解放區地方政府問題。[1]

《會議紀要》原有第十三項，關於進兵受降與避免衝突。中共方面要求，有些原來由中共領導的武裝在那裏活動，已經解放了的敵佔地區，或已由中共領導的武裝包圍的敵佔地區，希望在受降問題解決之前，雙方部隊都暫駐原地不動。政府方面表示：一切武裝衝突自須即行停止，但中央部隊為受降前進，中共不應阻止。《會談紀要》即將發表之時，雙方同意刪去這一項，由於缺少這一項，重慶談判之後，軍事衝突隨之發生，並且日益擴大。[2]

重慶談判的歷史經驗是：

1. 力爭以文談代替武戰。抗戰勝利，中國面前擺著兩條道路：一是國共內戰，用槍桿子解決勝負，一是國共合作，以談判、協商的辦法解決分歧和爭端，共同和平建國。重慶談判表明，兩黨當時共同選擇了第二條路。這既適應了二次世界大戰後國際和平發展的主流，也符合中國人民渴望和平的普遍願望。古人云：“兵者為凶器，聖人不得已而用之。”有人類，就會有分歧，有爭端，有矛盾，有鬥爭。解決之道，不外文武兩途。文的一途，損失較小，能夠避免破壞與犧牲，缺點是談攏不易，或時日長久，或拖泥帶水；武的一途，損失較大，破壞與犧牲都很大，但乾淨俐落，痛快徹底。相對說來，如果文談可以解決問題，自然利大弊小。周恩來說：“民心厭亂，兵心厭戰，的確是一般人的心理。”[3] 在飽經八年抗戰的刀兵之苦與血海之災後，兩黨能坐到談判桌前，

1　《戰時中國》（2），第 97—102 頁。
2　周恩來：《國共會談經過》，《新華日報》，1946 年 1 月 13 日；邵力子：《政府與中共代表會談經過》，《中央日報》，1946 年 1 月 13 日。
3　《關於國共談判》，《周恩來軍事文選》卷 3，第 26 頁。

以文談代替武戰，以協商代替槍炮，共同找尋避免戰爭，尋找和平發展的途徑，這是正確的，得人心的。

2. 捐棄前嫌。自 1927 年之後，國共兩黨十年內戰，彼此結下血海深仇。八年抗戰，雙方雖並肩抗日，但在磨擦反磨擦、限制與反限制鬥爭中又形成許多新的仇怨。重慶談判期間，雙方都能捐棄前嫌，坐到一起，交換意見，共同協商，不再互相敵視，互相攻擊，作意識形態的口舌之爭，而是一起向前看，向團結、合作的方向發展。周恩來總結重慶談判的經驗教訓，其一是要互相承認，不要互相敵視；第二是要互相商量，不要獨斷；第三是互相競賽，不要互相抵消。這三點，包括下文要講到的第四點都必須以"捐棄前嫌"為基礎。

3. 讓步與忍耐。周恩來總結重慶談判經驗的第四點是"互相讓步，不要獨霸"，可見他對於"讓步"的重視。他說："今天中國所需要的三民主義、民主國家制度。這些是不能讓的。沒有這種準繩與方針，就不能談到合作。不過，在這種大前提下許多具體問題應該力求互讓。"為此，他曾向張瀾表示，中共方面的方針是"苟能求全，不惜委屈。"[1] 談判前，中共即決定放棄長期爭持不下的聯合政府等問題，放棄長江以南廣東、浙江、蘇南、皖南等八個根據地。談判中，又多次聲明，實行三民主義，承認國民黨的第一大黨地位，承認蔣介石的領導地位，做了巨大的讓步。國民黨也作了有限的部分讓步，例如同意中共保留的軍隊由 12 師贈至 20 師；改國防最高委員會為政治會議，容許各黨派參加；允許中共立即參加中央政府等。國民黨的《中央日報》社論分析會談取得成功的主因是"政府和中共都能發揮相忍以為國的精神"。但是，讓步必須與忍耐相結合。談判中，有爭論，有抗辯，少數場合甚至有激烈的衝突和相互批駁，但彼此都能自我克制，自我約束，始終維持友好的、融洽氣氛。雙方都不急於一攬子解決所有問題。一個方案不行，找尋第二個方案，第二個方案不行，再找尋第三個方案。問題解決一個是一個，前進一步是一步。有些關鍵問題，雙方僵持不下，則暫時擱置，留待進一步的討論和協商，決不因此而妨礙協議的達成。

1　呂光光：《毛主席同張瀾的會見》，《重慶談判紀實》，第 443 頁。

總的看來，重慶談判雖不圓滿，但大體成功，這就為召開國、共、其他黨派和無黨派人士的政治協商會議打下基礎。可以說，沒有重慶談判，就不會有1946年的政治協商會議。

　　抗戰勝利，中國面臨兩條道路，一條是國共內戰，一黨打倒一黨，另一條是國共和解，和平建國。在美蘇兩強的共同促進和推動下，重慶談判以及隨之召開的政治協商會議打開了後一條通道，但不幸的是，此路未曾走通，留給後人以無窮的惋惜和無限的深思。

附記：本文收集資料過程中，承沈志華、李靜傑、薛銜天、韓國金東吉諸位教授熱心幫助，謹此致謝。

如何對待毛澤東：
扣留、「審治」，
還是「授勳」、禮送？ *

——重慶談判期間蔣介石的心態考察

＊ 本文錄自《找尋真實的蔣介石：蔣介石日記解讀》（1），重慶出版社 2015 年版；原載遼寧教育
　出版社《萬象》雜誌 2008 年 1 月號。

一、抗戰勝利，蔣介石電邀毛澤東 "共商大計"

1945 年 8 月 10 日。

下午 8 時多，蔣介石做完默禱，忽然聽到設於附近求精中學的美軍總部傳來一陣歡呼聲，緊接著，是噼裏啪啦的炮竹聲。蔣介石問身邊的蔣孝鎮，怎麼回事，為何如此嘈雜？蔣孝鎮回答：聽說敵人投降了。蔣介石心頭一陣驚喜：日本投降了？！他讓蔣孝鎮再去打聽。不久，各方傳來正式報告，日本政府宣佈，除保持天皇尊嚴外，其餘均按照中、美、英《波茨坦公告》所列條件投降。消息證實，日本確實投降了。苦熬八年、日盼夜想的這一天終於來到了。

這時，蔣介石正在宴請墨西哥駐華大使。抗戰勝利，蔣介石有許多事亟待決定、處理。偏偏這位大使不識相，不斷提出各種問題，糾纏不休。外交部次長吳國楨兩次提醒，這位大使才很不情願地離去。蔣介石立即召開軍事幹部會議，按照早就擬定的令稿向前方各戰區發電，並令吳鐵城、陳布雷提出宣傳與各黨部應辦之事，已經深夜 12 點了。

8 月 11 日清晨，蔣介石約見美國大使赫爾利（蔣介石日記作哈雷），對杜魯門總統提出的諮詢意見作出答復。蔣稱：自己一貫主張，日本國體由日本人民自選。至於要求天皇出面簽訂降書以及將日本置於聯軍統帥之下各條，完全同意總統的意見。9 時，再次約見赫爾利和魏德邁，就淪陷區軍事緊急處置等問題表示看法。11 時，到國民黨中央臨時常會，提出今後大政方針與各種處置。

蔣介石最焦慮的是接受日軍投降問題。早在 8 月 10 日深夜 12 時，朱德就以延安總部總司令的名義發佈第一號命令，要求敵軍"於一定時間內向我作戰部隊繳出全部武裝"，如"拒絕投降繳械，即應予以堅決消滅"。第二天，又連發第二至第七號令，命令中共所掌握的抗日部隊"積極舉行進攻，迫使敵偽無條件投降"[1]。當時，在華日軍有百萬之眾，不僅佔有中國許多城市和交通線，而且擁有大量戰略武器和物資。誰最早、最多接受日軍投降，誰就將取得最多、最大的勝利果實。因此，11 日這一天，蔣介石給各方發了許多電報，其中一份最緊急的就是給第十八集團軍總司令朱德和副總司令彭德懷的。該電聲稱："政府對於敵軍之繳械、敵俘之收容、偽軍之處理及收復地區秩序之恢復、政權之行使等事項，均已統籌決定，分令實施"，要求該集團軍"應就原地駐防待命"，不得"擅自行動"[2]。這份電報實際上剝奪了共產黨人接受日軍投降的權利。8 月 14 日，蔣介石作出了又一個重大決定，邀請毛澤東到重慶來"共商大計"。電云：

> 倭寇投降，世界永久和平局面可期實現。舉凡國際、國內各種重要問題亟待解決，特請先生克日惠臨陪都，共同商討，事關國家大計，幸勿吝駕。臨電不勝迫切懸盼之至。[3]

抗戰八年中，蔣介石和共產黨維持著一種複雜而微妙的關係。他的日記中時而稱"共黨"，時而稱"共匪"，飄忽不定。現在，他要邀請毛澤東到重慶來，葫蘆裏賣的是什麼藥？

---

1 中共中央文獻研究室編：《朱德年譜》，人民出版社 1986 年版，第 273—274 頁。
2 秦孝儀主編：《"總統"蔣公大事長編初稿》，台北中國國民黨中央黨史委員會 1978 年版，第 2626—2627 頁。
3 《中央日報》，1945 年 8 月 16 日。

二、斯大林兩電催勸，毛澤東決定赴渝

對於蔣介石的邀請，毛澤東頗感意外。1937、1938 兩年，蔣介石實行和共產黨的第二次合作，努力抗戰，毛澤東比較滿意。在延安作報告的時候，給過蔣很高的評價。但是，1939 年，特別是 1940 年皖南事變之後，毛澤東對蔣的印象就愈來愈壞。接到蔣介石的邀請電後，毛澤東的第一個反應是不想去。8 月 16 日，毛澤東為朱德起草致蔣介石的電文，提出六項要求，其主要內容為：解放區一切抗日人民武裝力量，有權接受所包圍的日偽軍投降，收繳其武器資財；解放區軍隊所包圍的敵偽，由解放區軍隊接受投降，國民黨軍隊所包圍的敵偽，由國民黨軍隊接受投降。抗戰八年中，國民黨的部隊退守西南，而中共所領導的抗日部隊則深入敵後，因此這當然是一個有利於共產黨人的方案。緊接著，毛澤東復電蔣介石：

> 朱德總司令本日午有一電給你，陳述敝方意見，待你表示意見後，我將考慮和你會見的問題。[1]

毛澤東的這通電報，沒有說不去重慶，而是要蔣表態，待表態以後再看。當時，美國正在調派飛機、軍艦，向原為日軍佔領的地區運送國民黨軍，毛澤東曾一度雄心勃勃地計劃在上海、北平、天津、唐山、保定、石家莊等地發動武裝起義，奪取這些大城市。[2] 18 日，蔣介石在日記中寫道："朱之抗命，毛之復電，只有以妄人視之，但不可不防其突變叛亂也。"[3] 當晚，他夜半醒來，反覆思考，推敲詞句，於 20 日再致毛澤東一電，聲稱 "期待正殷，而行旌遲遲未發，不無歉然。" 接著聲稱，受降辦法由盟軍總部規定，不能破壞盟軍 "共同之信守"。朱總司令對於執行盟軍規定，亦持異議，"則對我國家與軍人之資格將置於何地？" 批評、責問之後再給朱德戴高帽子，聲稱 "朱總司令果為一愛國愛民之領袖，只有嚴守紀律，恪遵軍令"。電報最後重申邀請：

---

1 《毛澤東年譜》（下卷），第 7 頁。
2 《毛澤東年譜》（下卷），第 8—9 頁。
3 《上星期反省錄》，《蔣介石日記》（手稿本），1945 年 8 月 18 日。

抗戰八年，全國同胞日在水深火熱之中，一旦解放，必須有以安輯鼓舞之，未可蹉跎延誤。大戰方告終結，內爭不容再有，深望足下體念國家之艱危，憫懷人民之疾苦，共同勠力，從事建設。如何以建國之功收抗戰之果，甚有賴於先生之惠然一行，共定大計，則收益百惠，豈僅個人而已哉！特再馳電奉邀，務懇惠諾為感。[1]

電報的這一段話寫得情辭懇切，似乎不容拒絕。不過，毛澤東仍然不想遽爾應邀。22 日，毛澤東再次復電蔣介石：

> 茲為團結大計，特先派周恩來同志前來晉謁，到後希予接洽為懇！[2]

抗戰中，周恩來長駐重慶，多次和蔣介石折衝周旋，由周作前驅，作"偵察戰"，了解蔣的意圖，自然再合適不過。[3] 蔣介石看到毛澤東仍然不想來，於 23 日再次發電邀請：

> 承派周恩來先生來渝洽商，至為欣慰。惟目前各種重要問題，均待與先生面商，時機迫切，仍盼先生能與周恩來先生惠然偕臨，則重要問題方得迅速解決。國家前途，實利賴之。茲已準備飛機迎迓，特再馳電速駕。[4]

古有劉備"三顧茅廬"的美談，現在蔣介石是三電邀請，毛澤東似乎不能再次推拒。其間，斯大林曾兩次致電毛澤東，聲稱"中國不能再打內戰，要再打內戰，就可能把民族引向滅亡的危險地步"。又稱："蔣介石已再三邀請你去重慶協商國事，在此情況下，如果一味拒絕，國際、國內各方面就不能理解了。如果打起內戰，戰爭的責任由誰承擔？你到重慶去同蔣會談，你的安全由美、蘇兩家負責。"[5] 毛澤東收到電報後很不高興，"甚至是很生氣"，但是，斯大林是當時國際共產主義運動的最高指導者，毛澤東不能不尊重他的意見。23 日，毛澤東主持中共中央政治局擴大會議，在會上說："我們要準備所有讓步

1　《中央日報》，1945 年 8 月 21 日。

2　《毛澤東年譜》（下卷），第 9 頁；《中華民國重要史料初編》第 7 編《戰後中國》（2），台北中國國民黨中央黨史委員會 1978 年版，第 28 頁。

3　中共中央文獻研究室編：《周恩來年譜》，中央文獻出版社 1998 年版，第 630 頁。

4　《中央日報》，1945 年 8 月 25 日。

5　師哲：《在歷史巨人身邊》，第 308 頁。

以取得合法地位,利用國會講壇去進攻。""先派恩來同志出去。我出去,決定少奇同志代理我的職務。"[1] 24 日,毛澤東復電蔣介石:"鄙人極願與先生會見,商討和平建國大計。俟飛機到,恩來同志立即赴渝晉謁,弟亦準備隨即赴渝。晤教有期,特此奉復。"[2] 對毛澤東的這份回電,蔣介石的感覺是"溫馴已極","橫逆與馴順,一週三變"[3]。在蔣介石三電毛澤東期間,赫爾利大使也曾兩電表示,願意到延安迎接。25 日,毛澤東復電中國戰區參謀長、美國人魏德邁(Wedemeyer, Albert),對赫爾利來延表示歡迎,聲稱願與周恩來將軍偕赫爾利大使同機飛渝。同日,他和即將回太行根據地的劉伯承、鄧小平談話,要他們"回到前方以後,放手打,不要擔心我在重慶的安全。你們打得越好,我越安全,談得越好。"[4] 28 日,毛澤東由赫爾利與蔣介石的代表張治中陪同,與周恩來、王若飛同機抵渝。抵達時,毛澤東身穿藍灰色中山裝,腳穿黑色布鞋。一手揮著巴拿馬式的盆形帽,微笑著走下飛機。舉世矚目的重慶談判開始了。

三、初談不順

早在 8 月 26 日,蔣介石就在日記中寫下了"與毛商談要目與方針",包括"共部之處理"、"國民大會辦法"、"參加政府辦法"、"釋放共犯辦法"等內容[5]。27 日日記云:"對共方針,決予其寬大待遇,如其果長惡不悛,則再加懲治,猶未為晚也。"[6] 28 日,蔣介石召集幹部會議,討論對毛澤東來渝後的方針,確定"以誠摯待之","政治與軍事應整個解決,但對政治之要求予以極度之寬容,而對軍事則嚴格之統一,不稍遷就。"[7] 28 日下午 3 時許,毛澤東等人到達重慶機場,毛對中外記者發表書面談話:

1　《毛澤東年譜》(下卷),第 11 頁。
2　《毛澤東年譜》(下卷),第 12 頁;《戰後中國》(2),第 29 頁。
3　《上週反省錄》,《蔣介石日記》(手稿本),1945 年 8 月 25 日。
4　《毛澤東年譜》(下卷),第 13 頁。
5　《蔣介石日記》(手稿本),1945 年 8 月 26 日。
6　《蔣介石日記》(手稿本),1945 年 8 月 27 日。
7　《蔣介石日記》(手稿本),1945 年 8 月 28 日。

現在抗日戰爭已經勝利結束，中國即將進入和平建設時期，當前時機極為重要。目前最迫切者，為保證國內和平，實施民主政治，鞏固國內團結。國內政治上軍事上所存在的各項迫切問題，應在和平、民主、團結的基礎上加以合理解決，以期實現全國之統一，建設獨立、自由、民主、團結與富強的新中國。[1]

當晚，蔣介石在林園設宴招待毛澤東一行，特意將毛安排在自己的對座，以示"誠懇"。宴會後，又邀請毛澤東下榻林園。

毛澤東等來渝前，中共中央曾發表《對時局宣言》，要求國民黨立即實施六項措施：承認解放區的民選政府和抗日軍隊；嚴懲漢奸；解散偽軍；公平合理地整編軍隊；承認各黨派的合法地位；立即召開各黨派和無黨派人物會議，成立舉國一致的民主聯合政府。對於這六條，蔣介石在日記中表示："皆應留有餘地，而不加以正面拒絕，但須有確定前提。"[2] 8 月 29 日，蔣介石與毛澤東舉行第一次會談。蔣稱願意聽取中共方面的意見，並稱中國無內戰。毛澤東則稱，說中國沒有內戰是欺騙。蔣提出談判三原則：一、所有問題整個解決。二、一切問題之解決，均須不違背政令、軍令之統一。三、政府之改組，不得超越現有法統之外。這個"三原則"，就是他在日記中所說的"確定前提"。當晚 7 時，蔣介石親赴毛澤東所住蓮屋訪問，約談一小時，蔣自稱屬於"普通應酬"[3]。31 日，蔣在日記中寫道："毛澤東果應召來渝，此雖為德威所致，而實上帝所賜也。"[4]

9 月 3 日，毛澤東通過周恩來、王若飛向國民黨代表張群、張治中、邵力子提出十一條談判要點，其主要內容為：

一、確定和平建國方針，以和平、團結、民主為統一的基礎，實現三民主義。

二、擁護蔣主席之領導地位。

三、承認各黨各派合法平等地位並長期合作，和平建國。

---

1 《為和平而奮鬥》，新華日報館 1945 年 11 月版。
2 《蔣介石日記》（手稿本），1945 年 8 月 29 日。
3 《蔣介石日記》（手稿本），1945 年 8 月 29 日。
4 《上月反省錄》，《蔣介石日記》（手稿本），1945 年 8 月 31 日。

四、承認解放區政權及抗日部隊。

五、嚴懲漢奸，解散偽軍。

六、重劃受降地區，（解放區抗日軍隊）參加受降工作。

七、停止一切武裝衝突，令各部暫留原地待命。

八、實行政治民主化，軍隊國家化，黨派平等合作。

九、政治民主化之必要辦法：由國民政府召集各黨派及無黨派代表人物的政治會議，各黨派參加政府，重選國民大會；由中共推薦山西、山東、河北、熱河、察哈爾五省主席、委員，及綏遠、河南、安徽、江蘇、湖北、廣東六省副主席，北平、天津、青島、上海四特別市副市長。

十、軍隊國家化之必要辦法：公平合理的整編全國軍隊，分期實施；解放區部隊編成十六個軍四十八個師，駐地集中於淮河流域及隴海路以北地區；中共參加軍委會及其所屬各部工作；設北平行營及北方政治委員會，任中共人員為主任。

十一、黨派平等合作之必要辦法：釋放政治犯；保障各項自由，取消一切不合理禁令，取消特務機關。[1]

毛澤東所提十一條中的"實現三民主義"、"擁護蔣主席之的領導地位"等內容，蔣介石自然滿意，他反感的是其中的九、十等條，批評其為"要求無饜"。9月3日，蔣介石日記云："余以極誠對彼，而彼竟利用余精誠之言，反要求華北五省主席與北平行營主任皆要委任其人，並要編組其共軍四十八萬人，以為余所提之十二師之三倍，最後將欲廿四師為其基準數乎？共匪誠不可以理喻也。此事唯有賴帝力之成全矣！"[2]

4日晨5時，蔣起身禱告，"願共毛之能悔悟，使國家能和平統一也"。上午，他約張群、張治中、邵力子談話，聽取昨晚與周恩來談話經過。蔣自感"腦筋深受刺激"，歎息"何天生此等惡劣根性，徒苦人類乃爾"！[3]他將自擬的《對中共談判要點》交給張群等。其主要內容為：

1　關於"十一條"，文本各有不同，分別見《毛澤東年譜》（下卷），第18—19頁；《周恩來年譜》，第632頁；《戰時中國》（2），第39—41頁。其中第十條關於北平行營主任的文字，採用毛年譜。
2　《蔣介石日記》（手稿本），1945年9月3日。
3　《蔣介石日記》（手稿本），1915年9月4日。

一、中共軍隊之編組，以十二個師為最高限度。

二、承認解放區，為事實絕對行不通。

三、擬改組原國防最高委員會為政治會議，由各黨各派人士參加。在國民大會產生新政府後，各黨派與無黨派人士均可依法參加中央政府。

四、原當選之國民大會代表，仍然有效，可酌量增加名額[1]。

國民黨 1927 年執政後，長期實行以"一黨專政"為核心的"黨治"，因此受到國內外各階層的嚴厲批評。1936 年，國民黨提出召開"國民大會"，制訂憲法，成立政府，宣稱將通過此途徑"還政於民"。除選舉代表 1200 人之外，國民黨的中央及候補執、監委為當然代表，國民政府並直接指定代表 240 人。由於這批代表是在國民黨一黨包辦下產生的，又事隔多年，中共主張代表重選，蔣介石則主張增補、調整，堅決反對重選。

按蔣的想法，要將毛澤東的提議從速公佈示眾，但張治中等認為為時過早。同日下午 5 時，毛澤東應蔣介石邀請，參加軍事委員會召開的抗戰勝利茶會。會後，蔣、毛再次直接商談。從 9 時起，張群、邵力子、張治中受命與周恩來、王若飛開始第一次會談。至 10 月 8 日止，雙方共會談 13 次。

從 9 月 4 日起，蔣介石即將和中共談判的任務交給張群等三人，而他自己則退居幕後。但是，他仍然時時研究蘇俄與中共動態，牢牢掌控談判，日記中有許多對談判情況的記載。

9 月 8 日，蔣介石《上星期反省錄》云："共毛各種無理要求與不法行動，自受俄之主使，余亦惟有一意忍耐處之。"

9 月 11 日日記云："余今日對俄、對共，惟有以誠與敬對之，未知果能收效否？"

9 月 12 日正午，蔣介石約毛澤東、周恩來到林園共進午餐。日記云："余示以至誠與大公，允其所有困難無不為之解決，而彼尚要求編其二十八師之兵數耳！"[2]

9 月 13 日日記云："囑毛澤東訪魏德邁。"

---

1 《戰時中國》(2)，第 44—45 頁。
2 《蔣介石日記》(手稿本)，1945 年 9 月 12 日。

9月15日《上星期反省錄》："共毛近來從容不迫，交涉拖延之故，其必等待美國政策之轉變，期望國際共同干涉內政也。"

9月17日日記云："正午，約毛澤東、哈雷照相談話。據岳軍言，恩來向其表示者，前次毛對余所言，可減少其提軍額之半數者，其實為指四十八師之數，已照其共匪總數減少一半之數也。果爾，則共匪誠不可與言也。以當時彼明言減少半數為二十八師之數字也，其無信不誠有如此也。"

9月20日日記云："目前最重大問題為共毛問題。國家存亡，革命成功，皆在於此。""不能不為國相忍，導之以德，望能感格也。"

9月21日日記云："考慮共黨問題對國家禍福利害甚久，此時主動尚在於我，不患其作惡賣國，吾仍以理導之。""晚與哈雷談共黨問題，示以軍額最大限為廿師，如其仍要求華北各省主席，則不再談矣。"

9月22日《上星期反省錄》云："中共陰謀與野心雖被阻制，但險象仍在，不可稍忽，事已到了最大限度，彼仍不接受，則惟置之不理，任其變化，以此時主動全在於我也。"

從上述日記可以看出，蔣介石對毛澤東、周恩來等雖然笑臉相迎，但內心卻充滿敵意。

談判中，張群等根據蔣介石的指示，曾於9月8日寫了一份書面文件，逐條回答中共所提談判要點。其第一項稱："和平建國自為共同不易之方針，實行三民主義亦為共同必遵之目的。"第二項稱："擁護蔣主席之領導地位，承明白表示，甚佩。"第三項稱："各黨派在法律面前平等，本為憲政常規，今可即行承認。"其他如嚴懲漢奸、解散偽軍，參加受降工作，停止武裝衝突，釋放政治犯，嚴禁特務逮捕、拘禁以及政治民主化、軍隊國家化的原則，國民黨代表都表示"自可考慮"，或"自無問題"，蔣介石和國民黨代表所不能接受的是"重選國民大會代表"、"解決解放區辦法"以及"軍隊國家化之必要辦法"等問題[1]。當時，毛澤東要求將中共部隊改編為48師，而蔣介石只允許以20師為最高限額。至於五省主席，六省副主席、四市副市長、北平行營主任等職，蔣介

---

1 《戰時中國》（2），第41—44頁。

石覺得中共是"獅子大開口",根本不想考慮。

就在兩黨談判僵持不下之際,蔣介石卻於 9 月 27 日偕宋美齡飛往西昌,休息去了。

四、蔣介石心態 180 度大轉變,
欲扣留並"審治"毛澤東

在去西昌的飛機上,蔣介石讀到了毛澤東回答路透社記者的提問。提問中,毛澤東談到,解放區已經擁有 120 萬人以上的軍隊和 220 萬人以上的民兵,除分佈於華北各省與西北的陝甘寧邊區外,還分佈於江蘇、安徽、浙江、福建、河南、湖北、湖南、廣東各省。[1]毛澤東的這段談話勾起了蔣對中共所提十一條的回憶,也勾起了蔣鬱結在胸中對中共和毛澤東長期的仇視。其實,在蔣介石的心目中,中共早已不是和國民黨並肩抗敵的戰友,而是"漢奸"、"叛逆";毛澤東也不是他盛情相邀的貴賓,而是"罪魁禍首"。他在日記中憤憤地寫道:"如欲不懲治漢奸,處理叛逆則已,否則非從懲治此害國殃民,勾敵構亂第一人之罪魁禍首,實無以折服軍民,澄清國本也。如此罪大惡極之禍首,猶不自後悔,而反要求編組一百二十萬軍隊,割據隴海路以北七省市之地區,皆為其勢力範圍所有,政府一再勸導退讓,總不能饜其無窮之欲壑,如不加審治,何以對我為抗戰而死軍民在天之靈耶!"[2]

蔣介石表現在這裏的情緒已經不是他在日記中一再表達的"誠"與"敬",而是一股強烈的剛暴之氣。他明確表示,要對毛澤東加以"審治"。

西昌,當時西康省的重要城市,位於今四川涼山彝族自治州中部,始建於漢。蔣介石夫婦到達西昌後,下榻當地名勝邛海。從霧靄層層的重慶轉移到風清鳥囀、花笑山明之地,蔣介石心情為之一舒。但是,他仍然繫念在重慶談判桌上和中共代表的鬥爭,反覆考慮"共毛對國家前途之利害與存亡關係"。29日,他在日記中寫下了"中共之罪惡"六條:

1　《重慶談判資料》,四川人民出版社 1980 年版,第 14 頁。
2　《蔣介石日記》(手稿本),1945 年 9 月 27 日。

甲、資抗戰之名義，而行破壞抗戰之實。

乙、藉民主之美名而施階級獨裁之陰謀。

丙、違反四項諾言之事實與經過，欺民欺世，忘信背義，莫此為甚。

丁、藉民選之名義以行其擁兵自衛，割據地盤，奴辱民眾，破壞統一之實。

戊、破壞外交政策，捕殺盟軍官兵，阻礙聯軍行動，破壞國軍反攻計劃，詆譭英美參戰為帝國主義之戰爭。不僅反對政府聯合英美作戰，而且始終破壞中蘇國交之增進。

己、勾結敵軍，通同漢奸，傾害國本，顛覆政府，以組織聯合政府為過渡手段，而達到其多數控制，成立第四國際專政之目的。

在抗戰中，國共兩黨雖然結成了統一戰線，但國民黨時刻想限制共產黨的發展，將中共的活動納入自己的政令、軍令之下，而中共則堅持獨立自主，力圖突破國民黨的限制，發展和壯大自己的力量。因此，雙方雖共同對敵，但彼此間又充滿限制和反限制、摩擦和反摩擦的鬥爭。從上述蔣介石列舉的"罪狀"裏，人們不難看到，抗戰雖然勝利了，但蔣介石積累的對中共的誤解有多深，扭曲有多嚴重，仇視有多強烈。

宋美齡看到蔣介石如此忙碌，笑著說，你到西昌來哪裏是為休息呀！蔣介石沒有解釋，但他心想："孰知余此來，比之平時之思考與工作更為迫切而急要也。他日統一如能告成，或得之於西昌遊程中也。"蔣接著寫其所謂中共"罪狀"：

庚、企圖割據華北各省，盤踞熱察，隔絕中蘇聯絡，破壞中蘇聯盟，以期擾亂世界和平之建立。

辛、擅設軍事委員會名義，劫持第十八集團軍，促使新四軍之叛變，反抗軍令，毅然以共產紅軍自稱。

壬、擅設延安所謂陝甘寧邊區政府，割據地盤，反對中央政令，私發鈔票，擅徵租稅，強種鴉片，私設關卡，與敵偽公開貿易，交換貨物，以接濟敵軍，助長侵略，此即中共所謂對敵抗戰也。

癸、跡其宣傳，直接以攻訐政府，誣衊盟軍，間接以協助敵偽，毀滅國本，必欲中華民國變成為第四共產國際而後已。

子、共軍所到之地，所謂民選政府之實情：（甲）信仰言論行動皆為絕對統制而無自由，否則即以反動漢奸與叛徒之罪而加以逮捕。傳教士絕對不能傳教，且不准其進入其民選區。（乙）人民之納租、出捐、抽丁、派糧不惟因戰後而不奉令停止，且變本加厲，各種苛捐雜稅層出不窮，民不聊生，而抗戰期間到處煽動人民，對政府抗糧抗役，以不出糧、不徵兵，且藉各種神道邪教以愚惑民眾。

寫到這裏，蔣介石特別補充了一句："以危害國家、破壞國家之事實，應略舉要點述之。"古語云："欲加之罪，何患無辭。"蔣介石興有未盡，還要寫下去。

蔣介石寫這些"罪狀"，當然不是一時興至，"無所為而為"，顯然，他是在為扣留並懲辦毛澤東作準備。

然而，毛澤東應邀為兩黨談判而來，要扣留並懲辦毛澤東不是一件簡單的事。蔣介石首先想到的是美國大使赫爾利的保證和美國政府的態度，也想到蘇聯政府可能的反應。所以，他在日記裏為提醒自己而特設的"注意"欄下寫下了兩條：一、哈雷（即赫爾利）保證共毛之安全函電，美國政府之地位及其預想之態度，應加研究。二、俄國之表示如何，亦應切實研究。[1]

當時，蔣介石既要依靠美國，也不敢得罪蘇聯，甚至還想討好。例如，在倫敦的中、美、英、蘇、法五國外長會上，英、美、法為一方，蘇聯為一方，而重慶國民政府則"中立"，"對俄表示同情"。自然，蔣介石在採取行動之前，不能不將美、蘇這兩個大國的可能反應想清楚。

10月1日，蔣介石見到了中共提出的一份"公告稿"，其中提到毛澤東來渝的安全以及赫爾利的保證問題。蔣介石看到這篇"公告稿"以後，十分反感。日記中寫道：

> 此與會談全無關係，僅為其賊膽心虛之表示。彼全不思本國商談要由外人保證之恥。不思哈雷即使為其保證，亦已失效也。蓋哈雷保證共黨統一團結提議者之安全，並未保證其通敵賣國反動派之生命。次此為內政問題，無論任何外人，不能干涉我政府對內亂犯之處治而且哈雷回國之前已

---

1 《蔣介石日記》（手稿本），1945 年 9 月 30 日。

對共黨聲明，今後國共問題全為中國之內政，不能如往日敵軍未投降時，可由其盟國共同作戰之關係參加調解，今後應由中國雙方自動直接解決也。[1]

蔣介石要扣留並"審治"毛澤東，赫爾利事前的保證是一道不能迴避的門檻。可以看出，蔣介石的這篇日記實際上是在為自己找解脫，力圖證明，他的舉動和赫爾利的保證沒有衝突。

1936年國民大會的代表選出後，由於第二年抗戰爆發，代表大會一直未能召開。抗戰後期，蔣介石為了對抗中共提出的召開黨派會議、建立民主聯合政府的主張，便於1945年元旦宣佈，可以不待抗戰結束，提前召集國民大會，制訂憲法，選舉政府，以使其統治合法化。同年3月1日，蔣介石又向憲政實施協進會宣佈，定於當年11月12日召集國民大會。毛澤東到重慶後，中共在談判中除主張國民大會代表須重選外，當年制訂的國民大會組織法、選舉法、《五五憲法草案》等也都須修改，召集大會的日期須延緩。對此，蔣介石都強烈反對。10月2日，蔣介石日記云：

> 共黨反盜為主，其到重慶，在軍事政治上作各種無理要求猶在其次，而且要將國民政府一切法令與組織根本推翻，不加承認，甚至實施憲政之日期與依法所選舉之國民大會亦欲徹底推翻重選，而代之以共黨之法令與組織，必使中國非依照其主張，受其完全控制而成為純一共黨之中國，終不甘心。[2]

想來想去，蔣介石"審治"毛澤東、徹底解決中共問題的衝動越來越強烈，幾乎難以遏制了。

龍雲長期統治雲南，形成半獨立狀態。蔣介石早就想解決龍雲，其辦法是任命龍雲為軍事參議院院長，將他從昆明老窩中調到重慶。但蔣介石又擔心龍雲不肯入彀，作了武力強迫的準備。10月3日，杜聿明的軍隊武裝包圍雲南省政府，完全控制昆明，龍雲的滇軍僅有小反抗。蔣介石很高興，認為龍雲"經

1　《蔣介石日記》（手稿本），1945年10月1日。
2　《蔣介石日記》（手稿本），1945年10月2日。

此一擊,彼當不能不俯首遵命乎!"[1] 幾天之後,龍雲被迫到重慶接任新職。

龍雲問題解決了,蔣介石的思緒再次回到中共問題上。當時,倫敦的五國外長會議因美蘇對立,無果休會。蔣介石認為"俄國實力已耗,外強而中已乾",是他解決中共問題的好時機。10 月 5 日日記云:"故於此時應不必為俄多所瞻顧,積極肅清內奸,根絕共匪,整頓內政,鞏固統一為第一。如其以此藉口,強佔我東北,擾亂我新疆,則彼干涉我內政,侵害我主權,否則仍使共匪餘孽搗亂邊疆,此乃彼一貫政策。不有此事,亦必不免也。余以為最多新疆暫失,東北未復而已,而本部之內,至少可以統一矣,此乃天予之時也。"讀者應該特別注意這一段日記中的"不有此事"一句中的"此事"二字,顯然,其內容就是扣留毛澤東,"審治"毛澤東,和共產黨決裂,掀起"剿共"戰爭,"根絕共匪"。蔣介石估計,一旦他做了"此事",蘇聯不會善罷甘休,有可能佔領新疆,拒絕從東北撤兵。但是,蔣介石覺得還是合算,他還是要做。

毛澤東在重慶,如魚游釜內,有點"懸"了。

五、蔣介石再次 180 度大轉變,
決定授予毛澤東 "勝利勳章"

然而,就在蔣介石破釜沉舟,準備豁出去做"此事"的時候,他卻又猶豫起來了。

10 月 6 日,蔣介石反省上週作為,覺得龍雲問題解決,西南鞏固,"建國已有南方統一之基礎","心神乃得自慰"。但是,對於解決中共問題,他覺得國內、國外反對者很多,困難很大。日記寫道:"對共問題,鄭重考慮,不敢稍有孟浪。總不使內外有所藉口,或因此再起紛擾,最後惟有天命是從也。"蔣介石的"鄭重考慮"是必要的。如果他悍然扣留並"審治"毛澤東,不僅美國、蘇聯通不過,在抗戰八年中發展起來的百萬中共武裝通不過,那時已經站在中共一邊的民主黨派自然也通不過。其結果,必將出現"再起紛擾"的嚴重局面。

---

1 《蔣介石日記》(手稿本),1945 年 10 月 3 日。

這麼一想，蔣介石又把他那顆強烈跳動的想扣留並"審治"毛澤東的心摁住了。當天正午，蔣介石與左右討論中共方面所起草的《會談紀要》以及毛澤東的離渝時期，蔣介石"立允其速行，以免其疑慮"[1]。

10月8日，正午，蔣介石宴請國民黨中央常委，討論兩黨談判情況。當時已經有了一份《會談紀要》的初稿，準備公佈。吳稚暉反對發表這份《紀要》。關於國民大會召開日期，會上意見分歧，莫衷一是，蔣介石只能宣佈休會，另加研究。會後，蔣介石審閱《紀要》，採納中常委們的意見，作了部分修改。又派葉楚傖去做吳稚暉的工作，說明這是將中央對共產黨的"政治解決"的方針明示中外，可以體現中央"仁至義盡"的態度云云，吳才同意公佈。

10月9日，毛澤東向蔣介石告別。蔣問毛：對國共合作辦法有無意見？據蔣日記記載："毛吞吐其辭，不作正面回答。"蔣對毛稱："國共非徹底合作不可。否則不僅於國家不利，而且於共黨有害。"蔣繼稱："余為共黨今日計，對國內政策應改變方針，即放棄軍隊與地盤觀念，而在政治上、經濟上競爭，此為共黨今後惟一之出路。第一期建設計劃如不能全國一致，努力完成，則國家必不能生存於今日之世界，而世界第三次戰爭亦必由此而起。如此吾人不僅對國家為罪人，而且對今後人類之禍福亦應負其責也。"[2] 這段話，蔣介石覺得他是向毛掏了心窩子，毛的反應，據蔣日記記載："彼口以為然"，但是，蔣不大相信，所以接著寫道："未知果能動其心於萬一，但余之誠意或為彼所知乎？"當日正午，蔣介石繼續與毛澤東談話，並且設宴招待。

10月10日下午，周恩來、王若飛與王世杰、張群、邵力子、張治中在桂園客廳共同簽署《國民政府與中共代表會談紀要》（簡稱雙十協定）。這個《紀要》由周恩來起草，是毛澤東、周恩來到重慶後和國民黨代表多次商談的結果，也是雙方求同存異、互諒互讓的結果。共十二條，其中《關於和平建國的基本方針》屬於總綱性質，雙方一致確認："中國抗日戰爭業已勝利結束，和平建國的新階段即將開始，必須共同努力，以和平、民主、團結、統一為基礎，並將在蔣主席的領導之下，長期合作，堅決避免內戰，建設獨立、自由和富強

---

1 《蔣介石日記》（手稿本），1945 年 10 月 6 日。
2 《蔣介石日記》（手稿本），1945 年 10 月 9 日。

的新中國，徹底實現三民主義。雙方又同認蔣主席所宣導之政治民主化、軍隊國家化及黨派平等合法，為達到和平建國必由之途徑。"

關於政治民主化問題，《紀要》宣佈，雙方"一致認為應迅速結束訓政，實施憲政，並應先採必要步驟，由國民政府召開政治協商會議，邀集各黨派代表及社會賢達協商國是，討論和平建國方案及召開國民大會各項問題。"[1]《紀要》並稱："現雙方正與各方洽商政治協商會議名額、組織及其職權等項問題，雙方同意一俟洽商完畢，政治協商會議即應迅速召開。"

其他雙方一致同意或基本一致的條文有人民自由問題、黨派合法問題、特務機關問題、釋放政治犯問題、地方自治問題等。毛澤東後來曾說："有成議的六條，都是有益於中國人民的。"[2]有些問題，難度較大，如軍隊國家化問題，中共表示願縮編至二十四個師至少二十個師的數目，國民黨則表示二十個師的數目可以考慮，雙方意見趨近。有些問題，雙方爭持不下，如"國民大會問題"，中共堅持代表重選，延緩召開等主張，國民黨則堅持原選出之代表有效，名額可以增加。中共表示，"不願見因此項問題之爭論而破壞團結"，雙方同意將此問題提交政治協商會議解決。關於解放區地方政府問題，中共先後提出四種方案，國民黨均"以政令統一必須提前實現"為理由加以拒絕，中共方面只能提出，繼續商談。

《紀要》的簽字是大喜事。飽經戰爭之苦的中國人終於向避免內戰，化干戈為玉帛前進了一大步。這一天還發生了另一件喜事，這就是，國民政府發佈授勳令，對大批抗戰文武有功人員授予"勝利勳章"。蔣介石考慮再三，在受勳人員名單中加進了朱德、彭德懷、葉劍英三人，又加進了毛澤東和董必武，還加進了鄧穎超。事後，蔣介石在日記中寫下了他這麼做的原因："雙十節授勳，特將共朱毛等姓名加入，使之安心，以彼等自知破壞抗戰，危害國家為有罪，惟恐政府發其罪狀，故亟欲抗戰有功表白於世，以掩蓋其滔天罪惡。余乃將順其意以慰之，使其能有所感悟而為之悔改乎？然而難矣哉！"[3]世界授勳史上大

1　《重慶談判資料》，第 19—20 頁。
2　《毛澤東年譜》（下卷），第 33 頁。
3　《上星期反省錄》，《蔣介石日記》（手稿本），1943 年 10 月 13 日。

概還不曾有過這樣的前例：內心深處認為其人有"滔天罪惡"，但是，還要為其授勳，表揚其功績。"彼等自知"以下云云，揣度中共領導人心理，自作聰明，昏謬可笑！

同日下午 4 時，蔣介石到桂園訪問毛澤東，為其送行。毛澤東提出，今晚住到蔣介石的林園官邸去。蔣介石覺得毛澤東可能"另生問題"，但仍然表示歡迎。蔣介石的這次拜訪，前後只有十分鐘。會談後，毛、周同蔣一起乘車到國民政府禮堂參加國慶祝酒會。酒會後，蔣、毛再次談了半小時。毛澤東住到林園後，向蔣介石提出：1. 政治協商會議"以緩開為宜"，待自己回延安，召開解放區民選代表會議後再定辦法；2. 國民大會提早至明年召開亦可。由於蔣早就宣佈，要在當年 11 月 12 日召集國民大會，聽了毛澤東的意見後，覺得國民大會召開無期，氣得在心裏狠狠地咒罵毛澤東 [1]。不過表面上，蔣介石仍故作平靜，努力"和婉"地對毛說："如此態度，則國民大會無期延誤，我政府不能如此失信於民也。"又說："如政治協商會議能在本月底開會協商，則國大會議政府可遷就其意，改期召開，但至 11 月 12 日，不能不下召集明令，確定會期，示民以信也。"[2] 蔣還向毛表示，即使政協會不能如期召開，政府也不能不於 11 月 12 日下令召集國民大會。談至此，蔣向毛告辭，約定明晨再談。

10 月 11 日晨 8 時，蔣介石約毛澤東共進早餐。餐後，二人再次對談。除重複前幾次談話要旨外，蔣介石用非常堅決的口吻向毛澤東強調，"所謂解放區問題，政府決不能再有所遷就，否則不能成為國家"[3]。毛澤東則答以此事留待周恩來與王若飛在重慶繼續商談。通過抗日戰爭，中共已經在全國建立了 19 個解放區，擁有一億多人口。蔣介石無論如何不能容忍這麼大一塊土地，這麼多人口處於中共統治之下。

9 時半，毛澤東由張治中陪同，乘車到九龍坡機場。陳誠代表蔣介石到機場送行，重慶各界和八路軍辦事處以及《新華日報》工作人員到機場送行的共約五百餘人。毛澤東發表了簡短談話："中國問題是可以樂觀的，困難是有的，

1　參見《蔣介石日記》（手稿本），1945 年 10 月 11 日。

2　《蔣介石日記》（手稿本），1945 年 10 月 11 日。

3　《蔣介石日記》（手稿本），1945 年 10 月 11 日。

但是可以克服的。"

　　毛澤東離開延安前，對到重慶後可能的危險作了最充分的估計。他在中共中央政治局會議上說，"準備坐班房"，"如果是軟禁，那倒不怕，正是要在那裏辦點事"。但是，他估計，"國際壓力是不利於蔣的獨裁的，所以重慶可以去，必須去"，"由於有我們的力量，全國的人心，蔣介石自己的困難，外國的干預四個條件，這次去是可以解決一些問題的。"[1] 歷史證明，毛澤東的分析是正確的。

　　毛澤東告辭離去後，蔣介石獨自在林園中逛了一周，心裏想的是："共黨不可與同群也。"他似乎已經忘記，10 月 9 日，他還和毛澤東談過："國共非徹底合作不可。"12 日，蔣介石回想他和毛澤東在重慶的多次接觸，覺得共產黨的這位領袖不好對付。日記云："共毛態度鬼怪，陰陽叵測，硬軟不定，綿裏藏針。"對於中國的未來，他有"荊棘叢生"的感覺，不過，他仍然充滿自信，相信在今後的較量中，他可以戰勝毛澤東。其《反省錄》云："斷定其人決無成事之可能，而亦不足妨礙我統一之事業，任其變動，終不能跳出此掌一握之中。仍以政治方法制之，使之不得不就範也。政治致曲，不能專恃簡直耳！"[2] 蔣介石一生作過許多錯誤判斷，但是，其中最大的誤判可能就是上述判斷。歷史證明，蔣介石的"一握"並沒有能控制毛澤東，相反，倒是毛澤東跳身出來，讓中國在三四年的時間內天翻地覆，並且將他趕到了海峽彼岸。

1　《毛澤東年譜》（下卷），第 14 頁。
2　《蔣介石日記》（手稿本），1945 年 10 月 13 日。

1946 年的政協會議為何功敗垂成？*

——圍繞《憲草修改原則》的爭論考察

* 本文錄自《找尋真實的蔣介石：還原 13 個歷史真相》，九州出版社 2014 年版；原載《領導者》2012 年第 12 期。

1946 年 1 月，國民黨、共產黨、民主同盟、青年黨和社會賢達的代表 38 人聚會重慶，簽訂《關於政府組織問題的協議》、《和平建國綱領》、《關於國民大會的協議》、《關於憲草問題的協議》、《關於軍事問題的協議》等五項協議，和平有望，民主有望，國家統一有望，但是，會議剛剛閉幕，協議墨跡未乾，爭議即起，終於導致政協會議的成果破局，功敗垂成。

　　何以然？問題出在剛剛通過的《關於憲草問題的協議》，特別是其中的《憲草修改原則》。

一、對孫科參與制訂《憲草修改原則》，
　　蔣介石前罵後讚

　　1932 年年 12 月，國民黨召開第四屆三中全會，提議起草憲法，召開國民大會，用以結束黨治，還政於民。會議提出二十五條原則，交由立法院起草憲法。1936 年，立法院成立憲法起草委員會，孫科任委員長，主持制訂《中華民國憲法草案》，共 8 章 147 條。由於該草案公佈於 1936 年 5 月 5 日，通稱《五五憲草》。按程序，它本應交由國民大會審議通過，但是，由於第二年即爆發抗日戰爭，國民大會雖已選出代表卻無法召開，因此，這一部《憲草》也就始終是 "草稿"。

《五五憲草》的核心是"黨國一體，總統集權"。公佈之後，各方多有意見。1946 年政治協商會議期間，成立憲草組，專門討論其修訂問題。該組成員共 10 人。國民黨代表為孫科、邵力子，中共代表為吳玉章、周恩來，民盟代表為羅隆基、章伯鈞，青年黨代表為陳啟天、常乃德，無黨派代表為傅斯年、郭沫若。召集人為傅斯年和陳啟天。其中的主要人物是當時代表民盟的張君勱。政協開幕時，張君勱正在歐洲考察。1 月 17 日抵達重慶時，政協會已經開過 7 天，他熱衷憲法，隨即選擇參加憲草組，發揮了關鍵作用。

憲草組的主要成果是決定成立憲草審議委員會，提出了 12 條《憲草修改原則》。蔣介石初時沒有留意，及至政協閉幕當天，才開始審讀，閱後大驚，認為《憲草修改原則》整個推翻了孫中山的五權憲法、《建國大綱》，中國國民黨黨綱以及《五五憲草》。當日，蔣介石日記云："審閱協商會所商定之憲法草案審議會之組織與憲法原則案，不禁駭異莫名。余初以為《五五憲草》是阿科自身所主持，故對其加入憲草組必力爭其主張，為本黨負責，保持總理對憲法與《建國大綱》一貫之立場也。不料其協議結果，所有本黨黨綱與總理主張以及其《五五憲草》全部在根本上整個推翻，重新換取一套不三不四、道聽途說，而彼即引以為是，竟訂定此一違反總理革命之原則，真使人啼笑皆非，欲哭無淚矣，為之奈何！"[1]"阿科"，即孫科。召開政治協商會議時，蔣介石命孫科代表國民黨參加憲草組，本意是要他堅持此前《五五憲草》的基本原則，但是，不料孫科卻搞出了這樣一個"不三不四"，讓蔣介石"啼笑皆非，欲哭無淚"的《憲草修改原則》，蔣介石非常痛心。他本來準備在國民政府改選時推孫科為主席，自己"減少職責"，準備"逐漸退休"，現在覺得不行了，只能自己繼續奮鬥。2 月 2 日，蔣介石在《上週反省錄》中寫道："本週最大之苦痛乃為協商會憲草組憲草原則之擅自規定，而並不請示，亦不提常會徵詢意見，益覺孫科之荒唐糊塗，易受人欺詐而不可以託事。余本決心國府改組時推定出任主席，使余克減少職責，以為逐漸退休之計。今乃深悟其決非其可為黨為國之一人，皆不能不繼續奮鬥也。"[2]從這則日記可見蔣介石當時所受刺激之深。

1　《蔣介石日記》（手稿本），1945 年 1 月 31 日。
2　《蔣介石日記》（手稿本），1946 年 2 月 2 日。

然而，時光不過流逝了 10 個月，到了當年 12 月 21 日，蔣介石卻改變態度，轉而感激參加政協憲草組的孫科和邵力子，讚揚二人在年初參加修訂的《憲草修改原則》很好。日記云：“嘗思今春孫、邵與中共等擅訂憲法原則，一般同志皆認為有意賣黨召侮，違反遺教，藉外制內之卑劣手段，不可庶宥。然迄今回憶，若非當時修正《五五憲草》，如其原則一仍其舊，則不僅為中共所詆諆，即各國更認為國民政府真欲制成法西斯憲法，為世疑懼。為害之大，無可比擬，今日制憲之原則，實有得當時之修改也。”[1] 前罵後讚，蔣介石何以有此180 度的巨大變化？

二、《憲草修改原則》與《五五憲草》的比較

政協通過的《憲草修改原則》和《五五憲草》確有巨大的差異。在於：

1. 將有形的國民大會，改為無形的國民大會。1921 年 3 月 20 日，孫中山在《五權憲法》一文中提出“國民代表每縣一人”。1924 年，孫中山在《建國大綱》中提出：“每縣推舉國民代表一名，以組織代表會，參與中央政事。”“全國有過半數省份達到憲政開始時期，召開國民大會，決定並頒佈憲法。”“憲法頒佈之後，中央統治權歸於國民大會。”以上條文說明，孫中山主張召開有形的國民大會：即由國民推舉代表，召開國民大會，其任務是制訂憲法。《五五憲草》承繼孫中山的主張，有專章論列“國民大會”，其第 27 條規定“每縣市及其同等地區各選出代表一人”，這一條和孫中山的主張完全一致，其他規定則是對“國民大會”的細化，如：國民代表任期 6 年，國民大會每三年由總統召集一次，會期一月等。

《憲草修改原則》提出：“全國選民行使四權，名之曰國民大會”。這就是說，不必推舉國民大會代表，也不必實際召開國民代表大會，只要全國選民行使選舉、罷免、創制、複決等“四權”，就是“國民大會”。這樣，國民大會就“無形”了。

1　《蔣介石日記》，1946 年 12 月 21 日。

2. 將總統"虛位化"，使總統喪失"統率"行政院、立法院、司法院、監察院、考試院等五院的權力。孫中山是主張實行總統制的。早在辛亥革命，成立南京臨時政府成立前夕，孫中山就和宋教仁有過辯論。宋教仁主張內閣制，而孫中山主張總統制。後來孫中山在《建國大綱》中則規定："憲法未頒佈前，各院長皆歸總統任免而督率之。"這就是說，在憲法未頒佈之前，實行"總統制"。至於憲法頒佈之後，其關係如何，孫中山沒有說明。《五五憲草》承繼《建國大綱》的思想，規定總統為國家元首，有統率海陸空軍、公佈法律，發佈命令，行使宣戰、媾和、締約，宣佈戒嚴、戒嚴，行使大赦，任免文武官員等權力。在《行政院》一節，規定行政院院長、副院長、政務委員、各部部長，各委員會委員長，均由總統任命，對總統負責。此外，總統可以任命司法院正副院長、考試院正副院長。這就將孫中山總統"統率"五院的思想擴展到憲法頒佈之後了。

《憲草修改原則》規定，行政院長由總統提名，經立法院同意任命。行政院對立法院負責。這就是說，總統個人不經立法院同意，不能單獨決定行政院長人選；總統沒有領導（督率）行政院長的權力；行政院只對立法院負責，而不必對總統負責。

3. 行政院對立法院負責，彼此制衡。孫中山未就行政院與立法院之間的關係發表意見。《憲草修改原則》提出："行政院為國家最高行政機關"，"立法院為國家最高立法機關，由選民直接選舉之，其職權相當於各民主國家之議會。"在彼此的關係上，《憲草修改原則》提出：如立法院對行政院不信任時，行政院或辭職，或提請總統解散立法院。根據這一方案，立法委員由選民直選，組成代表民意的最高立法機關，它和"國家最高行政機關"的行政院相互制衡。它可以對行政院表示"不信任"，要求其"辭職"；反之，行政院也可以要求總統解散立法院。

4. 中央與地方取"均權主義"。孫中山在《建國大綱》中提出："中央與省採取均權制度"。《憲草修改原則》規定："省為地方自治之最高單位"，"省與中央許可權之劃分依照均權主義規定"，"省長民選"，"省得制定省憲，但不得與國憲抵觸"。

5. 人民自由不受限制。《憲草修改原則》提出："凡民主國家人民應享受之自由及權利，均應受憲法之保障。""如用法律規定，須出之於保障自由之精神，非以限制為目的。""聚居於一定地方之少數民族，應保障其自治權。"

6. 軍隊應 "超出於個人、地方及黨派關係以外"。

從以上 6 點，特別是前三點差異可以看出，《五五憲草》採取 "總統制"。總統既是國家元首，又是行政首長，既具有最高的尊榮，又具有龐大的權力。他只對國民大會負責，由國民大會選舉或罷免。任期為六年，連選得連任一次。而《憲草修改原則》則採取 "內閣制"，總統雖有最高的尊榮，但沒有多少實際權力。國家的實際權力掌握在行政院院長手中，而行政院只對立法院負責，與立法院形成相互制衡的關係。立法院可以對行政院表示不信任，行政院可以要求總統解散立法院。在這裏，沒有最高權力和絕對權力，所有權力都處於制衡的網絡中。

總統制的優點是行政權力高度集中，運作效率充分發揮，但是，易於形成個人專權、甚至獨裁的局面。南京國民政府成立以後，在國民黨 "一黨專政" 的基礎上迅速形成蔣介石的個人的專權與獨裁，引起廣泛不滿。從人類的歷史長河考察，凡自以為是、自以為完全正確、絕對正確的統治者大都喜歡集權，不喜歡自己的主張、政策受到其他人、其他機構、社會力量的反對、牽制和干擾。早在 1934 年，蔣介石就曾在日記中表示："五院制乃總統集權制之下方得實行，否則未得五權分立之效，而反生五院鬥爭之端；未得五權互助相成之效，而反生五院牽制糾紛之病。"[1]《五五憲草》乃是蔣介石的 "總統集權制" 這一主張在法律上的體現。顯然，《憲草修改原則》的提出正是為了消除蔣介石的個人專權與獨裁。它所反映的是中共和民盟等在野黨派的願望。政協會議期間，中共和民盟結成緊密的統一戰線，相互支持，密切合作。羅隆基回憶說："關於憲法修改原則問題，共產黨同民盟雙方的代表每天的晚間總是聚在一起來共同討論的。那 12 條憲草修該原則，就是共同討論的結果。"[2]

憲草組共開會四次。孫科最初堅持《五五憲草》的各項原則。1 月 19 日，

1　《蔣介石日記》，1934 年 6 月 9 日。
2　羅隆基：《從舊政協到南京和談的回憶》，《中華文史資料文庫》卷 6，第 411 頁。

政協會議召開第9次會議，他代表國民黨說明《五五憲草》，仍採取維護立場，但他在抗戰時期是國民黨中的民主派，對蔣介石的專制、獨裁不滿，多次受到蔣介石的批評，甚至當面訓斥，在憲草組的討論中，孫科逐漸支持中共和民盟等在野黨派的主張。他對是否要遵奉孫中山的"遺教"，也持比較靈活的態度，認為"先總理"的話不一定都對，不必句句照辦。[1]

《憲草修改原則》的主要泡製者是張君勱。他認為，孫中山的"五權憲法"是"各國制度雜湊而成"，並不高明，二十年來推行的結果，也眾所共見，但是"五權名目，國民黨一定不肯放棄"，所以他的策略是照舊採用其"名目"，而偷換其內容，使之具有反蔣，反專權、反獨裁的性質。[2]關於此點，梁漱溟回憶說：張君勱根據孫中山直接民權的學說批評"五五"憲草的國民大會制只是間接民權，而非直接民權，所以他主張應把國民大會化有形為無形，公民投票運用四權（選舉、罷免、創制、複決）就是國民大會，不必另開國民大會。這樣就把妨礙英美式憲政體制的東西去掉。此外，張君勱主張監察院作為英國式的上議院，把立法院作為英國式的下議院，而把行政院作為英國式的內閣；行政院須對立法院負責，立法院對行政院可以有不信任投票，推翻內閣，另組新閣；行政院如有自信，也可以拒絕立法院的不信任而把它解散，實行大選，產生新的立法院。一方有不信任內閣之權，一方有解散議會之權。張君勱就這樣用偷梁換柱的巧手段，保全五權憲法之名，運入英美憲政之實。但這樣一個憲法是最不利於蔣介石的。因為蔣介石只能擺在最高位置，只能做總統而不能做行政院長，沒有實權了。就是降格做行政院長吧，也隨時有倒閣的危險，很不穩呀！這樣的憲法對執政黨最為不利而有利於在野黨。所以張君勱這種設計，在野各方面莫不欣然色喜，一致贊成；尤其是周恩來簡直是佩服之至，如獲至寶。還有，憲草原則十二條還規定各省得制定省憲，更是不利於國民黨而有利於共產黨，因為共產黨這時已經控制了好些省區。能夠制定省憲，在政治上豈不更有做法。這種憲草原則在野各方面既完全同意，而尤其難得的是"五五"憲草的主持人孫科（孫中山先生的兒子）竟放棄他父親一生奔走呼號的五權憲

1　張君勱回憶，轉引自楊永乾：《張君勱傳》，台北唐山出版社1993年版，第130頁。

2　張君勱回憶，轉引自楊永乾：《張君勱傳》，第131頁。

法實質而點頭承認了張君勱的設計（孫科蓄意自己來任行政院長），國民黨其餘代表亦無人反對。憲草小組會不過開過四次，這篇巧妙文章便得慶成功了。梁漱溟的這段回憶很好地說明了《憲草修改原則》的產生經過。它是抗戰勝利後中共、民盟和國民黨鬥爭的產物。表面上看，是中國國家政體模式採用"總統制"還是採用"內閣制"的分歧，而實際上，具有民主和專制、獨裁鬥爭的意義，有明顯的針對性。關於此，當時在中國調解國共矛盾的美國特使馬歇爾說："中共及民盟又欲國府主席之權愈小愈好，且實行權力制衡制度，如美國之所為；地方之分權與三權之鼎立，亦皆如美國。"[1]這段話的第一句道出了中共和民盟的用心所在，其他各句則承認《憲草修改原則》符合美國民主。

1月27日，周恩來和陸定一飛返延安，向中共中央書記處彙報，說明"我們堅持憲草的民主原則，這些意見都取得了民主同盟的同意與合作"。會議認為代表團的成績很大，方針都是正確的。次日，再向中共中央政治局彙報，得到肯定，政治局委託代表團簽字。[2]31日，周恩來回到重慶參加政協閉幕式，兩次和馬歇爾會談，轉達毛澤東對他的感謝，表示要學習美國的民主和科學。又和蔣介石見面，轉達毛澤東關於軍黨分立，長期合作的意見，並稱毛澤東將參加聯合政府。2月1日，中共中央發出《關於目前形勢與任務的指示》，認為"國民黨一黨獨裁制即將開始破壞，在全國範圍內開始了國家的民主化"，"從此，中國即走上和平民主建設的新階段"。[3]2月7日，周恩來在重慶大學學生愛國運動會上演講，保證"中共代表是贊同這一個依據政協商定的原則來修正的民主的憲法的，並希望其他黨派也要求這個民主的憲法的通過"。最後，他表示，將政協決議聯繫起來看，"恰好是有腿有頭有神經中樞的健全的人，走向民主的康莊大道上去"。[4]2月9日，毛澤東也在對美聯社記者發表談話時說："各黨當前的任務，最主要的是在履行政治協商會議的各項決議，組織立憲政府，實行經濟復興，共產黨於此準備出力擁護。"[5]

---

1 《馬歇爾使華報告書箋注》，台北"中央研究院"近代史研究所1994年版，第96頁。
2 《周恩來年譜》，第656—657頁。
3 《周恩來年譜》，第658頁。
4 《新華日報》，1946年3月8日，第2版。
5 《毛澤東年譜》（下卷），第56頁。

1931 年 5 月，國民政府公佈《訓政時期約法》，民國歷史進入"訓政"時期。按《訓政時期約法》的規定：這一時期由中國國民黨全國代表大會代表國民大會行使中央統治權；中國國民黨全國代表大會閉會時，其職權由中央執行委員會行使之。國民政府主席、委員均由中國國民黨中央執行委員會選任。這樣，就將國民黨的"一黨專政"和所謂"黨治"合法化。《五五憲草》拋棄了上述條文，宣稱"結束黨治"，"還政於民"，是一個進步，但是，它所規定的"總統"仍然權力過大，因此受到中共和民盟的反對，這是近代中國民主大潮不斷蓬勃向前發展的結果。

三、蔣介石與國民黨的反彈

《憲草修改原則》立即受到蔣介石和國民黨內許多人的反對，其中不符合孫中山主張的部分更使國民黨人情緒激昂。

1 月 31 日下午 3 時，國民黨召開臨時中央常會，討論政協決議。谷正綱、張道藩等對憲草組協議表示強烈不滿。據梁漱溟記述，當時的情況是：好多國民黨人如谷正綱、張道藩等在會上吵啊，吵啊，頓足嚎叫，大哭大鬧。他們說："國民黨完蛋了！什麼也沒有了！投降給共產黨了！憲草十二條原則把五五憲草破壞無遺了！"他們對五項協議都表示不滿，對憲草尤其不滿。蔣介石任他們大哭大鬧，一言不發。最後，蔣才說："我對憲草也不滿意，但事已至此，無法推翻原案，只有姑且通過，將來再說。好在只是一個草案，這是黨派協議，還有待於全國人民，等開國民大會時再說吧！"[1]關於政協會議討論《憲草修改原則》的情況，孫科沒有向蔣介石彙報，只呈送討論記錄，而蔣介石偏偏未看，雷震等參加政協的國民黨代表屢次請蔣看，蔣始終未看。及至政協會議閉幕前夕，蔣才看到相關會議記錄，這才發現"不對了"，但是，由於當晚政協會議就要閉幕，已經無法重行討論，再做修改。蔣介石只能說明，將另行設法補救，國民黨中常會這才勉強通過政協各項議案。

---

1 《我參加國共和談的經過》，《我與中國民主同盟》，第 181 頁；參見《王世杰日記》，1946 年 1 月 31 日。

當晚 7 時，政協舉行第 10 次會議，討論各分組委員會報告，全部一致通過。蔣介石起立發言稱："本會議所通過的各項議案及施政綱領，是具有全國性的，全國各地不分區域，不分黨派，均須共同遵行，在各省區與中共軍隊所駐在地方，一律有效，以實現軍令、政令之統一，確奠和平建國之基礎。"但是，同時他又埋下釘子，聲稱："憲法草案組報告中所謂，制成五五憲草修正案，提備國民大會採納一語，此採納二字之意義，外間或有誤會，實際上並不影響國民大會之許可權。國民大會在行使其應有之職權時，自不受任何限制。惟審議委員會自應充分研討，以備國民大會之採擇。"[1]這就是說："採納"並非"接受"，政協會議的決議不算數，只是提供國民大會採擇的一種方案，國民大會有充分的自由，可以採納，也可以不採納。

2 月 4 日晚，國民黨中央黨部召開中央委員談話會，出席者"均反對政治協商會議之結果，而尤攻擊憲草案"。[2]蔣介石提出兩條意見：1. 應以總理遺教為原則；2. 應取法美國民主制度。所謂"以總理遺教為原則"，自然要堅持《五五憲草》；所謂"取法美國的民主制度"，自然要採用"總統制"。[3]

2 月 10 日，蔣介石約集孫科、居正、于右任、王寵惠、吳鐵城、陳布雷同進午餐，闡述對憲草問題意見。首稱"五權憲法"等"總理遺教"明白昭垂，中華民國憲法不能違背遺教，"即五權憲法之形式亦不可多所變更"。他為了怕別人誤會自己想當總統，在為總統一職爭權力，特別聲明：自己雖不準備擔任總統，但是作為黨員，必須絕對遵奉"總理遺教"和黨綱。接著，他表示《憲草修改原則》"窒礙甚多"，不能作為"定案"，"絕不能夠拘束國民大會而使之通過"。

蔣介石對《憲草修改原則》的批評主要集中在以下三點：

1. 國民大會不以集會之方法行使四權，而以全體國民各在其住居地點行使選舉、罷免、創制、複決之四權。他說："因我國民情散漫，公民智識更未普及，假設各地人民得不以組織國民大會之方式，而在原地行使四權。設使有人

---

1 《事略稿本》，1946 年 1 月 31 日；參見《政協會議圓滿閉幕》，《新華日報》，1946 年 3 月 1 日，第二版。
2 《王世杰日記》，1946 年 2 月 4 日。
3 《事略稿本》，1946 年 2 月 4 日。

利用此點，隨時號召各地之選民實行四權，則國家基礎即隨時搖動，而陷於不安之狀態，故此項原則為最不妥善者。"

2. 中央政制。他說："此在憲政初實行時尤關重要。應顧及我國之國情及事實。不可以若干學者空想之理論拼湊而成，至有扞格難行之處，使政府成為無能之政府，而無法做事。"在這裏，蔣介石講得很模糊，沒有指出《憲草修改原則》的要害在削弱總統權力，使之處於實際上不負責任的地位，但其意思是清楚的。即：總統沒有領導五院之權，行政院與立法院相互制衡之後，中央政府將"成為無能之政府，而無法做事"。

3. 省得自制省憲。蔣介石稱：此說不見於孫中山的《建國大綱》。《建國大綱》僅稱："縣為自治單位。"他說："省憲之制定，在最近五六年內，當不致成為事實，吾人無須重視，但省的地位之確定〔如省得兼為自治單位之論〕。與省長民選之實行，須與縮小省區同時考慮而實行，方不致演成散漫割據之局面。"在這裏，蔣介石講得很含蓄，允許制訂省憲，中共就可以在自己的統治區自作主張，自搞一套，形成"散漫割據"局面。

最後，蔣介石表示：自己"對法律無暇研究"，希望"在座之各位老同志，於此次憲草審議委員會開會時，盡保障三民主義五權憲法之責任，多多指導。尤希望孫院長與各同志之盡力周旋與補救也。"[1]

蔣介石當天講話時很激動，唐縱日記云："（主席）表示憲法不能讓步，情辭激昂"。[2]

當日，蔣介石日記云："切囑彼等應負責，慎重為國為黨盡其職分，不可再使中國今後因新憲法不能遵循五權憲法之精義而復起流血之革命，則本黨十年來流血犧牲所負之代價皆為我輩不肖而失敗也。余聲言決不競選總統，但中國非實行總統制不可，此為總理與余一貫之主張也。"[3] 這則日記將蔣介石在公開場合沒有明白宣示的主張講清楚了，這就是，中國必須實行"總統制"。

國民黨內早有一部分人對召開政治協商會議不滿。1月16日晚，政治協商

---

1 《二月十日中午敘餐時談話紀要》，台北"國史館"，《蔣中正"總統"文物》，002-020400-00005-026，參見《"總統"蔣公思想言論總集》卷37。
2 《唐縱日記》，群眾出版社1991年版，第589頁。
3 《蔣介石日記》，1946年2月10日。

會議陪都協進會在重慶滄白紀念堂集會，邀請張東蓀、郭沫若二人演說，由協進會理事閻寶航主持。張東蓀在演說中提出："以後軍隊要成為國防軍，不能再有黨軍"。台下突然跳出十幾個"壯漢"，大聲指著張說："政府軍隊是國軍，不是黨軍。"當郭沫若講到"今後軍隊要為人民服務，不能像現在這樣魚肉人民"時，台下大批特務呼嘯作聲。郭稱："連政府都要來協商，你們何必要這樣呢！"由於特務搗亂會議無法進行。當時稱為滄白堂事件。[1] 17 日，協進會再次邀請青年黨曾琦（李璜代）、國民黨代表邵力子演講，特務高喊"擁護國民黨，打倒異黨"，並辱罵會議主持人李德全。

蔣介石約集孫科等人談話的當日上午，陪都各界 3000 人在較場口廣場舉行慶祝政協成功大會。李德全、李公樸、章乃器、郭沫若等任大會主席。會議發表《告全國同胞書》，稱讚政協會議"是一個不流血的革命"。"清算將近二十年的政爭血賬，刷新了掛了三十多年的民國招牌"，"開闢了國家建設的坦途和程序，在我國歷史當中，實在是空前未見得傑作"。《告全國同胞書》聲稱："不能忘記基本的力量，還靠我們人民自己。本來歷史上的任何革命，流血的也好，不流血的也好，都是由人民的呼聲和努力而來的。一切政黨的行動，都不過是執行人民的要求，任何友邦的協助，也必須以人民的要求為根據，才能有效。不流血的革命固然是幸運到的，然而也決不是從天上掉下來的，我們檢討一下協商的成就，便會發現出來，那當中包含著多少以往慘痛的呼聲和血淚。"文件表示"擁護政協會議修改憲草原則"，要求"迅即召開憲草審議委員會"。會議進行過程中，國民黨重慶市黨部所組織的一夥人衝上主席台，搶奪擴音器，毆傷李公樸、郭沫若、施復亮等人，稱為較場口血案。

蔣介石不是較場口事件的策劃者，但是，他是支持者。2 月 11 日，蔣介石飛上海。13 日，見到《時事新報》所登陪都各界慶祝政協成功大會發佈的《告全國同胞書》，再次為其中"不流血之革命成功"一語激怒，批評其為"荒唐文字"。該報當時為孔祥熙財團掌控。蔣介石在日記中寫道："此種貪污奸猾，只要希圖做官，無論共黨、漢奸，皆想利用，其投機手段，蓋如此也"，他將孔令

---

1 《新華日報》，1946 年 1 月 17 日。

侃召來"痛斥嚴責"。[1] 2 月 27 日下午，蔣介石在回重慶後會見周恩來，談及 10 日較場口事件，蔣介石憤怒不能自制。日記云："余又不能自制，明告其該會不流血革命之宣言，是該受打也。言時怒髮衝冠，聲色太厲，又被人輕笑蔑視，但非此決不能促若輩之反省，以為無賴可無止境也。余對周表示，如使我黨員刺激過甚，使我無法負責也。"[2] 在會見中，蔣介石連表面上的追查兇手、道歉懲兇的表示都沒有，相反，卻表示李公樸、郭沫若等人"該受打"，可見其怨怒之深。

《憲草修改原則》只是修訂《五五憲草》的指導思想，還不是憲法本身。根據政協決議，還必須成立憲草審議委員會，參酌此前的憲政期成會修正案、國民參政會憲政實施協進會的研究成果，吸收各方意見，制成"五五"憲草修正案，提供國民大會採納。2 月 8 日，憲草審議委員會成立。為了扭轉局面，蔣介石特派陳布雷參加審議委員會。陳布雷估計形勢，覺得難以達到目的，再四請辭，但蔣介石不答應，陳布雷只能受命。他又特別邀請在國民黨中算是精通法律的王寵惠參加，企圖通過王影響審議委員會的成員。

該會成員共 35 人，以孫科為召集人，其成員為：

> 政府方面：孫科、王寵惠、王世杰、邵力子、陳布雷；
> 共產黨：周恩來、董必武、吳玉章、秦邦憲、何思敬；
> 青年黨：曾琦、陳啟天、余家菊、楊永浚、常乃德；
> 民盟：張君勱、黃炎培、沈鈞儒、章伯鈞、羅隆基；
> 無黨派：傅斯年、王雲五、胡霖、莫德惠、繆嘉銘；
> 會外專家：吳尚鷹、林彬、戴修駿、史尚寬、樓桐蓀、吳經熊、周覽、李中襄、錢端升、周炳琳。[3]

在十名會外專家中，吳尚鷹等 6 人是《五五憲草》的起草者，大部分曾參加憲政實施協進會工作，周覽等 4 人為國民參政會參政員，曾參加憲政期成會及憲政實施協進會工作，因此，贊成《五五憲草》的力量佔優勢。儘管如此，

---

1 《蔣介石日記》，1946 年 2 月 13 日。
2 《蔣介石日記》，1946 年 2 月 27 日。
3 《雷震呈蔣中正參加憲草審議委員會第一次會議委員及專家名單》，台北"國史館"檔案，《蔣中正"總統"文物》，002-020400-00005-025。

陳布雷估計形勢，認為對《憲草修改原則》作大幅度的更改有困難，只集中於四點：1. 憲草不能與《建國大綱》出入太多；2. 國民大會必須為有形之集會，不能散在各處，由人民行使四權，致涉散漫；3. 中央政制應使之可通，應使行政機關有職能可以作事，故立法院之不信任投票及行政院請求解散立法院不宜訂入條文；4. 對地方制度省得自制省憲，不必過於堅持反對，但省長民選，應顧及當前事實，作更詳密之規定。

2月14日、15日，憲草審議委員會開會，主要討論國民大會的"有形"或"無形"問題。出席會議的專家吳尚鷹等大都主張"有形"，王寵惠主張國民大會須有會期，實際上也主張"有形"，惟張君勱堅持原議，主張"無形"。陳布雷企圖就此做出結論，但周恩來不同意，主張須交憲草小組協商。15日晚，陳布雷邀約王寵惠共同訪問孫科，建議孫與周恩來懇談，使其了解國民黨方面所擬修改者只有國大、中央政制、地方省長民選三點，意在動員孫科出面說服周恩來。孫表示"協商決議，彼此曾鄭重起立表決"。[1]"不必如此心急"，批評陳布雷在會場發言"太切直，不相宜"，"此事只可由小組協商時解決"，"拖至二中全會以後亦無妨"。[2] 在談到二中全會時，孫科甚至表示，如會議壓迫他，"他即脫黨"。[3] 16日，憲草審議委員會開會討論中央政制，未作結論。17日討論"省憲"等問題，王世杰主張變更，中共代表堅持"省長民選"。秦邦憲稱：已決定之原則不能變動。19日，憲草審議委員會開第六次會，討論選舉制度及憲法的解釋與修改，各人只申述意見，也未作結論。

當日，陳布雷向蔣介石彙報說："綜觀此次會議，中共則堅持原則不變更，君勱則堅持其一己之所見，青年黨亦堅持地方之省級地位應提高，與採用議會制與內閣制之有利。章伯鈞、羅隆基亦堅持既定之原則。"他表示："此次職未能挽回會議之空氣，實屬有負使命"，"亮疇先生亦甚感困難也"。[4]

1 《唐縱日記》，第592頁。
2 《陳布雷呈蔣中正參加憲草審議委員會之經過》，1946年2月19日，台北"國史館"檔案，002-020400-00005-027。
3 《唐縱日記》，第593頁。
4 《陳布雷呈蔣中正參加憲草審議委員會之經過》，1946年2月19日，台北"國史館"檔案，002-020400-00005-027。

四、國民黨六屆二中全會決議修改《憲草修改原則》

蔣介石企圖通過憲草審議委員會修改《憲草修改原則》的目的未能達到。3月1日，國民黨六屆二中全會在重慶開幕，蔣介石即企圖藉助會議與政協決議相抗。

3月4日，他在總理紀念週上訓話，聲稱"憲草問題，各位有許多顧慮，有許多憤慨，這也難怪各位"，"這次會議協商的憲草修改原則，與黨綱有違反之處"。[1] 他特別提出："國民大會必須有形，用國民大會來補救議會制度之窮，是五權憲法的特點。如無有形的國民大會，沒有立院，就不能補救世界上一般民主制度之缺點。"儘管他要求大家"平心靜氣"地想，設法"補救"，但是，會議氣氛已經一點也"平靜"不下來了。

張繼等 20 人提出："為謀保障和平，應先厲行軍令、政令之統一，凡將軍隊作為政爭之工具者，應俟徹底改編，並取消割據後，始得實施政協會議議決案。"這一條明顯針對中共。又提出：憲法應由國民大會根據《建國大綱》及國父遺教自由制定，不得以協定之修正案拘束其通過，以符民主精神。這是明顯地反對政協所通過的憲草修改原則。

楊森等提出：請糾正此次政治協商會議之修正憲法原則，並制定適合國情之憲法。

苗培成等 14 人提出：以五五憲草案作為國民大會制憲的討論基礎，政協決定的憲法修改原則不予通過。[2]

3月7日，孫科向會議報告政協《憲草修改原則》的提出及會後審議委員會討論經過，表示"並非認為絕對不能討論，只須各方協商同意，也可以再加修正"。當日及 8 日，會議以兩天時間討論《憲草修改原則》。

張繼主張，"把政治協商會議的協議根本推翻"。他認為共產黨絕不肯將軍隊交出來，"我們為什麼要給他法律的名義，法律之地位，讓他來搗亂！"

賴璉批評國民黨事前沒有開中央常會討論，"未免太重視各黨派意見，忽

---

1 《總理紀念週總裁訓話》，《六屆二中全會速紀錄》，台北中國國民黨黨史館藏檔案，6.2/11。

2 《政治協商會議報告審查委員會審查報告第一號》，同上，6.2/11。

視了同志的意見"。"助長異黨的氣燄","增加了黨內同志的離心力"。

張強提出："我們中國不是聯邦國,為什麼各省要制定省憲?制定省憲,可能成為割據的局面。"

張道藩提出："全國選民行使四權,名之曰國民大會,這在古今中外也沒有這種大會。如果可以,那末中央委員在各地行使職權,可以名之曰全會,不必再這裏開會了。"又稱："如果是內閣制,學法國一樣,將來一定是多黨制的國家,這樣我們能夠和平建設嗎?"

谷正鼎提出："到現在還有共產黨存在,各黨派存在,甚至於遭受各黨各派的毀謗,無疑義的,這是本黨的失敗,同志的恥辱,值得反省警惕的。"他主張中華民國政府"一定要由總統負責","增加領袖的權力","如果一切加以束縛,把三民主義加以曲解,這個不是實行主義,是畫餅充飢"。

任卓宣指責孫科等參加政協的 8 個國民黨代表,"對五權憲法認識不清,信仰不堅,造成錯誤",建議予以處分,另選代表參加憲草審議會。

白雲梯邊發言,邊流淚,指責中共"想從多黨聯合政權制度下,達到一黨政權"。他表示："總統制、五院制,都是適合我們的國情","要為這個制度奮鬥到底"。

苗培成呼應任卓宣的意見,認為孫科等人"犯了很大的錯誤",違犯了黨紀,破壞了黨綱,"要由全會來議處"。

據雷震回憶："會場叫囂不已,冷嘲熱諷,極為揶揄鼓噪之能事。"[1] 在此情況下,國民黨出席政協會議的代表都不敢出面說明,只有邵力子聲稱,當時之所以"委曲求全","是為了要求國家的和平,因此若干題要忍耐","不讓步就得破裂"。他表示："憲草修正原則不妥當,應該要糾正,要改進","今天特別向各位請罪","各位有提議要處分,交監察委員會處分,我可以接受。能夠給我處分,可以減少我良心的痛苦",但是,他不承認對他"違反五權憲法"以及"賣黨賣國"等指責。[2]

在 3 月 8 日的第九次會議中,程天放等人繼續批評"無形的國民大會"與

1　雷震:《中華民國制憲史》,台北稻鄉出版社 2010 年版,第 96 頁。
2　《國民黨六屆二中全會速紀錄第八次會議》,台北中國國民黨黨史館藏,6.2/10。

制訂"省憲"等問題。程稱:"(他們)根本不要國民大會,又不能反對國民大會,所以提出這個名詞,把國民大會取消了。世界上哪個政治組織,那個機構可以無形?""本黨亦可要求各黨派,改成'無形的黨派',看渠等是否能接受?"

孫鏡亞提出:"絕不應由強盜來批評,軍閥、官僚、走狗來批評(國民黨)"。

方治提出:"共產黨因為有軍隊,我們要與他商量,那還有可說,但是民主同盟,是什麼黨?"他是國民黨重慶市黨部主任委員,較場口事件的幕後策劃者,特別表示不能同意"政治協商會議的成功是不流血革命的成功"這一句話,聲稱:"如果這個話是對的,那麼我們千百萬革命軍人犧牲頭顱,在抗戰勝利的今天,我們反變成革命的對象,你們說我們服氣不服氣?"

張清源認為"三權憲法是根據'制衡原理'以定制度,五權憲法是根據分開權能原理以定制度",批評《憲草修改原則》使"五院制名存實亡,而面目全非"。[1]

在一片反對聲中,會議於 3 月 16 日通過《對於政治協商會議之決議案》,中稱:五權憲法乃三民主義之具體實行方法,實有不可分離之關係。權能分職,五權分立,尤為五權憲法之基本原則。本黨五十年來領導革命,悉為實現此最進步之政治制度,以建立國家而奮鬥,絕不容有所違背。所有對於五五憲草之任何修正意見,皆應依照《建國大綱》與五權憲法之基本原則而擬訂,提由國民大會討論決定,庶憲政之良規得以永久奠定。會議同時作出五項具體決議,交國民黨中常會通令全黨遵照:1. 制定憲法,應以《建國大綱》為最基本之依據。2. 國民大會應為有形之組織,用集中開會之方式,行使《建國大綱》所規定之職權,其召集之次數,應酌於增加。3. 立法院對行政院不應有同意權及不信任權,行政院亦不應有提請解散立法院之權。4. 監察院不應有同意權。5. 省無須制定省憲。[2]

17 日,會議通過宣言,聲稱"要說明我們對於貫徹政治協商會議決議的

---

1 《國民黨六屆二中全會速紀錄第八次會議》,中國國民黨黨史館藏,6.2/10。
2 《全會 18 次會議修正通過政協會議報告決議草案》,《中央日報》,1946 年 3 月 17 日,第 3 版。

誠意，與堅持五權憲法的決心"。中稱："我們必須堅持的，就是憲法草案的修正，必須符合於五權憲法的遺教。這因為三民主義與五權憲法是不可分割的，放棄了五權憲法，則三民主義就不能完全實現。總理在政治制度上這一個偉大精湛的發明，是借鑒於歐美的憲法，斟酌於我們的國情，為國家立長治久安的根本。如果憲法的內容違背了五權憲法，在實際行使的時候，扞格難通，必致陷國家於不利。"[1]

政治協商會議之後，國民黨內部意見分歧，情緒不一。2月20日，陳布雷向蔣介石報告說："同志之間，或則憤激過度，或則消沉已極，或則觀望風色，另求出路，或則積年怨望，急求發泄，彼一會議，此一敘談，其狀況至為複雜。"[2]通過六屆二中全會，國民黨展示了一次力量，似乎全黨凝聚了一種共識——政協會議通過的《憲草修改原則》不能算數，必須修改。

3月20日，國民參政會第四屆第二次會議開幕，4月1日，蔣介石在會上做《政治報告》，再次說明：憲法是國家根本大法，其最後決定權在國民大會；訓政時期約法是1931年國民會議制定的國家組織法，在憲法未頒行以前，訓政時期約法應根本有效。他表示：政府與二中全會都尊重政協會議，但是政協會議不是制憲會議，唯有國民大會制定約法之後，才能以憲法代替約法。這就進一步貶低了政協協議的權威性，無異宣佈當時仍處於"訓政"時期。[3]

五、周恩來讓步，毛澤東反對，中共聯絡民盟堅決抗爭

政治協商會議協議是各方一致通過的，中共和民盟自然不能同意輕易變更。但是，孫科、邵力子備受國民黨人的內部攻擊，向中共和民盟提出，要求做部分修改，中共和民盟也不能完全不考慮。

3月8日，政協會議綜合委員會、憲草審議委員會協商小組召開首次聯席會議，王寵惠提出三點修改要求：1.國大為有形國大；2.採總統制，反對責任

1　榮孟源主編：《中國國民黨歷次代表大會及中央全會資料》（下），光明日報出版社1985年版，第1033頁。
2　《陳布雷報告本黨現狀》，《事略稿本》，1946年2月20日。
3　《政治報告》，《"總統"蔣公思想言論總集》卷21，第286頁。

內閣制；3. 省不能制訂省憲，只能制訂地方自治法規。周恩來發言反對，認為"憲草與政協全部決議案有關，不能單獨解決，國民黨方面是否負有遵守國大及憲草決議的責任，應當明白表示。"張君勱、章伯鈞也發言稱，憲草問題應與其他問題一併解決。[1]

3月15日，政協會議綜合委員會、憲草審議會召開第三次聯席會議，辯論熱烈，僵持不下。周恩來為了打破僵局，立場鬆動，在會上表示："我們要合作，就要彼此了解，彼此協助，今天國民黨內部既然有了困難，我們就應該幫助他來解決。"周這一天的講話給雷震的感覺是："漂亮極了"，"處處以幫助國民黨為前提，表示共產黨做事合情合理，而且處處為對方著想。"[2]在休息時，周恩來把張君勱拉到一邊商量。張表示：不能讓步，要及早堵住才好。周恩來表示："政治是現實的事情，走不通就得設法轉圜，不能因此而牽動大局。"他將讓步之處告訴張君勱，得到同意。[3]

會議決定修正憲法草案原則三項：1. 無形國大改為有形國大。2. 取消第六項第二條條文，即立法院對行政院全體不信任時，行政院或辭職，或提請總統解散立法院，但同一行政院長不得再提請解散立法院。3. 省得制定省憲改為省得制定省自治法。有了這三條"修正"，分歧似乎化解了。

周恩來的讓步沒有經過中共中央討論。3月16日，毛澤東在中共中央關於反對國民黨修改政協決議致周恩來電中加寫了一段話："最近時期一切事實證明，蔣介石反蘇反共反民主的反動方針一時不會改變，只有經過嚴重鬥爭，使其知難而退，才有作某些較有利於民主的妥協之可能。"[4]早在當年2月上旬，中共就內定毛澤東、林伯渠、董必武、吳玉章、周恩來、劉少奇、范明樞、張聞天等8人為國民政府委員，周恩來為行政院副院長，毛澤東還曾考慮，將中共中央所在地從延安搬到江蘇淮陰，以方便去南京開會。至此，毛澤東遂改變態度，決定如蔣介石堅決要修改憲法原則，就要考慮是否參加國民政府及國民代表大會問題，並暫不向國民黨方面提交名單。3月17日，毛澤東為中共中央

---

1 《民主報》，1946年3月9日。
2 雷震：《中華民國制憲史》，第98—99頁。
3 梁漱溟：《我與中國民主同盟》，第185頁。
4 《毛澤東年譜》（下卷），第62頁。

起草致重慶中共代表團電，要周與民盟"商酌"，採取統一行動。[1] 同日，中共中央發言人發表重要談話稱："國民黨內許多有力人士，現正試圖改變政治協商會議的若干原則決定，特別是關於憲法原則的決定，此舉將不能得到中國共產黨及其他民主黨派和廣大人民的同意。政治協商會議的決議，是各黨派全體代表共同協議，一致同意的結果，凡所決定都切合國家的需要與人民的期望，特別是關於憲法原則的決定，尤得國內外輿論一致讚美。" 發言人表示："中國共產黨決不動搖，並堅持政治協商會議一切決議，特別是憲法原則決議，必須百分之百實現，反對有任何修改。"[2] 18 日，中共中央致電中共代表團，認為周恩來 15 日所做三點讓步"使我們深感不妥"，"動搖了議會制、內閣制、及省之自治地位"，"必須設法加以挽救"。電報稱："國民黨二中全會是堅決反對國家民主化的，他們必然堅持要修改憲草原則，國大代表名額他們又擅自增加，我與民盟在國大保持否決權將不可能，在這種情況下，我們決不能參加國大，參加政府。此點望你們即與民盟人士商量，並在適當時機告知國民黨。"[3] 在接到中共中央的電報後，周恩來的態度重新變得強硬起來。

當日，周恩來、董必武、王若飛就六屆二中全會決議違背政協決議一事函約國民黨代表邵力子、王世杰、張治中座談，促請按照政協決議從速實施，同日晚，周恩來召開中外記者招待會，發表談話，指出國民黨二中全會決議嚴重違反政協若干原則規定，宣佈國民黨一黨無權否定憲草，"政協一切決議不容篡改，憲法原則決議必須 100% 實現。"[4] 這就和他原來所持"走不通就要設法轉圜"的態度不同了。

3 月 19 日，延安《解放日報》發表社論《評國民黨二中全會》，認為"政協會議所決定的修改憲草原則，乃是今後中國將繼續是一個獨裁國家或改革為一個民主國家的根本關鍵，因此是中國民主派與法西斯派政治鬥爭的焦點。"《社論》逐條批判二中全會所作決議。認為"制定憲法應依《建國大綱》為基本之依據"的說法，"充滿了一黨專政的臭味"，"參加政協會議的各黨派，從未

---

1 《毛澤東年譜》（下卷），第 56 頁。
2 《新華日報》1946 年 3 月 19 日，第 2 版。
3 《周恩來年譜》（修訂本），第 668—660 頁。
4 《新華日報》，1946 年 3 月 19 日，第 2 版。

也永遠不可能同意國家的憲法應以某一黨的某一文件作‘為最基本之依據’”。關於“國民大會用集中開會之方式，行使選舉、罷免、創制、複決之權”的說法，《社論》質問道：“那麼，立法院還有什麼作用呢？法西斯派知道立法院是常年存在的，是能起國會作用的，而臃腫不靈的國民大會，卻是‘每三年由總統召集一次，會期一月’的獨裁裝飾品。即使其‘召集次數酌於增加’，也仍然是絕對不足以限制獨裁的。”對於“立法院對行政院不應有同意權及不信任權，監察院也不應有同意權”的說法，《社論》責問道：“那麼行政院還向誰負責呢？政協的決議，是要事行政院成為向國會負責的內閣。但是法西斯派卻要行政院僅僅向總統個人負責。總統的下面有一個裝飾品的國民大會，又有一個不受任何限制的行政院，這不是獨裁制度是什麼呢？”對於“省無須制定省憲”的說法，《社論》指責說：“這些口口聲聲‘尊奉總理遺教’的反動份子們，就在這裏違抗總理遺教——地方自治了。”因此《社論》認為，國民黨二中全會關於憲法的決議“完全是為了堅持一黨專政、個人獨裁和中央集權”，“要把中國造成一個完全獨裁制的國家”。[1]

　　20日，《新華日報》發表社論《憲章修改原則不容變動》，認為國民黨內的法西斯反動派並不真正忠誠於“總理遺教”，而是藉此“以謀保持法西斯統治”。其所提倡的“總統制”，“使各院無權，權力集於總統，即是主張總統獨裁，反對一般民主國家所通行的代議制與內閣制，以保障個人獨裁的法西斯統治。”《社論》以美國的總統制為例，說明“在實行總統制的美國，總統提出法案，都要經議會通過，議會通過的任何法案，總統都必須執行。總統任命各部首長都需要徵求上議院同意。為什麼在中國實行總統制，便可由總統自由任命司法、考試兩院負責首長而不必徵得任何機關的同意呢？難道中國的總統簡直變成納粹德國的元首了嗎？”

　　在此前後，《解放日報》、《新華日報》還發表了其他一些文章，如：《確立分權制度》（2月22日）、《反動頑固派的猖獗行動必須立時制止》（3月10日）、《不容有反對政協決議的自由》（3月12日）等。在這些文章中，中共力圖說

1　《解放日報》，1946 年 3 月 19 日。

明，在當時中國的情況下，為了防止個人獨裁，為了鞏固黨派合作，為了穩固政治局面，"採用責任內閣制，使總統不負實際責任，更為有益"（董必武語）。中共特別提出："使總統成為一個高踞於五院之上的獨裁者，使總統擁有無限制的緊急命令權，使立法機關淪為行政機關的附屬品，受著作為行政首領的總統的支配和指揮，是保持個人獨裁的非常有害的制度。"[1]

中共既毫不妥協，民盟等自然採取同一立場。20 日，《新華日報》發表該報記者採訪張東蓀、張申府、梁漱溟等人的談話：聲稱"不能把國家百年大計的憲法當作兒戲，既是共同協商決定，便應共同認真執行。"[2] 同日，民盟主席張瀾發表談話，指責國民黨六屆二中全會"其目的無非在維護國民黨的一黨專政的實質與形式，把各黨派參加政府，變成請客"。"如果這些問題不弄清楚，我們同盟為對國民負責計，不願冒然參加政府"。[3]

為了籌備召開國民大會，蔣介石於 4 月 15 日邀請政協會綜合小組各會員茶敘，要求各黨派於 20 日之前提交國府委員和國大代表名單。21 日，中共首席代表周恩來致函政府代表張群、邵力子等人，內附中國共產黨聲明，認為國民黨延不實施各項協議，堅持一黨專政，中共沒有提出國府委員及國大代表的可能。其後，民盟機關報《民主報》也發表社論，表示除非立即停止內戰，否則將不提出參加國府和國大的名單。24 日，蔣介石再次邀請政協會議綜合小組各黨派代表及社會賢達茶會，商討國民大會問題。張君勱、周恩來等發言，要求延期，蔣介石迫於形勢，只能表示同意。

按原定計劃，本應於 5 月 5 日召開國民大會。7 月 3 日，國民黨以國防最高委員會名義，宣稱定於本年 11 月 12 日召開國民大會，不再變更。中共代表團發言人立即表示，國防最高委員會仍為國民黨一黨專政機關，中共不受其任何約束。民盟、無黨派人士也表示，開會日期未與彼等商量，不能同意。7 月 7 日，中共對國民黨方面單獨決定召開國民大會表示提出書面抗議。在此情況下，蔣介石不能不找尋化解矛盾，爭取儘可能多的人士參加國民大會的辦法。

---

1 《打擊保持法西斯統治的企圖》，《新華日報》，1945 年 3 月 14 日，第 2 版。

2 同上，第 3 版。

3 同上，第 3 版。

8 月 14 日，蔣介石發表抗戰勝利一週年文告，提出和平解決時局的六大方針，其中有 "對於政治協商會議之決議，必衷誠遵守，盡力推行。關於憲法草案，只求薈萃各方面更好之意見，提供國民大會討論抉擇，以期制成完善可行之憲法。"[1] 比起六屆二中全會的決議來，蔣介石這裏說的話婉轉多了。當日，蔣介石日記云："當積極進行，擴大政府之組織，除共黨以外，能使各黨派多數參加政府為政治策略，目前之急務也。"[2]

六、美國人向蔣介石施壓

除了中共、民盟方面的抵制與抗爭外，使蔣介石和國民黨倍感壓力的是美國政府的態度。世界反法西斯戰爭勝利後，美國政府一直希望國共兩黨之間不再發生內戰，蔣介石和國民黨按照美國模式改造政府。1948 年 1 月，政協開幕，美國政府曾經寄予希望，但是，這以後發生的諸多情況，使美國政府愈加失去耐心。8 月 15 日，蔣介石收到顧維鈞大使處轉來的杜魯門總統 10 日致函蔣介石密函，中稱：1 月 31 日政治協商會議所訂協定，曾為美國方面所歡迎，而認為遠見之舉，可使達成統一與民主之中國；但美國對該協定之未採取切實步驟，使其實行，殊感失望。現此點漸為美國對中國前途展望之重要因素。

"中國國民之期望，為黷武軍人及少數政治反動份子所阻遏，此輩不明白現時代之開明趨向，對國家福利之推進，不惜予以阻撓，此種情勢，實為美國國民所深厭惡。倘若中國內部之和平解決辦法，不即於短期內表現真實進步，則美國輿論對中國之寬宏慷慨態度，勢難繼續，且本人必須將美國立場重新審定。"[3] 杜魯門函所稱 "曾為美國方面所歡迎" 的 "政治協商會議所訂協定"，自然包括《憲草修改原則》。杜魯門這封信，寫得很強硬，並且具有威脅意味。緊接著，杜魯門於 18 日下令制止國民政府向美國購買剩餘軍火，使國民黨軍隊的彈藥補給限於困難境地。

1　《"總統" 蔣公大事長編初稿》，總 2986 頁。

2　《蔣介石日記》，1946 年 8 月 14 日。

3　《"總統" 蔣公大事長編初稿》，總 2988 頁。

蔣介石讀到杜魯門來信後，一百二十個不痛快，日記云："其語意之侮辱壓迫，殊難忍受。"[1] 有兩天，蔣介石有意不和馬歇爾見面。但是，蔣介石反覆思維，決定還是要"忍受"。他與宋子文多次商量之後，於 19 日復函杜魯門，保證"必將盡一切可能使此等達到和平民主之步驟，迅速成為事實"[2] 此後，國、共、美三方成立五人小組，磋商改組國民政府問題。10 月 16 日，蔣介石發表《關於處理目前時局聲明》，表示"憲草審議委員會應即召開，商定憲法草案，送由政府提交國民大會，作為討論之基礎"[3]。11 月 7 日，馬歇爾和司徒雷登向蔣介石遞交為其起草的《聲明初稿》，提出"憲草審議委員會應以政協協議所提出之原則為基礎，完成其工作。"[4] 這是美方對《憲草修改原則》的一次鮮明無誤的表態，而且要求蔣介石接受。

七、蔣介石接受《憲草修改原則》，制訂總統"虛位"的《中華民國憲法》

制訂《憲草修改原則》的靈魂人物是張君勱。早在 4 月 12 日，張君勱就已經起草一部憲草交給孫科，說明大家要也好，不要也無所謂。這部《憲草》被政協副秘書長雷震接受，印出來作為討論基礎。5 月，張君勱到上海，將《憲草》譯成英文，寄給馬歇爾。其後，蔣介石急於召開國民大會，中共和民盟都抵制，只有青年黨可能參加，8 月 15 日，張君勱的國家社會黨與伍憲子等人民主憲政黨合併，成立民主社會黨，但是，這個新成立的黨對是否參加國民大會也不表態。蔣介石要召開國民大會，制訂憲法，自然要爭取民主社會黨，爭取張君勱。

當年 9、10 月間，張君勱即得到消息，蔣介石要採用張君勱起草的《憲草》。11 月 1 日，蔣介石致電張君勱在東北的弟弟張嘉璈，要他赴南京面商。4 日，蔣介石面告張嘉璈，要他勸說乃兄君勱"採取獨立立場，勿受共方影響"。

1 《"總統"蔣公大事長編初稿》，總 2991 頁。
2 《中美關係資料彙編》第 1 輯，第 672 頁。
3 《"總統"蔣公大事長編初稿》，總 3936 頁。
4 《中美關係資料彙編》第 1 輯，第 692 頁。

蔣稱：如民社黨肯於提出國大代表名單，則青年黨亦可提名。蔣介石保證：（1）
憲法可照政協決定原則通過；（2）如第三方面提出名單，同時要求停戰，政府
可以照辦；（3）國大開會後，即改組政府。蔣介石表示："君勱居於舉足輕重之
地位，可做一歷史上有意義之舉動，希望張嘉璈勸說，促成其事。"[1] 同月 5 日，
張嘉璈到蔣介石處午餐，蔣詢問已否與君勱談過。張答以"已談過"。蔣不以
為然，囑"多多與君勱接洽"。

11 月 8 日，蔣介石發表聲明，表示國民大會將於 11 月 12 日如期召開，
"政府擬向國民大會提出憲草審議會未完成之修正草案，此次國民大會閉會以
後，六各月內，即依照憲法舉行全國普選，各黨派與全國人民屆時均可自由競
選"。[2] 所謂"憲草審議會未完成之修正草案"實際上就是政協會議通過的《憲
草修改原則》和張君勱在此基礎上起草的憲法草案。14 日，張嘉璈與吳鐵成等
同訪張君勱。張君勱態度鬆動，表示在此情況之下，只須政府實行政協決議即
可。事後張嘉璈向蔣介石彙報，蔣"誠懇"表示，"希望君勱出而完成憲法"。[3]

國民大會原訂的開幕日是 11 月 12 日，這一天是孫中山誕辰，由於政協會
議第三方面意見，決定延期三天，至 15 日開幕。14 日晚，青年黨和民社黨尚
未決定是否出席。當晚，蔣介石、吳鐵成、王世杰、雷震 4 人會議。蔣介石對
雷震說："儆寰兄，今天晚上去上海邀請民社黨參加國民大會，並告訴張君勱
說，政府一定提出憲草來討論，並照政協憲草通過。"[4] 雷震知道蔣介石此時"正
如熱鍋上的螞蟻，心中很著急"，便答應出馬斡旋。

雷震首先拜訪民主社會黨骨幹蔣勻田，轉達蔣介石以政協憲草作為國民大
會制憲藍本的決定。蔣勻田認為"這確是一件明智的舉動"，表態說："如果蔣
先生保證國民大會能夠通過政協憲草而不大打折扣，我想君勱老師會願意民社
黨去參加的。"二人隨後拜訪張君勱，雷震開門見山地說出蔣介石請民社黨參
加國民大會，已決定提出政協憲草為討論的基礎，且保證不推翻政協憲草的基
本原則，只有在文字上可能有若干修正。經過雷震三個小時的說明，張君勱感

1　《張公權先生年譜長編初稿》。
2　《"總統"蔣公大事長編初稿》，總 3050 頁。
3　《張公權先生年譜長編初稿》。
4　雷震：《制憲述要》，台北桂冠圖書公司 1989 年版，第 10 頁。

到滿意。[1]

11 月 16 日晨，雷震拜訪民主社會黨中央常委兼宣傳部部長徐傅霖。徐一再提醒雷震：要通過政協憲草，國民黨不可口是心非，在國民大會席上，仗著人多勢眾，強迫通過違反政協憲草原則的條文。徐要求雷務必向蔣介石報告，說明民社黨的態度：如違反政協憲草原則，民社黨就會退出，即令鬧得不歡而散，亦在所不惜也。當日，民社黨中常會決議，國民大會須依政協憲草，在此原則之下，民社黨參加國民大會。

回到南京後，蔣介石要雷震擔任國民大會副秘書長，對雷說："請你擔任副秘書長的目的，是要你負責設法通過政協憲草，務使民、青兩黨不致因國民黨人要恢復《五五憲草》而退席。此次國民大會之制憲，為中外人士所矚目，希望順利進行，切不可中途出問題。如有問題發生，你不能解決時，你可隨時來問我，我一定通知國民黨團解決問題。"[2]

11 月 20 日，張君勱致函蔣介石，要求 "徹底實現政協決議"，其第一條即為："政協憲草審議會所修改之憲章，應在國大之內，各方應負責使其通過。"[3] 次日，蔣介石復函張君勱，聲稱 "函中所舉諸端，均為政府所當為，亦為中正個人所願竭其全力以求其實現者"。蔣介石表示，希望民社黨與國民黨通力合作，出席國大，完成建國大業。11 月 23 日，民社黨提出參加國民大會代表名單，但張君勱聲明，不擔任任何名義。他本人後來也沒有出席國民大會。其原因，雷震稱："蓋其內心已厭惡蔣中正的為人，不僅獨裁攬權和自私自利，還目中無人，只知有自己而不知有他人，所以此生再不願和蔣中正共事。"

蔣介石不僅向張君勱，實際上也是向中共和民盟讓步，同意他曾經激烈反對過的《憲草修改原則》，而且也在國民代表大會上動員代表們接受根據這些原則所製訂的憲法。

11 月 15 日，國民代表大會在南京開幕，應到代表 2050 人，實到代表 1355 人。11 月 18 日，蔣介石在國府總理紀念週上對國民黨中的國大代表演講，宣稱 "這次國民大會召開的時候，我們不惜一再忍讓，想盡方法，要請各黨派

1　雷震：《制憲述要》，第 21 頁。
2　同上，第 10、21、30—31 頁。
3　同上，第 34 頁。

來參加"，而且"希望大家在這三個星期內，務須特別忍耐，顧全大體"。[1] 19日，國民黨與青年黨、民社黨及無黨派人士組成的憲草審議會兩次會商，整理補充，審議完畢。20日，國民黨中常會通過《中華民國憲法草案修正案》。22日，立法院審議該案，到會 51 人，以 34 票多數通過。23日，雷震向蔣介石報告，民主社會黨決定參加國民大會，並已提出名單。25日，國民大會舉行第一次會議。

鑒於在國民大會中，仍有國民黨代表想修改政協所確定的原則，加入部分《五五憲草》條文。25日，蔣介石再次在紀念週上演講，說明當初《憲草修改原則》引起"誤解"，孫科等人受到"責難"，要求大家了解"當時國內外革命環境的複雜惡劣和協商的艱難曲折"，體諒孫科等人的困難。他說："我覺得我們從事革命工作，最重要的是要重視政治的因素，要認清政治環境，講求政治策略。就本黨當前所處的國內外環境而言，我們在政治上最迫切的需要，莫過於制頒憲法，實施憲政。我們在這個時候制憲，固然要求其不違背我們的革命理想，而尤其重要的是要頒佈以後能夠得到各黨派及無黨派人士的擁護而順利施行。否則即使制定一部極完滿的憲法，而不能順利施行，不僅無補於實際，而且事實上必使本黨政治環境愈趨惡劣，政治運用歸於失敗。"他要求代表們"適應目前政治的現狀"，"通權達變"，因時制宜，接受根據上述原則所製定的憲法。接著，他極為坦率地說明，這是為了和共產黨鬥爭的需要，目的在於打破中共的宣傳攻勢，解除國民黨在外交上面臨的窘境。他說："我們現在所要採取的步驟，是如何在這惡劣的環境下，打破共產黨中傷本黨的陰謀。現在共產黨的陰謀最成功的一點便是向國際上宣傳，說本黨一黨專政，實行獨裁，說這次國民大會是一黨的會議，必將制訂法西斯的憲法。這種錯誤的觀念，以訛傳訛，已經深入外人的心理，使政府在外交上的運用，處於很不利的地位。我們現在召開國民大會制訂憲法，就是要用事實來打破共產黨的宣傳，使共產黨無法藉口，使國際輿論明了本黨實行民主的真誠。"[2] 蔣介石的這一段話說明，中共輿論宣傳的重磅炮火起了作用，他可以不理睬中共說什麼，但是，所擔心的

1　《忍辱負重表現建國精神》，《"總統"蔣公思想言論總集》卷 21，第 450—451 頁。

2　《本黨對國民大會和憲法問題應有的態度》，《"總統"蔣公思想言論總集》卷 21，第 457—459 頁。

乃是中共的宣傳的國際影響。

　　11月28日，國民大會舉行第三次大會，蔣介石代表國民政府提出《中華民國憲法草案》由大會主席胡適代表全體代表接受。蔣介石發表演說，聲稱孫中山發明的五權憲法"是世界上最新的、最進步的憲法"，"為什麼政府今天提出的憲草與國父的五權憲法有不能完全符合之處"。他表示，"制憲的責任則在於代表諸君"，"一定要至公、至誠，純粹為國家的安寧和人民的福利著想"。"切不可膠柱鼓瑟，更不可削足適履，忽略民眾的需要，無視時代的因素。"當日，青年黨代表余家菊、民社黨代表楊俊明發表談話，稱讚會議提出的憲法草案"內容隨時代而進步，卻能反映全國各方面之意見"。12月2日，蔣介石再次在國府紀念週上演講，承認《五五憲草》確有"總統權力過大的毛病"，而這種毛病，會導致總統濫用職權，侵犯人民權利。他說："《五五憲草》中規定總統權力過大，難免不侵害人民的政權，貽害於國家民族，為了國家的利益，民族的前途，我不能提出五五憲草於國民大會，只能提出修正的草案。要行使權能區分的政治制度，必須行使政權的人民有充分的能力，如果人民智識水準低落，政治興趣單薄，民主的習慣尚未養成，社會政治的組織不夠嚴密，將來總統就不免要濫用職權，侵犯人民的政權，破壞民主的根本，這就是無形之中違背了總理遺教，損害了總理遺教的尊嚴。"[1] 12月25日，《中華民國憲法草案》三讀通過，制憲任務完成，國大閉幕。1947年1月13日，蔣介石在中央黨部與國民政府聯合紀念週講："去年最大的成就，就是11月25日國民大會憲法的制定。這項工作的完成，確立了民主政治的基礎，可以說是我國歷史上劃時代的一件大事，也是本黨同志五十年來領導國民革命的一大成功，可以告慰於總理與先烈的在天之靈。"[2] 經歷種種風波與曲折，新憲法終於制訂並且通過，蔣介石感到一種勝利的喜悅。本文一開頭所引感激孫科的那段日記就是在這種心態下寫出來的。

1　《"總統"蔣公思想言論總集》卷21，第472頁。
2　《上年度黨政軍工作之總檢討》，《"總統"蔣公思想言論總集》卷22，第6頁。

八、蔣介石採用增加《臨時條款》的辦法，擴大總統權力

　　新憲法雖然制訂了，也通過了，雷震表示："《中華民國憲法》雖和政協憲草原案有若干出入，但重要的原則，一點沒有變更。"馬歇爾稱："事實上，國民大會業已制定一項民主之憲法，其中主要部分均與去年 1 月各黨派政治協商會議決定之原則相符合。不幸共產黨未能認為可以參加此次之大會，而該會通過之憲法，則似已包括彼等所要求的各個主要的事項在內。"[1] 1947 年 1 月 20 日，國民黨中央宣傳部發表聲明，宣稱國民大會"其所通過之憲法，亦即根據共產黨與各黨派共同參加之政協所協議之原則，及憲草審議會根據該項原則所編成之憲法草案，中共實無理由加以拒絕。"[2] 但是，蔣介石所期望的"能夠得到各黨派及無黨派人士的擁護而順利施行"的情況並沒有出現，中共和民盟都持強烈批判態度，稱之為"偽憲法"。11 月 16 日，周恩來即在南京向新聞界發表書面聲明，指責國民大會是國民黨政府"違背政協決議與全國民意而由一黨政府單獨召開的，中國共產黨堅決反對"。他預測，大會通過的所謂憲法，必將"把獨裁'合法'化，把內戰'合法'化，把分裂'合法'化，把出賣國家與人民利益'合法'化。"[3] 1947 年 1 月 29 日，中共中央宣傳部長陸定一發表聲明，將之稱為袁世凱、曹錕以來的"第三個偽憲"，命令蔣介石取消。聲明稱："蔣介石的偽憲，其憲草從未經過政治協商會議最後審查過。其中的主要原則問題，如人民權利，少數民族自治法與行政的關係，地方均權等，那裏符合於'政協協議原則'？蔣介石不肯取消這樣醜惡的法西斯的偽憲，才是'固執己見'，貽害全國，背叛人民，背叛民族，決心反動到底。"[4]

　　轉眼就到了 1948 年，要召開國民大會行憲，選舉總統了。是否要參加總統競選呢？蔣介石很矛盾。參加吧？當選的機會可以說百分之百，但是，根據新憲法，總統"虛位"，實權在行政院。當這樣的總統沒有多大意思，所以蔣介

1　《美總統特使個人的聲明》，1947 年 1 月 7 日，《中美關係資料彙編》第 1 輯，第 709 頁。
2　《中美關係資料彙編》第 1 輯，第 709 頁。
3　同上，第 698 頁。
4　同上，第 711—712 頁。

石一度想讓胡適出來競選，自己出任總參謀長或行政院長，掌握實權，與中共決戰。4月4日，閻錫山致函蔣介石說："按我們的憲法，總統制、內閣制兩不健全，無論何人作行政院院長，亦非鈞座主持不可，但鈞座若以總統之地位主持，勢必遭受破壞責任內閣之責備。山意鈞座將大總統一席選一元老，鈞座親任行政院院長兼國防部部長，宣示國人，破釜沉舟，號召天下愛國者來與匪決戰。"[1] 應該承認，閻錫山老於政治經驗，他看出了"虛位"總統對於蔣介石權力的巨大損傷。4月6日，蔣介石復函閻錫山，聲稱"至理名言，先獲我心，感佩何似！國大召集以來，弟已一本如兄所言，積極策進，無如環境與事業終不許可，今將成為夢想矣。"[2]

為了彌補"虛位"總統對蔣介石權力的削弱，陳立夫、吳鐵成、吳忠信、張群、王世杰等人想了些包括修改憲法在內的辦法，最後，決定在不修憲的前提下，以"動員戡亂"為理由，增加"臨時條款"，用以擴大總統權力。"魚，我所欲也；熊掌，亦我所欲也。"通過臨時條款，蔣介石高高興興地接受推舉，當選為中華民國總統。權力和榮譽兼而有之。既得到"魚"，也得到了"熊掌"。有關情況，下文《蔣介石推薦胡適參選總統前後》有闡述，茲不贅述。[3]

1　台北"國史館"檔案，002-0000000414A-083。
2　台北"國史館"檔案，002-020400-00010-084b。
3　《近代史研究》，2011年第2期。

蔣介石推薦胡適參選總統前後 *

* 本文錄自《找尋真實的蔣介石：還原 13 個歷史真相》，九州出版社 2014 年版；原載《近代史研究》2011 年第 2 期。

1948 年 3 月底，國民黨召開行憲國民大會，選舉總統、副總統，蔣介石曾擬退出競選，推薦胡適為總統候選人。蔣介石長期追求權力，他為何在此時有此考慮？關於此事，當時的美國駐華大使司徒雷登曾向國務院馬歇爾報告說："不管這是否是計劃好的，蔣委員長這一行動是一個巧妙的政治手段。"[1] 此言有無道理？

一、李宗仁第一個提議

　　第一個建議胡適參加總競選總統的是李宗仁。

　　抗戰勝利後，李宗仁被任命為軍事委員會委員長北平行營主任。1946 年 9 月，改稱國民政府主席北平行轅主任。由於他在抗日戰爭中的戰績，也由於他對學生運動採取柔性政策，注意聯繫教育界人士，被認為作風開明，有一定社會聲譽。國民黨決定於 1948 年召開國民大會，選舉正、副總統後，他積極準備參加競選副總統。其想法是"挺身而出，加入中央政府，對徹底腐化了的國民黨政權作起死回生的民主改革，以挽狂瀾於既倒"。[2] 他曾對黃紹竑說："國民黨政權在現在人民眼中已反動透頂，但是一般人民又怕共產黨，因此大家都希望

1　《中美關係資料彙編》第 1 輯，第 859 頁。
2　《李宗仁回憶錄》（下），第 273 頁。

190

我們黨內有像我這樣比較開明而敢做敢為的人出來輔佐蔣先生，換換空氣。"[1]

1948 年 1 月，他率先成立競選辦事處，並在 8 日北平的外籍記者招待會上透露，確有競選副總統之意，不過，他也聲明，"尚未徵得蔣先生的同意"。[2]

1 月 11 日晨，時任北大校長的胡適致函李宗仁，鼓勵他參加競選，函中引用自己早年所作《中國公學運動會歌》第一章："健兒們！大家上前，只一人第一，要個個爭先，勝固可喜，敗也欣然。健兒們！大家向前。"並稱：第一雖只一個，還得要大家加入賽跑，那個第一才是第一。我極佩服先生此舉，故寫此短信，表示敬佩，並表示贊成。13 日，北平《新生報》登載《南京通訊》，題為《假如蔣主席不參加競選，誰能當選第一任大總統》，其中提到胡適的名字。14 日，李宗仁復函胡適，告以《新生報》所登通訊，並說："我以為蔣主席會競選，而且以他的偉大人格與崇高勳望，當選的成分一定很高，但我覺得先生也應本著'大家加入賽跑'的意義，來參加大總統的競選。此次是行憲後第一屆大選，要多些人來參加，才能充分體現民主的精神。參加的候選人除了蔣主席之外，以學問聲望論，先生不但應當仁不讓，而且是義不容辭的。"胡適收到此信後，只將有關報紙剪存，並未動心。

在南京的蔣介石 15 日就得知北平李、胡之間的通信。當日日記云："李宗仁自動競選副總統而要求胡適競選大總統，其用心可知，但余反因此而自慰，因為無上之佳音。只要能有人願負責接替重任，余必全力協助其成功，務使我人民與部下皆能安心服務，勿為共匪乘機擴大叛亂則幸矣。"17 日，在《上星期反省錄》中寫道："桂系攜貳益顯"，"皆足顧慮"。

這是蔣介石日記中關於胡適競選一事的最初記載。

李宗仁是桂系領袖，和蔣介石有矛盾。1927 年至 1936 年之間，李宗仁曾多次參加或領導反蔣軍事行動。抗戰期間，為團結抗日，蔣桂矛盾緩和。抗戰勝利後，蔣介石派李宗仁到北平，掌控北部中國，蔣、李之間尚無直接衝突，但是，這一時期，蔣介石聲望日降，而李宗仁聲望日升。還在 1947 年 9 月 8

---

1 《李宗仁回憶錄》（下），第 375—376 頁。
2 《李宗仁回憶錄》（下），第 376 頁。同書又云：李宗仁曾託白崇禧和吳忠信報蔣："不久，得白、吳兩君復電，俱說，介公之意國民大會為實行民主的初步，我黨同志均可公開競選，介公對任何人皆毫無成見云云。"此說恐不確。

日，司徒雷登就曾向美國國務院報告彙報其北平之行的情況：“在學生中間，作為國民黨統治象徵的蔣介石，已經大大喪失了他的地位。大多數的學生，甚至毫不客氣地認為他是完蛋了。”“李宗仁上將日益獲得了公眾的信賴。似乎沒有理由相信他不忠於國民政府的謠言。”[1] 1948 年 1 月 8 日的記者招待會上，李宗仁又著力宣揚自己受到各地人民的擁護。他說：“余為華南人，珠江流域人民無疑將為余之支持者。北伐後，余曾駐防武漢，當給長江流域人民以良好印象。抗戰時余曾在徐州作戰，勝利後復來華北，故與黃河流域人民亦有深切之關係。此次寧夏馬主席過平，亦允加以支持，且支持余者將包括各階層。如去歲全國各地普遍發生學潮，北平幸未發生不幸事件，皆因余持客觀態度，相信學生本意好，故學生對余之印象亦甚良好。”關於政治主張，李並未多說，僅稱：“中國自身亦可逐漸解決其問題，並非必須美援，假如有美援，問題可解決較快耳！中國願與美保持傳統友義。中蘇國境毗連，亦望能維持友好關係。”[2] 這種政見，也與蔣介石當時的親美反蘇主張不同。

歷史積怨，加上李宗仁“自動”參選等種種情況，引起蔣介石的警惕，懷疑其“用心”，並進一步懷疑桂系“攜貳”。

二、軍統的兩封情報促使蔣介石思考

就在李宗仁建議胡適參加競選總統之際，軍統送呈的兩封電報促使蔣介石就此問題作進一步思考。

一封情報是軍統局次長鄭介民的報告。該報告稱：1 月 13 日晨，《大公報》的胡霖通過電話請求與美國駐華大使司徒雷登談話，司徒當即邀胡於當日中午至大使館午餐。午餐時，胡霖自稱代表上海文化教育界、銀行界、商界，約六十餘人建議：“值茲全盤混亂，局勢動蕩之時，同人等不願共產黨成功，但因目睹政府環境惡劣，擬請蔣主席下野，以六個月為期，在此期內，政府由張岳軍負責支撐，未識大使意見如何？”司徒答稱：“此事須本人請示美國政府，並

---

1 《中美關係資料彙編》第 1 輯，世界知識出版社 1957 年版，第 299—300 頁。
2 《申報》，1948 年 1 月 9 日，第 1 張第 1 版。

請將此項意見用書面寫出，俾作根據。至本人私人意見，蔣主席斷不能下野，下野則全國必混亂不可收拾。"談話時，傅涇波在座。14日，傅將談話情況面告鄭介民。鄭即將有關情況向蔣彙報。[1]

這一封情報向蔣介石傳達的資訊是：胡霖等上海人士對蔣不滿，正在爭取美國人的支持，要求蔣"下野"。對此，蔣介石極為憤恨。他在日記中大罵胡霖"本陰險政客，萬不料其卑劣無恥至此，是誠洋奴成性，不知國家為何物"。由此，他進一步指責一般知識份子和名流嚴重喪失"民族自信心"，"均以洋人為神聖，國事皆以外國態度為轉移。"不過，他並不準備妥協，日記云："若不積極奮鬥，何以保種與立國也！對於此種陰謀，惟有置之不理，以不值一笑視之！"[2] 19日晚，蔣介石思前想後，不能成眠。第二天，繼續思考，認為胡霖等人的行為是"告洋狀"，其目的在於"急欲推倒中央政府以為其自保地步"，進而想到文武官吏普遍悲觀、消沉，沒有人相信他的必可"平定匪亂"的保證，在日記中憤憤地寫下了"殊為可痛"四字。

另一封情報是1月13日軍統上海站的密函，該函報告稱：美政府有力人士正醞釀一項希望蔣介石"讓位"的運動，其理由為：1. 蔣介石本有三張牌，即孔祥熙、宋子文、張群。孔下，宋上；宋下、孔上。現在三張牌均已出盡，但"政府之貪污無能，更有加無已"，"故中國今後如不有改轍易轍、大事更張之辦法，實難有改進復興之望。"2. 蔣介石主政二十年，"思想陳舊、性復固執，且極易受人之包圍，不能發揮有效之力量"，"故中國政局不能改善之最大責任，實應由蔣主席負之"。密報認為，此項運動的主導者是美國的馬歇爾和中國的政學系首要。馬之所以主張去蔣，原因在於中共"絕不妥協"和蔣介石固執守舊，致使調停不成，懷恨在心。政學系則有幹部在美活動。王世杰、張君勱等對蔣均有較多批評。馮玉祥則勸告美國政府"不可以軍械援助中國現政府，否則徒為共黨間接致送武器，必須俟中國政府首腦部整個改組後，始可授以軍械"。密報認為，馮玉祥的背後是馬歇爾。

這一封情報向蔣介石傳達的資訊是：美國人也對蔣介石嚴重不滿，準備

---

1 《情報》，1948年1月14日。台北"國史館"藏光碟，00506。

2 《蔣介石日記》（手稿本），1948年1月19日。

"換馬"。這對蔣介石不能不是嚴重的刺激,也不能不引起他的重視。1948年1月17日,蔣介石在《上星期反省錄》中提出,擬作"讓賢選能"的準備,在國民大會召開時,本人不加入競選,"交出政權",推出國內"無黨派名流"為"大總統",自己暫任參謀總長,以協助繼任者。這一則《反省錄》顯然是在得知美國準備"換馬"之後的對策。他準備讓出總統名位,改任參謀總長,以便牢牢掌握所有國家權力中最重要的權力——軍權,繼續指揮"剿共"。

蔣介石早已深知美國人對他的不滿,也十分擔心美國人"換馬"。1947年8月24日,魏德邁結束訪華,在南京發表聲明,聲稱中國的復興工作,"正有待於令人振奮的領導"。[1] 蔣介石非常緊張,曾向司徒雷登的私人秘書傅涇波探詢,美國是否"有意迫其退休或改職"。[2] 他在日日記中寫道:"近察美國形態,其政策已以我為其對象,志在先倒我而後達其統治中國之目的。如美國果有此政策,不僅為遠東之害,而且為美國之禍。余惟有自力更生,不偏不倚中以求獨立與自強。他日果能如此,未始非美國今日侮華卑劣政策之所賜也。"[3] 可以看出,當時他還自覺有力量,以"不偏不倚"和"獨立與自強"自勵,然而時隔數月,形勢變化,蔣介石威望日低,他不得不改變策略,準備進一步滿足美國人的要求了。

三、在廬山休息期間決策

儘管蔣介石認為胡霖等人的行為"不值一笑",然而事實上,他不能不重視。2月10日為農曆戊子年除夕,蔣介石和宋美齡於8日相偕赴廬山休息。除夕這一天,蔣介石"勉效少年度歲之樂",於宴會後放花、放鞭炮,讓宋美齡一時很高興,但是,更多時間,蔣介石、宋美齡這對夫婦並高興不起來。

蔣介石夫婦上廬山之前,上海接連發生同濟大學學生圍打市長吳國楨,舞女千人搗毀上海市政府社會局,新申紗廠工人罷工等群體性事件,使蔣介石痛

---

1 《中美關係資料彙編》第1輯,第302頁。
2 《中美關係資料彙編》第1輯,第303頁。
3 《蔣介石日記》(手稿本),1948年8月25日。

感 "事業日艱，經濟困窘，社會不安"，尤其使他揪心的是百姓和幹部 "對領袖之信仰心亦不存在"。[1]上廬山之後，爭取美國軍事援助的巨大困難又擺到了他面前。

2 月 18 日，蔣介石接到顧維鈞和新近赴美的中國技術團團長貝祖詒的電報，得知美國總統杜魯門已向國會提交五億七千萬美元的經濟援華法案，其中五億一千萬元用於購運必需物資，減輕日趨嚴重的經濟形勢，其餘六千萬元用於恢復運輸、燃料、電力及輸出工業。19 日，司徒雷登為此發表聲明（《告中國人民書》），對當時中國的政治狀況和國民黨的統治提出了多方面的批評，如 "把他們政黨和他們個人利益置於受難人民的利益之上"，"對於他們的黨抱著非常狂妄的忠誠，絕不容忍其他一切的政治信仰，他們所用的方法非常殘忍"，並且含蓄地批評國民黨的 "極權制度"，"有獨立思想的人，不是屈服於思想統制，就是被迅速清除"。聲明特別表示："人民必需不斷地使用開明輿論的力量，影響政府的舉措，以防止官吏的濫用職權。因此，這就需要言論和出版的自由和接觸客觀報導的新聞自由。在極權制度下，這些自由便不容存在。"[2]司徒雷登聲稱，他發表此文，意在要求中國 "愛好自由的愛國人士"，聯合全國人民，"一致參加建設性的演變進程，促進全國的統一以及和平的進步"，但是，其中包含的對國民黨統治的尖銳批評卻使蔣介石如芒在背。20 日，蔣介石日記云："聞美大使司徒昨日因其援華借款提出國會而又發表其侮華、背理、荒唐之宣言，可痛極矣。"[3]

然而，使蔣介石不能容忍的還不止於此。20 日，美國國會眾議院外交委員會開始審議援華法案，國務卿馬歇爾出席作證，說明中國經濟惡化，通貨膨脹，政府急需援助，但如穩定貨幣，需要巨額基金，"在戰爭消耗和內部分裂的當前情況下，這種巨額的基金，多半是要浪費掉的"，因此，美國的援華方案 "不應含有對於中國日後經濟的實際保證"，"美國在行動上不當置身於對中國政府的舉措及其政治、經濟和軍事的事務直接負責的地位"。[4]下午，在參眾兩院

1　《蔣介石日記》（手稿本），1948 年 2 月 1 日、3 日。
2　《中美關係資料彙編》第 1 輯，第 1010 頁。
3　《蔣介石日記》（手稿本），1948 年 2 月 20 日。
4　《中美關係資料彙編》第 1 輯，第 1008 頁。

外交委員會的聯席會議上，他再次表示："無論如何，中國政府已注定不是一個有力的盟友了。"[1] 對於馬歇爾的這些言論，蔣介石自然強烈不滿，當時，國民黨在東北戰場接連失敗，使蔣介石極度焦慮不安。2月1日，蔣介石成立東北"剿匪"總司令部，以衛立煌為總司令。2月7日，東北人民解放軍攻克遼陽。19日，再克鞍山。蔣介石既感到財力拮据，兵力不足，連子彈都極感匱乏。在此情況下，蔣介石雖然需要美國的經濟援助，但更需要的是美國的軍事，特別是軍火援助。美國國會議員中如周以德等人就主張以援助軍火為急務，但是，馬歇爾就是不同意，要蔣介石用外匯購買，在證詞中聲稱："中國為要供應這些額外的外匯需要，可以利用其本國的某些財政資源……而最後，於必要時，尚可利用中國所持有的黃金和外匯。按1948年1月1日的估計，兩項共值兩億七千四百萬美元。中國人若能增益其外匯純收入，此項總額即可隨之增加。"[2] 外匯為穩定國內貨幣，向外採購所必需，蔣介石一向非常疼惜。抗戰期間孔祥熙主管財政時，積累了數量可觀的外匯。宋子文接任後，為平抑物價大量拋售，消耗殆盡。蔣介石發現後，緊急剎車，事後常常為此痛心疾首。現在，馬歇爾卻要蔣介石使用所剩外匯向美國購買軍火，自然極為惱火。2月21日日記寫道："接閱馬歇爾復其司徒大使電意，對我接濟軍械之要求，仍以官話搪塞，毫無同情之心，對我東北危急之狀況亦置若罔聞。觀其答復議會對其援華不足之質問，乃推託於我政治、軍事之無能實效。議會督促其軍事援華，而彼以現款購械，必欲將我所餘三億美金之殘款外匯完全用罄而後乃快其心。"由此，蔣介石大發其對美國和對馬歇爾個人的一腔怨憤。他說："美國外交不講信義，無視責任，欺弱侮貧如此，其與今日之俄國，往日之德、日，究有何分別？然此惟馬之一人作梗，而與其整個國家平時之精神實相背矛。馬歇爾實為其國家之反動最烈之軍閥。若不速敗，其將貽害其美國前途無窮也。"在《上星期反省錄》中，他進一步批評司徒雷登的《告中國人民書》和馬歇爾在國會的證詞，"皆表現其侮華之狂態"，自稱"不勝為民族自尊心之痛憤"。[3] 22日，日記再次

1 《中華民國大事記》，1948年2月20日。
2 《中美關係資料彙編》第1輯，第1008—1009頁。
3 《蔣介石日記》（手稿本），1948年2月21日，原文為："其大使發言之荒謬及其馬歇爾在國會之答詞"，表述有誤，應指司徒的《告中國人民書》及馬歇爾在國會的證詞。

批評美國外交"幼稚"和司徒雷登"輕浮無知",為此憤憤不已。

2月26日,蔣介石接到張群電話,告以上海謠傳,蔣介石在盧山被刺,繼而謠傳,蔣介石辭職,"人心惶惑,物價飛漲,美鈔一元已漲至法幣30萬元。"就在這一天,蔣介石和宋美齡遊覽盧山名勝觀音橋,途中做出決定,於2月29日在《上月反省錄》中寫道:"最後半日遊觀音橋途中,對於本人在國大時為國民黨、為革命、為主義之利益與個人之出處已有一具體之決定,引以為慰。"蔣介石做出了怎樣的"具體之決定",日記沒有寫,但是後來,蔣命人為他編輯《事略稿本》時,就把它補明了。"今日形勢,對外關係,只有推胡適以自代,則美援可無遲滯之藉口。黨內自必反對,但必設法成全,以為救國之出路。"[1]這段記載將蔣介石推薦胡適參加總統競選的目的講得再清楚不過了。這就是:便於處理對美關係,贏取好感,改變美國人的印象,以便在獲取美援的過程中少一點阻礙和困難。就在蔣介石在盧山做出決策之前幾天,司徒雷登在南京發表談話說:"(中國)對外結合的工作,我固然願意推薦無黨無派的自由主義者。"[2]兩者之間的聯繫不是十分顯然嗎?

從抗戰後期起,蔣介石即多方設法,取得美國援助。抗戰勝利後,蔣介石打內戰,更形成了對美援的依賴。一方面,蔣介石對美國不滿,但另一方面,又不能不爭取美國在軍事和經濟方面的援助。蔣在盧山期間,美國國會雖然通過了援華法案,但是,美國政府卻多所藉口,只援經濟而不援軍事。2月29日,蔣介石與司徒雷登談話,談到美國國會的援助數額雖然不小,但是"最急、最需與最輕易之步機槍子彈則未贈一枚,而且其前此撥援之步機槍子彈亦不能分配十枚之數,此種緩不濟急之名援而實阻之不誠舉動,殊不知其意之所在。"當年4月8日,蔣介石親告胡適,推其競選總統的建議是他在牯嶺時"考慮的結果"。[3]為何蔣在牯嶺有此考慮呢?其因蓋在當時爭取美國軍事援助中碰到了困難。

---

1 《事略稿本》,1948年2月29日,002-060100-00234-029。

2 《司徒大使這樣說》,《中央日報》,1948年2月23日,第2版。

3 《胡適日記》,1948年4月8日。

四、蔣介石決定推薦胡適競選，
同時仍在為自己當總統做準備

2月8日，蔣介石夫婦上廬山之前，時任行政院長的張群抓機會與蔣介石見面，陳述對"戡亂行憲"的意見，涉及行政院與立法院的關係以及國大會議是否修改憲法等問題。蔣介石答稱："中華民國今日之基礎，不在政治與軍事之是否有力，而全在於余一人之生存。至於憲法與行憲問題，亦只有因應時宜，以革命手段斷然處置。"[1] 2月10日，張群轉告王世杰說：蔣介石自己對"是否做總統，尚須考慮。"關於蔣"考慮"的內容。王猜度說："憲法中有行政院對立法院負責之語，因此總統如過分干涉行政院，則與憲法精神不合。但時局如此危險，蔣先生如無充分權力，將不能應付一切。此當在蔣先生考慮之中。"[2] 1946年國民大會通過的《中華民國憲法》採取內閣制，規定"行政院為國家最高行政機構"，"對立法院負責"。至於總統，雖位居"元首"，對外代表國家，但只是"虛位"，對其權力有若干限制。如其第53條規定：總統任免官員須獲立法院或監察院同意，簽署命令須得到行政院長副署。其第39條規定：總統依法宣佈戒嚴，但須經立法院通過或追認。立法院認為必要時，得決議移請總統解嚴。第43條規定：國家遇有災害、防疫或財政經濟上有重大變故，總統可經行政院會議決議，發佈緊急命令，但須於一個月內提交立法院追認。如立法院不同意，該緊急命令立即失效等。這樣，總統的權力就受到很多限制。這些限制，自然為酷愛集權於一身的蔣介石所不願、不喜。

3月20日，蔣介石約集陳立夫、陳布雷等人開會，"指示國大代表資格與憲法及授權總統案之方針，分別與各方接談。"其中的"授權總統案"，結合後來張群、王世杰等在國大提出的《動員戡亂時期臨時條款》，顯然其目的在於擴大總統權力。

蔣介石可以推薦胡適競選，讓胡擔任"虛位"元首，但絕不會肯於讓他擔任超越憲法，具有實際巨大權力的總統。蔣介石對陳立夫、陳布雷等人的指示，說明蔣介石並不想真正讓出權力，其內心深處，還是準備自己當總統。

---

1 《蔣介石日記》（手稿本），1948年2月8日。
2 《王世杰日記》第6冊，1948年2月10日，台北"中央研究院"影印本，第173頁。

五、蔣經國上書蔣介石，建議蔣任行政院長

3月26日，蔣經國上書蔣介石，聲稱蔣出任總統，已經是一件"極其自然"之事，但本人仔細考慮之後，認為蔣以"謙辭總統，退任行政院長"最為適宜。其理由有三點："第一，足以表示在共亂未平前，對國家政治之負責精神。第二，足以表示對全國擁戴出任總統之謙讓精神。第三，可以避免行憲初期五院間之糾紛。"[1]

蔣經國所稱第一點理由，信中未作說明。當時，國民黨在內戰戰場上接連失敗，經濟惡化，通貨膨脹，社會不穩，這些，蔣介石自然負有不可推卸的責任。但是，蔣經國又無法向蔣介石言明，只能籠統地勸其"歉辭"，以示"對國家政治之負責精神"。關於第二點，他解釋說："全國民意均一致擁戴，大人出任總統，自難強其不選，但如能於當選後謙辭，而另以一德高望重之元老出任總統，固足發揚我國謙讓古德，尤可於行憲之前，發生政治教育作用。"蔣經國估計，蔣介石一定會當選，主張在當選後"謙辭"。何以如此呢？

此前各地進行的國民大會代表和立法委員選舉烏煙瘴氣，鬧得不可開交。本來，各地不少國民黨人為了擴大政治勢力，升官發財，都競相參選；再加上，國民黨為了成立"聯合政府"，做樣子給美國人看，特別給追隨自己的青年黨、民社黨留出若干名額，以示禮讓，這就使得有限的代表名額更為緊張，選風因而更為惡劣。1947年11月10日，蔣介石曾在中央黨部發表講話，要求國民黨員不計較個人榮譽地位，免致分散目標，削減力量，除由本黨決定列入的參選者外，其他人皆應發揚"多盡革命責任，不爭個人權利"的精神，專心致力於本身職務，不參加競選，以便多留名額，為"友黨人士"和"社會賢達"提供參政機會。[2]當時，蔣介石已被他的老家浙江奉化推舉為國民大會代表候選人。11日，蔣介石特別發表聲明，不擬參加競選，而將名額留給適宜的奉化地方人士，藉以"樹立民主之楷模"。事後，奉化參議會電陳，全縣人民"赤誠"擁戴，希望蔣介石萬勿謙辭，但蔣介石仍然復電辭謝。不過，蔣介石此舉並無

---

1 《蔣中正總統文物》，台北"國史館"藏，002-040700-00004-008。
2 《"總統"蔣公大事長編初稿》卷6（下），總3331頁。

多大效果，除顧祝同、陳誠、胡宗南、周至柔、湯恩伯等三十餘親信回應外，競爭仍然愈烈，以致國民黨中央不得不制定《自願退讓與友黨辦法》，以示鼓勵。蔣經國信中所說"政治教育作用"，顯然針對當時國民黨內普遍存在的爭權奪利現象，希望以蔣介石的"謙辭總統"作為救治藥方。

蔣經國所稱第三點，他解釋說："如能在行憲初期，大人出長行政院，使五院之間有一中心，不獨可避免五院間之糾紛，並足為行政、立法之間樹一良好基礎，永奠國家政治之安定。"孫中山提倡"五權憲法"，行政、立法、司法、考試、監察等五種權力互相制衡，蔣介石早就認為，五院制乃總統集權制之下方得實行，否則未得五權分立之效，而反生五院牽制糾紛之病。"[1] 蔣經國之所以勸蔣介石出任行政院長，其意在於使蔣成為"五院"的"中心"，仍收"總統集權制"之效。

蔣介石最初的想法是，如胡適競選總統成功，他自己出任"參謀總長"，掌握軍權；讀到蔣經國的信以後，他的想法變為改任"行政院長"，掌握包括軍權在內的全部行政權力了。

六、蔣介石託王世杰傳話，要胡適出來競選

蔣經國上書之後，蔣介石繼續思考"總統、副總統的人選"問題。其 3 月 27 日所書《本星期預定工作課目》第 8 條為："不任總統之影響與國家利害之研究"。第 9 條為："胡適任總統之利弊"。說明他仍有某種猶豫。

29 日，國民大會開幕。30 日，蔣介石約王世杰談話，坦率說明：在現行憲法之下，自己如擔任總統，將會受到很大的束縛，不能發揮能力，戡亂工作將會受到很大影響。[2] 蔣要王向參加大會的胡適傳話。本人"極願退讓"，不競選總統，提議胡適為總統候選人，自己願任行政院長，"負責輔佐"。[3]

胡適聽了王世杰的傳話之後，認為"這是一個很聰明很偉大的見解，可以

1 《蔣介石日記》（手稿本），1934 年 6 月 9 日。
2 《胡適之先生年譜長編初稿》第 6 冊，2022 頁。
3 《蔣介石日記》（手稿本），1948 年 3 月 30 日。

一新國內外的耳目"。他並表示："我也承認蔣公是很誠懇的"。王世杰就此鼓勵胡適"拿出勇氣來"。胡適當日在日記中寫道："但我實無此勇氣"。[1]第二天，胡適與王世杰、周鯁生談了三個小時，仍覺"沒有自信心"。當晚 8 點 1 刻，王世杰來討回信，胡適表示"接受"。他要王轉告蔣介石：第一，請蔣考慮更適合的人選；第二，如有困難，如有阻力，請蔣立即取消。"他對我完全沒有諾言的責任。"[2]4 月 1 日晚，胡適往見王世杰，聲稱"仔細想過，最後還是決定不幹。"他說："昨天是責任心逼我接受，今天還是責任心逼我取消昨天的接受。"[3]

國民黨長期實行黨治，以黨治國，推行一黨專政，因此，以國民黨黨魁擔任國家元首是常規，至少，也必須是國民黨員。現在，擬由無黨派人士競選並擔任總統，自然是對於"一黨專政"制度的局部修正。胡適之所以肯定蔣介石的建議是"很聰明、很偉大的見解"，其原因在此。

3 月 31 日上午，蔣介石繼續研究推舉胡適為總統的"得失"及其與"國家之利害、革命之成敗"的關係，日記自稱在做了"徹底考慮"之後，"乃下決心"。當晚，蔣介石與宋美齡巡視南京下關時，與宋"談推選與退讓之大旨"，向她透露消息。[4]同晚，蔣介石得知胡適接受推選，很高興，立即召見陳布雷，詳述旨意與決心，命陳先行告知戴季陶與吳稚暉二人，不要反對，他說："此乃黨國最大事件，余之決定必多人反對，但自信其非貫徹此一主張無法建國，而且剿匪、革命亦難成功也。"[5]4 月 1 日，與張群研究，得到支持。當日，陳雷來報：戴季陶主張總統不得退讓，"否則國基、民心全盤皆亂"。吳稚暉則贊同蔣的主張。蔣介石感到高興。當晚與戴季陶談話一小時多，終於將戴說服。

4 月 2 日，蔣介石召見陳立夫等，決定於 4 日召開國民黨臨時中央全會。

---

1 《胡適日記》，1948 年 3 月 30 日。
2 《胡適日記》，1948 年 3 月 31 日。
3 《胡適日記》，1948 年 4 月 1 日。
4 《蔣介石日記》，1948 年 3 月 31 日。
5 《蔣介石日記》，1948 年 4 月 1 日。

七、蔣介石勸退李宗仁與程潛

繼李宗仁之後，孫科、程潛、于右任陸續宣佈參選副總統。

孫科原是蔣介石預定的接班人。儘管抗戰期間，孫科主張親蘇，發表過若干反對獨裁的言論，使蔣極為不滿；儘管孫科貪錢愛色，使蔣介石骨子裏看不上他。但是，孫科是文人，尚能聽話，不像李宗仁、程潛，手頭有軍隊，易於另樹一幟，甚至反叛。因此，蔣介石決定勸退李宗仁和程潛。至於右任，蔣介石不認為會對自己、對孫科形成什麼威脅，沒有當回事兒。

蔣介石決定自己不參加競選總統，自然有了勸退李宗仁等人的本錢。4月2日，蔣介石先約白崇禧談話，宣稱"軍人不競選以垂範於後世"，"勿蹈民初之覆轍"，同時告訴白崇禧，自己已決定不選總統，要白轉告李宗仁，勿再競選副總統為要。[1] 4月3日晚，蔣介石約見李宗仁，勸李停止競選副總統，這次會見，兩人都極不愉快，李明確表示"很難從命"。對此，李宗仁回憶錄中有如下記載：

> 蔣說："我是不支持你的。我不支持你，你還選得到？"
> 這話使我惱火了，便說："這倒很難說。"
> "你一定選不到。" 蔣先生似乎也動氣了。
> "你看吧！" 我又不客氣地反駁他說："我可能選得到！"

接著，李宗仁便說明自己"天時"、"地利"都不利，但"我有一項長處，便是我是個誠實人，我又很易與人相處，我得一'人和'，我數十年來走遍中國，各界人士對我都很好，所以縱使委員長不支持我，我還是有希望當選的。"

蔣介石原來和李宗仁並坐在沙發上，這時滿面怒容，一下子便站起來走開，口中連說："你一定選不到，一定選不到！"

> 我也跟著站起來，說："委員長，我一定選得到！"

據李宗仁回憶，蔣介石"來回走個不停，氣得嘴裏直吐氣"。[2] 關於這一次

1　《蔣介石日記》（手稿本），1948年4月2日。
2　《李宗仁回憶錄》，第885—886頁。

見面，蔣介石日記記載說：「彼乃現醜陋之態。始而溫順，繼乃露其愚拙執拗之語，反黨、反政府之詞句，幾乎一如李濟深、馮玉祥之叛徒無異，甚至以國大提名讓黨非法之罪加之於余之意，及不惜分裂本黨相恫嚇。余只可憐其神志失常，故不再理解，聽之而已。」根據這一段日記，可以發現二人爭執的情況要比李宗仁的回憶更為嚴重。

蔣介石與李宗仁談話後，繼續會見程潛，勸其退出競選。程潛不肯退出，但蔣介石認為「其態度較佳」。

當晚，蔣介石會見陳布雷、陳立夫、吳鐵城等人，得知桂系以「分裂」、「不出席國大」、「推倒國大」相威脅，歎息說：「不惟不擇手段，且無廉恥，人之無恥，則不可收拾矣！」當夜，蔣介石再次不能入眠。

第二天，蔣介石再次召見白崇禧，告以昨晚與李宗仁談話情況，給蔣留下的印象是：「彼甚明理，不以彼等跋扈蠻橫為然也。」[1]

八、蔣介石向國民黨中央提出建議，遭到否決

4月4日，國民黨第六屆中央執行委員會臨時全體會議召開，討論總統、副總統提名問題。蔣介石在會上發表聲明，此前未就是否參選總統一事加以說明，其原因在於本人是黨員，應尊重黨的決策，接受黨的命令，在黨未決定以前，個人不能有所表示。他批評「本黨有人」擅自競選副總統，違反黨紀，宣稱自己已決定不參加總統競選，最好由本黨提出一黨外人士為候選人。此候選人應具備下列條件：1. 富有民主精神。2. 對中國之歷史文化有深切之了解。3. 對憲法能全力擁護，並忠心實行。4. 對國際問題、國際大勢，有深切之了解及研究。5. 忠於國家，富於民族思想。這 5 條幾乎是按照胡適的情況量身訂做的。蔣介石接著聲稱：這是他數月以來深思熟慮，基於革命形勢所得出的結論。「今日宜以黨國為重，而不計較個人得失，以達成中國國民黨數十年來為民主憲政奮鬥之本旨。」[2] 當日，除吳稚暉、羅家倫二人外，其餘出席者都不贊成

1 《蔣介石日記》（手稿本），1948 年 4 月 4 日。
2 《「總統」蔣公大事長編初稿》卷 7（上），總 3422—3423 頁。

蔣的意見，鄒魯並提議以"起立"方式表示擁戴"總裁"為總統候選人。羅文幹則建議修改《憲法》關於"總統職權"的規定，使蔣介石擔任總統後，能真正擔負"戡亂建國"的責任。會議一直開到晚上 7 點，蔣介石再次發言，警告稱：全會如不能貫徹自己的主張，則"剿匪"不能成功，本黨且將於二年之內蹈襲民國二年整個失敗的悲慘命運。會議仍然無人回應蔣的意見，不得已，決定將此案於次日移交中常會討論，做出決定後再向全會報告。

4 月 5 日晨，蔣介石先後約陳布雷、白崇禧、張群等人談話，商談總統候選人人選。蔣特別要張群在中常會上"作最後之奮鬥"。陳布雷向蔣介石說明，推舉黨外人士競選，在國民大會中實無把握，張則報告青年黨態度，認為必須由蔣擔任總統，大有"斯人不出，如蒼生何"之意。至此，蔣已不再堅持原意，三人繼續研究在不修改憲法的原則下，如何安定政局，推進"戡亂"工作。當日上午 10 時半，中常會召開部分人員參加的預備會。[1] 賀衷寒、袁守謙和與三青團有關係的常委主張接受蔣的意見，但張道藩、谷正綱和與 CC 系有關係的常委則反對，主張蔣繼續做總統。爭論激烈。張道藩聲淚俱下地表示："任何事情，我們都要堅決服從總裁指示，只有這件事情不能服從。"[2] 張群發言稱："總裁並不是不想當總統，而是依據憲法的規定，總統並沒有任何實際權力。它只是國家元首，而不是行政首長。他自然不願任此有名無實的職位。如果常會能提出一種辦法，賦予總統以一種特權，則總裁還是願意當選總統候選人的。"[3] 會議因而決議，推張群、陳布雷、陳立夫三人於中午向蔣徵詢意見。

當日中午，蔣介石得悉預備會情況，囑咐王世杰往見胡適，告以前議作罷。日記云："此心歉惶，不知所云，此為余一生對人最抱歉之事，好在除雪艇之外，並無其他一人知其已接受余之要求為總統候選人之經過也，故於其並無所損耳。"[4]

同日下午三時，孫科主持召開中常會談話會。出席 55 人，列席 23 人。會

1　此會無名稱，居正稱之為"小組會議"，見《居正日記書信未刊稿》第 3 冊，廣西師範大學出版社 2004 年版，第 115 頁。
2　《陸鏗回憶與懺悔錄》，台北時報出版公司 1997 年版，第 197—198 頁。
3　程思遠：《政壇回憶》，廣西人民出版社 1983 年版，第 180 頁。
4　《蔣介石日記》（手稿本），1948 年 4 月 5 日。

議決定提出一份《研究報告書》，認為蔣的意見既發揚孫中山"天下為公精神，為行憲伊始，立選賢與能之良好規範"，又體現"對戡亂建國積極負責，不計名位，為國家作實際有效之服務"的品格，但是，鑒於當前國事艱巨以及黨內外的殷切期望，"在事實上，非總裁躬膺重任，不足以奠立憲政治基礎"，因此，仍然推薦蔣介石為第一屆總統候選人。[1] 同時，會議並決定做成一項對外不發表的決議，推王寵惠、孫科、居正、李文範、陳布雷、張知本、張群、王世杰等8人負責研擬："如何在不修改憲法條文之原則下，使總統得切實負荷戡平共匪叛亂鞏固國家基礎之責任，使剿匪與動員事項得以適應事宜。"[2] 會後，王世杰等即負責起草《動員戡亂時期臨時條款》，以便給與蔣介石以"緊急應變的特殊許可權"。[3]

4月6日，國民黨中常會向六屆臨時中央全會提出《研究報告書》，會議決定，擁蔣參加競選，但黨不提名，國民黨黨員中的國大代表可依法連署提名，參加競選。同日，國民大會舉行第一次會議。其後，吳稚暉、于右任、張伯苓、胡適、梅貽琦、王雲五等一百餘人發起，共1489人聯署，推薦蔣介石為總統候選人。

8日，蔣介石邀胡適吃晚飯，再次致歉。他告訴胡適，不幸黨內沒有紀律，他的政策行不通。胡適對蔣稱："黨的高級幹部敢反對總裁的主張，這是好現狀，不是壞現狀。"蔣介石一再要胡適組織政黨，胡適答以"我不配組黨"，建議蔣將國民黨分化為兩三個政黨。[4]

關於國民黨高層反對蔣介石建議的情況，司徒雷登於4月6日向馬歇爾彙報說："國民黨對於這種建議的反映，是非常沮喪的情緒。雖然在新憲法之下，總統權力大大減少，但是國民黨的大多數黨員已長期習慣於以黨的領袖與總統

---

1 《"總統"蔣公大事長編初稿》卷7（上），總3424頁。
2 《陳布雷呈蔣中正中央常務委員談話會委員發言歸納整理》，轉引自劉維開：《中國國民黨六屆臨時中全會研究》，《1940年代的中國》，社科文獻出版社2009年版，第83頁。關於此次會議，程思遠回憶稱："陳布雷向會議彙報稱：如果能提出一套補救辦法，則總裁仍願出任總統候選人。王寵惠當即指出，避開憲法的有關規定，賦予總統在特定時期的緊急處分權力。他並比喻說：'我們有了一座大房子，還要一間小房子。憲法是大房子，臨時條款是小房子，兩間房子互相為用。' 陳布雷隨即提出一份'決議文'，宣稱根據'國家當前的形勢，正迫切需要總統的繼續領導'，建議在本屆國民大會中，增加'動員戡亂時期臨時條款'，規定總統在戡亂時期，得為緊急處分。"見《政壇回憶》，第181頁。
3 《王世杰日記》，1948年8月15日，第6冊，第178頁；參見《戰後中國》（2），第830頁。
4 《胡適日記》，1948年4月8日。

置於同等地位了，因此將委員長的建議極遭反對，理由是國民黨對政府的控制將因而削弱，而且目前的危機也使國家需要有一個有力的舵手。在一系列的會議之後，CC 派拒絕與任何非由蔣委員長擔任總統來領導的政府合作。黃埔系威脅寧願投奔共產黨也不願服務於除蔣介石以外的任何總統之下。國民黨領袖聯合提出蔣委員長是擔任總統一職的不可或缺的人。因之，蔣委員長屈服於國民黨的命令，他今天同意參加總統競選。"[1] 國民黨長期實行一黨專政，以黨統政，甚至以黨代政，自然不甘心對政權的控制作任何一點放鬆。

儘管蔣介石的參選已成定局，但是，蔣經國仍然於 4 月 14 日致函蔣介石，認為"以不出任大總統為上策"。函稱："此事不但針對目前之處境應採取此項決策，即以大人今後在我國歷史上之地位而論，亦以謙讓總統為是。"[2] 國民大會開幕前夕，有部分奉命"禮讓"的國民黨當選代表不願"禮讓"，宣言"絕食護憲"，住進會堂，企圖阻撓第二天開會，一直堅持到凌晨 4 點，被蔣介石命警察強行拖出。其中有人又抬出棺材，誓言以死抗爭。蔣介石於 29 日接見這部分代表，軟硬兼施，才算平息。此後，這批人並曾計劃搗毀會場，阻礙議事，鬧劇不斷。[3] 與此同時，民社黨、青年黨的代表名額雖然得到國民黨的"禮讓"，但仍不饜足，多方責難；幾個副總統候選人之間的競爭依然激烈，互不相讓。蔣介石曾經感歎：這些人"寧毀黨國，而不肯放棄絲毫之權利。"[4] 蔣經國於此時上書蔣介石，再次提出"謙讓總統"問題，當系針對此類情況而發。

九、蔣介石費盡心力，通過《動員戡亂時期臨時條款》

蔣介石對擴大總統權力的《動員戡亂時期臨時條款》極為重視。4 月 9 日，蔣介石親自找民社黨領袖張君勱談話，要他支持。張猶豫，蔣即答應給民社黨以經濟協助。[5] 12 日、14 日，蔣介石先後召集有關人員和出席國民大會的國民黨

---

1 《中美關係資料彙編》第 1 輯，第 859 頁。
2 《蔣經國家書》(4)，台北"國史館"藏，002-040700-00004-010。
3 《蔣介石日記》(手稿本)，1948 年 4 月 8 日。
4 《蔣介石日記》(手稿本)，1948 年 4 月 12 日。
5 《蔣介石日記》(手稿本)，1948 年 4 月 9 日。

黨團幹部討論、協調。16日，國民大會召開《臨時條款》審查會，討論終日，青年黨強烈反對，迫使蔣介石兩次召見該黨黨魁曾琦，"好言婉勸，百端忍受"，一直談到深夜10時，才得到曾琦的"半諾"。蔣介石長期習慣於一呼百應，何曾受過此等窩囊氣，日記云："困迫如此，殊非預料所及，灰心極矣！"[1] 17日，蔣介石首先召集出席會議的黨員代表2000人開會，"予以訓示"，使黨員代表通過《臨時條款》。接著，蔣介石又因《臨時條款》關涉憲法，到大會憲法組視察，發現那裏正為此"喧嘩不休，幾乎動手互毆"。蔣的出場具有震懾作用，《臨時條款》得以通過。散會時，蔣介石氣極，以"人民"資格將憲法組的代表們"訓戒"了一通。[2]

4月18日，國民大會公告，以蔣介石與居正為總統候選人。同日，國民大會開會，討論莫德惠等1202人提議制定的《動員戡亂時期臨時條款》，規定總統在"國家或人民遭遇緊急危難，或應付財政經濟上重大變故"時，可以"緊急處分"，不受憲法第39條或第43條的限制。這樣，總統的權力就不是縮小了，而是前所未有地擴大，可以不受憲法的限制了。討論時，田植萍批評此項條款的審查，"無守法精神"，"無民主精神"。[3] 蔣介石日記稱："情緒之緊張已達極點，幸事前佈置，反對最烈者或以余在座，皆略申其意，未作激辯，卒至12時1刻，三讀會通過，國大最大功用已經完成矣！"[4] 當日到會代表2045人，投贊成者1624人，可見，有大量代表反對。[5]

19日，蔣介石在出席代表2734人中以2430票當選，居正因蔣事先作了安排，得269票，沒有全失體面。20日，國民大會公告孫科、于右任、李宗仁、程潛、莫德惠、徐傅霖為副總統候選人。國民黨各派系的鬥爭更為激烈，致使國民大會開得更加烏煙瘴氣。有關情況，當另文研究。

總統選舉的塵埃落定，蔣在日記中卻多次表示，未能實現初衷，以黨外人士為候選人，又未能由黨來公決副總統候選人，是"革命運動無政策、無紀律

1 《蔣介石日記》（手稿本），1948年4月16日。
2 《蔣介石日記》（手稿本），1948年4月17日。
3 《中央日報》，1948年4月19日，第2版。
4 《蔣介石日記》（手稿本），1948年4月18日。
5 《中央日報》，1948年4月19日，第2版。

之重大失敗"。[1]據其 5 月 15 日日記記載：當日晨醒後，他曾考慮是否就職，或讓位於李宗仁，自己仍退任行政院長。思考再三，決定退讓，但起床後向"天父"禱告，"天父"默示"進"，蔣介石遂決定不辭。[2]

十、司徒雷登的評價與失望

蔣介石推出胡適競選總統，本意之一在於做給美國人看。4 月 2 日，傅涇波來見蔣介石，據稱馬歇爾致司徒雷登大使手書有"今日方知蔣主席人格之偉大"之語。[3]《紐約時報》、《前鋒論壇報》也都給予好評。然而，司徒雷登很快就看出其中的門道來了。4 月 6 日，司徒向馬歇爾報告，認為它是"一個巧妙的政治手段"，其後果是"確定了他的總統的地位，獲得了國民黨內對他的領導的擁護，擴大了他的權威"。

司徒雷登認為，國民黨內存在派系，對蔣的領導能力的不滿日益增加，蔣擔心黨內份子利用國民大會攻擊他的政策，以至促成黨的分裂，因此表示退出競選，建議國民黨支持非國民黨的競選人，其結果反而促成國民黨人對他競選總統的普遍擁戴，從而大大加強了自己的地位。這些原來準備批評他的人，"將來還可能不過分吹毛求疵地接受他的政策"。司徒雷登的這一估計有一定道理。由於蔣介石以退為進，國民大會上本來應該出現的對蔣介石的尖銳批評都消聲失音，代之以非蔣出任總統不可的喧鬧與鼓噪。4 月 10 日，有河南代表對蔣介石所作政治報告提了點不疼不癢的批評，認為"不夠詳盡，不能滿意"，結果，全場嘩然，引來大量"痛憤不平"的攻擊。[4]

司徒雷登的其他估計則未免過於樂觀和美化，例如，認為蔣介石此舉將使中共對國民黨的批評被迫從"獨夫統治"、"蔣政府"變為"國民黨政府"，可以答復國內外的其他批評者，蔣正在努力擴大"新政府的基礎"，甚至說：蔣介石此舉的動機"無疑地是由於需要國民黨內的更加團結"。等等。然而在

---

1 《上星期反省錄》，《蔣介石日記》（手稿本），1948 年 4 月 10 日。
2 《蔣介石日記》（手稿本），1948 年 5 月 15 日。
3 《蔣介石日記》（手稿本），1948 年 4 月 2 日。
4 《蔣介石日記》（手稿本），1948 年 4 月 10 日。

國民大會通過《動員戡亂時期臨時條款》後，司徒雷登立即看出了這一條款將"給予總統以實際上無限權力"。4月23日，在蔣介石被選舉為總統之後的第4天，他向馬歇爾報告說："他堅持著一種摧毀他自己的目的的政策。我相信他不是為了自私的動機而求獨裁的政權，但堅持這樣做是害了他自己，也害了國家。在他領導之下，事情越是惡化，他越是感到必須負起整個的重擔。"[1]不管蔣介石怎樣企圖為國民黨政權裝點民主的花飾，然而，司徒雷登還是很容易地看出，蔣介石所追求的是擴大權力，國民黨不是在走向民主，而是在進一步走向獨裁。5月6日，蔣介石會見司徒雷登，日記云："態度不良。"[2]顯然，司徒雷登正在不斷增加對蔣介石的失望與絕望。

還在抗戰期間，羅斯福總統就曾在開羅會議晤見蔣介石時明確地告訴他，當時的中國政府"決不能代表現代的民主"，必須"與延安方面握手，組織一個聯合政府"。[3]戰後美國對華政策發展為具有兩重性的政策，即一面扶蔣反共，一面指責蔣介石和國民黨長期實行的一黨專政制度以及其腐敗與無能，要求國民黨改革自己的統治方式。杜魯門就任總統後曾於1945年12月15日發表聲明："目前中國國民政府是'一黨政府'"，"如果這個政府的基礎加以擴大，容納國內其他政治黨派的話，即將推進中國的和平、團結和民主的改革。"[4]3月11日，國民大會召開日期臨近，杜魯門舉行記者招待會，明確表示，"希望中國自由份子將被容納到政府裏去"。[5]與此相應，蔣介石的對美政策也具有兩重性，即一面對美國政府的侵華企圖及其霸道有不滿，有警惕[6]，但又不能不依賴美援以維持統治，這樣，他就不能不在某些方面應付和敷衍美國人，在政治改革上做出若干讓步，例如，在一段時期內接受馬歇爾調停；改組國民政府，延攬非

1　《中美關係資料彙編》第1輯，第861頁。
2　《蔣介石日記》（手稿本），1948年5月6日。
3　羅斯福：《羅斯福見聞秘錄》，上海新群出版社1949年版，第155頁。
4　《中美關係資料彙編》第1輯，第629頁。
5　《中美關係資料彙編》第1輯，第316頁。
6　這個問題較複雜，須另文討論。茲舉一例：1948年年初，蔣介石準備派俞大維赴美爭取援助。俞大維行前，與美國公使館秘書克拉克談話，克稱：俞赴美，只能以遠東司司長為談判對手，馬歇爾不能接待。克並要求中國開闢南京與漢口為商埠作為援華條件。蔣介石得悉後，很生氣，決定俞停止赴美，同時向"天父"禱告、請示，可否對美表示絕交。連問三次，"天父"均示以不可。他在1月6日的日記中感歎："照常理決策，以為對頑固不靈之政敵，有詞可藉，有機可乘，非予以當頭一棒，使之有所覺悟不可，而神則再三示為不可。過後半日，乃發現余自主觀太強，思慮錯誤處。"

黨人士出任國府委員；不惜低聲下氣，乞求民社黨、青年黨等參加國民大會和政府機構等。他之所以推薦無黨派的名流胡適參加競選總統，也是這種讓步之一。無奈國民黨一黨專政、個人獨裁的痼疾已深，不受到刻骨銘心的沉痛打擊，難以做出真正的、有實質意義的改變。

附記：此文修訂過程中，承台北政治大學劉維開教授幫助，謹致謝意。

蔣介石槍斃孔祥熙親信及其反貪願望 *

—— 抗戰及戰後蔣介石相關日記的檢視

* 本文錄自《找尋真實的蔣介石：還原 13 個歷史真相》，九州出版社 2014 年版；原載《炎黃春秋》
2013 年第 10 期。

1942 年，抗戰處於艱難時期，蔣介石為整頓吏治，曾以嚴刑峻法和軍法審判兩手，從重、從嚴懲辦貪官污吏。他不顧姻親、行政院副院長孔祥熙的說情和反對，毅然判處孔的兩個親信，一死刑，一五年徒刑，並不許緩刑，企圖由此祛除貪污，修明政治。此後，蔣介石也曾多次、多方設法，甚至企圖開展"肅清貪污運動"，藉以解決普遍彌漫於國民黨官場的嚴重貪污現象。但是，由於種種原因，他雖曾命令自己的兒子蔣緯國退回非法取得的"敵產"，卻無力改變國民黨官場的普遍現實。在他主持的六屆四中全會上雖曾制訂《當前組織綱領》，規定黨員應登記財產，凡拒絕登記者不得成為國民黨員，但從未付之實行。貪腐現象日益發展、氾濫、強化，終於迫使人民對這一政權完全喪失信心和希望，蔣介石不得不敗走台灣。

一、孔祥熙親信林世良受賄，將商貨冒充公貨走私

　　抗戰中期，四川等地物價飛漲，走私猖獗，官員貪污、腐敗嚴重。這種情況，加重了國家財政危機。據 1940 年春統計，政府歲入僅及歲出的七分之一。同年 6 月 24 日，蔣介石召見軍統負責人戴笠，命其草擬改革計劃。11 月，決定在財政部之下設立緝私署，負責查緝走私漏稅事宜，以戴笠兼任署長，各省區同時設立緝私處。1941 年 6 月，第三次全國財經會議期間，戴笠提出"物資

為國家財源所系"，將緝私署的工作擴展到"物資"與"稅收"兩個方面。[1]

1941 年 1 月，日軍自泰國進攻緬甸，準備佔領緬甸南方港口城市仰光，威脅滇緬公路的運輸。滇緬公路修建於 1938 年，在滇越鐵路被日軍封鎖以後，滇緬公路成為中國聯繫外部世界的重要通道，中國政府向國外採購物資，國外援助中國的戰略物資，都要通過這條公路內運。大後方的經濟供應在很大程度上也要依賴這條公路。其間，自然也有部分政府官員、軍人、不法商人利用這條公路進行走私活動，大發國難財。

日軍進攻緬甸之後，仰光危急，國民政府儲存仰光的大量物資急需搶運回國，當地部分華商的貨物也急需運回國內，一時滇緬公路的運輸空前緊張起來。政府集中力量搶運公物，限制商貨。當年 3 月，在仰光的大成企業公司兼利通商行經理華商章德武，用 150 萬元買通中央信託局運輸處經理林世良，將價值 3 千萬元的汽車零件，如輪胎等物，分裝 35 輛卡車，利用中央信託局運照，偽稱公車和公貨，逃避檢查，企圖走私內運重慶，牟取暴利。經查覺，3 月 4 日，車、貨均被設在昆明的運輸統制局檢查處查扣。林世良出面掩飾，聲稱車、貨均為中央信託局辦理之件，但中央信託局昆明分局局長、副局長均不知此事。

中央信託局是 1935 年成立的國家級金融機構，理事長由中央銀行總裁孔祥熙兼任，下設購料、儲蓄、信託、保險、會計等五處。1938 年西遷重慶後，增設易貨處，辦理外貿及進口業務。1939 年增辦兵工儲料業務，自辦運輸，新設運輸科，主任為林世良。林為福建人，1907 年出生，畢業於蘇州東吳大學，曾任南京勵志社總幹事。受到孔祥熙青睞，被孔引薦進中央銀行，升任總務處長。一度擔任孔的機要助理。抗戰爆發，調香港任儲運處長，負責向國外訂購軍火，是中信局香港經理孔令侃手下的骨幹人物。後再調重慶，任中信局運輸科主任。不久，業務擴大，運輸科升為運輸處，林世良任經理。這是個既重要而又肥水極大的崗位。林世良英語流利，儀表翩翩，善於逢迎，常到孔府效勞，深得孔夫人宋藹齡寵愛。孔的大女兒孔令儀、二女兒孔令俊也都很喜歡

1　《戴笠在第三次全國財經會議提案》，緝私處檔案，存中國第二歷史檔案館。

他。據說，還曾是孔令俊的意中人。因此，蔣介石侍從室的高級幕僚唐縱說他"與孔公館關係太深"，這是事實。[1]

章德武的物資被扣後，林世良即以中信局運輸處名義出函，證明是公車、公貨，請予放行。其後，又趕回重慶，由孔令儀出面，央請中信局理事會主任秘書兼信託局經理許性初，補辦押匯手續。許性初是上海復旦大學畢業生，意大利皇家大學博士，回國後先在香港開辦書局，與孔令侃為莫逆之交；後任中央銀行專門委員。他接受孔令儀請託後，以私人名義復信，詭稱這批貨物本為大成公司所有，因無力運入國內，向中信局押匯一千萬元，由中信局運輸處派公車 35 輛裝運來渝，因此是公物，不能扣留，車與貨均應交中信局處理。[2]

3 月 12 日，重慶運輸統制局監察處派員到中信局購料處調查。根據規定，凡託買、押匯在一百萬元以上，必須報請中信局理事長（財政部長孔祥熙兼）批准，但許性初拿不出有關文件。3 月 13 日，林世良、許性初以中信局名義正式發函運輸統制局監察處，聲明依銀行慣例，該批貨物的抵押權屬於中信局，請監察處通知昆明檢查處即於放行。據說，林世良等並通過活動，以財政部兼部長孔祥熙的名義發出代電，飭令押運來渝，依法查明，交財政部處置。

二、蔣介石決定追究林世良，將貪污罪移歸軍法處理

林世良受賄、走私一案的發現者是軍統人員，案件迅速被報到蔣介石處。5 月 25 日，蔣介石決定"追究林世良"，同時決定將"財政貪污罪移歸軍法機關處治"[3]。5 月 27 日，蔣介石將此案批交軍法執行部總監何成濬"徹底訊究"，何在日記中寫道："此真駭人聽聞，舞弊受賄如此其巨，可謂膽大包天。此次彼輩不幸竟被查覺，以前未能查覺者，尚不知有若干次。林等皆重要官吏也，官吏失德，殊至矣盡矣，無以復加矣，懲治縱嚴，而效尤者是否能減少，無從預

1　唐縱：《在蔣介石身邊八年》，第 328 頁。
2　參閱呂恢琪：《重慶三千萬元物資走私案見聞》，《孔祥熙其人其事》，中國文史出版社 1987 年版，第 149—150 頁。
3　《蔣介石日記》，1942 年 5 月 25 日。

斷，本部對此等罪犯，固絕不絲毫寬恕也。"[1]

8月12日，重慶《大公報》以《大貪污案》為題發表消息，聲稱林世良"假借中央信託局名義，包運商貨，人車俱獲"。14日前後，監察院監委員俞奮、王述曾先後到何成濬處及中央信託局總局調查，又親赴處於重慶南岸的土橋審判組查閱全案卷宗。16日，《中央日報》發表了"監察院極為注意"的有關消息。[2] 此案牽涉孔祥熙家族，牽涉軍統與孔祥熙之間的矛盾，何成濬自述："因牽動政治上種種關係，有少數人藉此興風作浪，冀倒甲擁乙，奪取一部分政權，以擴張其一派勢力，故作過分宣傳，致引起各方驚疑也。此案內容複雜，但本部尚未偵訊，自不可妄加判斷。"[3]

8月19日，《大公報》發表社評《從林世良案說起》，首述"官吏貪污之事，可說是古今中外，無時不有，問題只看法律是否有靈"，次述幾千年中國史，此類現象，雖盛世也在所不免，關鍵在如何對待。《社評》由此論述"文明國家"與"陋野國家"的區別。文稱："一個國家政事繁賾，百僚有司，難保盡是循良之士，所以發生貪污案件，並不足為國家之羞，而有了貪官污吏，寬縱不懲，才是政府之恥。我們縱覽歷史，曠觀當世，大概可以這樣說，同是貪污之事，在治世大都明究法辦，不稍寬縱，在末世就盈目不視，充耳不聞，即使有人揭舉，而在究辦途中，也被庇護關說，使國法失靈。同是貪污案，在文明國家，就盡法明紀，使奸宄無所逃遁；在陋野國家，就毀法亂紀，百鬼晝行。同是污瑕不免，而是否加以滌除，則可藉以觀測一個國家的興衰文野。"《社評》認為，中國抗戰時期，"諸般政務，多屬非常。僨事之吏，溺職之官，所在多是"，關鍵在於政府能否"燭情盡法，以懲惡獎善"。《社評》批評當時存在的"唯恐暴露弱點""更怕揭開黑幕"的"姑息心理"，要求政府"忍痛開刀"。文稱："當前最易犯的一種姑息心理，就是唯恐暴露弱點，更怕揭開黑幕。在這種姑息心理之下，無意之間就可以掩蔽無限罪惡，滋長大量黑暗。我們應該掃除這種消極心理，有了弱點不怕暴露，而要積極的自強不息，真有黑幕，不惜揭

---

1 《何成濬戰時日記》，台北傳記文學出版社1986年版，第107頁。
2 《中央日報》，1942年8月16日。
3 《何成濬戰時日記》，第146頁。

開，使之射入大量的陽光。有病未必就死，但萬萬不可諱疾忌醫。毒在內部，快打血清；爛在外體，忍痛開刀。有病不可怕，最怕的是諱疾忌醫因而誤掉性命。毒蛇在手，壯士斷腕，而況癬疥之疾，何惜稍施去腐生肌之術！本此而言，林案在國家不足為弱點，果然有罪，法不寬縱，情不姑息，正足表現法紀之修，官箴之肅。"《社評》列舉抗戰期間國民政府嚴厲懲辦的各起貪污案件，說明"全國人士聞之，絲毫不感是暴露國家弱點，相反的，卻認為是國家勵精圖治，而人心感奮。我們對於林世良案的觀感也是如此，願見其究明底細，而盡法辦理"。[1]

蔣介石關注重慶國民政府中貪腐現象的發展，關注林世良案的偵訊進展。11月4日日記預定：調整與加強政府各院的監察機構，同時決定追究通城、鬱林等地的囤積案與林世良案。何成濬是個辦事勤慎，秉公執法的國民黨大員，經過何及各方努力，終於查明：1. 運輸卡車35輛均非中信局公物，分屬7名商人私有。2. 押匯1千萬元之事，純係偽造。3. 林世良假公濟私，違法瀆職，已非一次，偽稱押運，系其常用手段。[2]

案情雖已查明，何成濬認為"此案因含有政治關係，外間猜疑者頗多，造謠者亦頗多"，決定打破軍事法庭慣例，舉行公開審判。觀審者除邀請行政院、監察員派人外，又特令加入侍從室、司法行政部、運輸統制局、軍委會調查統計局、財政部、中央信託局等機關。[3] 11月14日，何成濬決定於17日舉行林世良案公開審判。當日觀審者計有監察院監察委員何基鴻、監察院秘書長程中行、行政院代表管歐、財政部代表方東、黃凱耀、軍委會調查統計局代表毛第元、運輸統計局代表譚齊、中央信託局代表羅吟圃、顏澤闓等人。《中央日報》、《時事新報》記者要求參加，何成濬也特予准許。這樣，林世良案遂"震動西南"，廣為社會所知。

1　《大公報》，1942年8月19日。
2　《戴雨農先生全集》（上），146—147頁。
3　《何成濬戰時日記》，第183頁。

三、孔祥熙說情，蔣介石不為所動，從嚴判決

12 月 5 日，孔祥熙約請何成濬、秦紹文（軍法執行副監）及許世英、徐堪、何鍵、楊虎、陳希曾等多人參加午宴。據何成濬日記記載："孔先生對林世良舞弊案，談敘其情形甚詳，並力為許性初解釋。"據何判斷，孔祥熙約往午餐之意在此。他在日記中說："以案中內容言，林舞弊絕無問題，許雖有嫌疑，但未直接經手，而其允辦押匯之款，亦未付分文，謂其受林蒙蔽，較近事實，自不能與林同科，擬於核判時注意此點。權所能及，決不以法外之罪施之於人也。"[1] 關於孔祥熙的這次宴請，事後戴笠從軍法執行總監部迅速得到消息，於 12 月 9 日給蔣介石打了報告，內稱 "孔副院長公然謂林世良既不犯死刑，則任何人不能死之。許性初是我之主任秘書，許之錯誤，我應負責，請何總監馬上開釋，最低限度亦請予以宣告緩刑。請何總監不要受人威脅，委員長處，有我負責，且我已和委員長說好了" 等語。陳希曾曾告何總監云："數日前委員長曾至孔公館，孔副院長報告委座，林世良案不如報紙傳聞之甚，請委員長注意"。委座當答 "好的好的"、"我注意" 等語。現何總監受此包圍，致林世良案之簽判，由呈辦法官送呈多日，尚未核下，且竟召審判組長與承辦法官，研究如何為許性初減輕罪刑，組長與法官均不同意，現悉擬判林世良處無期徒刑，許性初擬以幫助圖利，處以有期徒刑二年另六個月。[2] 從戴笠的這份報告看，孔祥熙不僅為許性初說情，而且也企圖為林世良減免死罪，把工作做到了蔣介石身上。軍法執行總監部最初並未打算判處林世良極刑，許性初的判處也比較輕微。

戴笠給蔣介石打報告的同日，蔣介石召何成濬到官邸談話，詳細詢問林世良案辦理情形。何一一彙報後，蔣介石指示其秉公辦理，不必考慮其他因素，聲稱 "諸事可依法裁處，勿顧及其他。"[3] 事後，軍法執行總監部判決：林世良無期徒刑，許性初判徒刑二年六個月，緩刑三年。蔣介石侍從室部分人員認為此項判決 "執法不公"。21 日，唐縱上呈文給蔣，以成都市市長楊全宇因貪污

1　《何成濬戰時日記》，第 191 頁。

2　台北 "國史館" 藏檔案，002-080101-00066-008。

3　《何成濬戰時日記》，第 193 頁。

被公開槍決為例，說明對林世良判決輕了。[1] 當晚，蔣介石召見侍從室邱清泉、陶希聖、林蔚等人，批斥邱等所擬林世良與許性初舞弊的判決公文不當，要求加重刑罰，將林世良改判死刑，許性初改判徒刑五年，不許緩刑。當晚蔣介石日記云："非此不足以昭信與立國，庸之只知包庇所部，而不知政治與法律之重要。"庸之，即孔祥熙。這則日記說明，孔祥熙的說情完全未起作用。當夜，蔣介石下令改判。22 日晨，何成濬按照蔣介石的意旨，飭令審判組改判林死刑，許五年徒刑。此前，商人章德武已移送法院，被扣貨物，則由運輸統制局依法處理。

26 日，蔣介石在《上星期反省錄》中寫道："林世良與許性初案，依法懲治，不為權勢所亂，此事雖小，實為以後袪除貪污，修明政治最大之關鍵，對於國家與人民及法令，皆有重大影響，此心自覺安平非常也。"這裏的"權勢"仍指孔祥熙。

上述案例說明，在林世良案的處理上，蔣介石雖有以個人意旨干涉司法判決之嫌，但並非阻撓執法，相反，為了防止貪腐，倒是不顧孔祥熙的說情，對林世良等從嚴、從重處理的。

四、抗戰期間，蔣介石從嚴從重懲處的多起貪污案件

抗戰期間，蔣介石和重慶國民政府從嚴從重懲處貪污犯的案例尚有多起。僅以 1942 年為例，如：

1. 1 月，四川雲陽南溪鄉糧食徵收員畢巨卿等大斗浮收、倒賣公穀案，主犯處死刑，其他人處無期徒刑。

2. 2 月，萬縣糧食徵收員雷仲純徵糧舞弊案，判處死刑，追繳贓款。

3. 7 月，長沙警備司令部特務組長孔松濤等 6 人貪污案，均予槍決。

4. 8 月，貴州師管區司令胡啟儒浮報名額，扣餉不發，擅權殺人，行使賄賂案，死刑。判決後，有重要軍官二十餘人聯名上書蔣介石，要求改判無期，

1　唐縱：《在蔣介石身邊八年》，第 328 頁。

貸其一死。蔣介石批稱："此何等事，妄加干涉，置國家法紀於何地。其列名者，均記過一次示儆。"[1]何成濬在日記中寫道："委座之整飭法紀，毫不假借，作奸犯科者，應知所戒懼也。"

5. 9月，成都航空站站長馬禎祥代商人運貨，有舞弊嫌疑，蔣介石命軍法執行總監部訊究，何成濬因不能查得犯罪證據，以"行為不檢"簽請予以行政處分，蔣介石不准，再簽請監禁一年，蔣介石批示，改為監禁十年。何成濬感歎道："現一般公務員作奸犯科者，日益加多，委座採刑亂世用重典之主張，亦子產所謂'火烈民望而畏之，故鮮死焉'之至意焉也。寓寬仁於嚴峻，用心良苦矣。"[2]

6. 10月，桂林辦公廳科長黃勳、榮譽軍人管理處副處長秦開明假借職權、營私舞弊案，蔣介石批交訊辦，判秦無期徒刑，黃有期徒刑十年。蔣介石親批，一律槍決。[3]

7. 10月，運輸統制局昆明檢查站站長朱孝儀倒賣查扣鴉片及貨物，潛逃被捕，處死。

8. 軍法執行總監部辦公廳特檢股股長俞浩興假借職務便利，取得中國工業服務社顧問名義，月支顧問費案300月，鍾元昭夫婦受賄900元，均令處死。

以上各例，或見於《大公報》報導，或見於何成濬日記，應均屬實。其中4、5、6三案，均經蔣介石批示，從重從嚴懲處。當年4月18日：蔣介石日記云："貪污案必須將其上官與保要連坐處分"。6月29日日記云："所見所聞皆多被侮受凌、陰險謀叛與貪污腐劣之事……思之危岌，言之痛憤。"9月30日日記云："與康兆銘（澤）談澄清貪污計劃。"這些日記與蔣介石在實際政治生活中的表現、作為是一致的。但是，貪污、腐敗是一種痼疾，蔣介石僅靠個人所知所見，靠嚴刑峻法，或僅靠軍統、軍法部門，何能阻止那日益氾濫成災的貪污現象！

作為軍法執行總監的何成濬理解蔣介石的用意，但是，他也擔心貪官太

---

1 《何成濬戰時日記》，第138頁。
2 《何成濬戰時日記》，第164頁。
3 《何成濬戰時日記》，第167頁。

多，辦不勝辦。12月22日，何成濬日記云：“現在高級官吏貪污舞弊者頗多，委座主嚴懲，實具有萬不得已之苦衷。蓋不如此，彼輩將毫無所顧忌也。但吞舟之魚，仍不但漏網，而且不知有網。林世良之骨未寒，繼承其遺志者，或已另有一巧妙作法，將林世良未到手之臟款，如數收取朋分矣。此等事委座安得一一盡聞之？各部長官不能本委座大公無私之精神，共挽危局，殊可太息。”

五、戰後，蔣介石企圖繼續反貪污

抗戰期間，蔣介石嚴刑峻法，但未能使國民黨系統中的貪腐現象有所收斂，抗戰勝利，國民黨派員到各地接收，貪污、腐敗現象更見惡性發展。1945年11月20日，中國戰區美軍司令魏德邁中將向蔣介石建議“迅速執行在政治和官吏方面的改革，準備掃除官吏的腐敗行為及取消過分的重稅”。他警告蔣介石說：“國民政府的胡作非為已經引起接管區當地人民的不滿，此點甚至在對日戰事一結束後，國民政府即嚴重地失去大部分的同情。”[1] 11月28日，魏德邁會見蔣介石，報告他所知中央派往華北地區官員的貪污情況，使蔣感到極端慚愧。11月29日，蔣介石日記云：“昨魏德邁來見，告我以中央派往華北人員之如何貪污不法，失卻民心，聞之慚惶無地，不知所止。”次日，蔣介石決定，在憲兵中增編“特偵貪污隊”。12月2日，決定告誡黨政軍各界官吏：“廉潔自愛，奉公守法，不為攻訐自餒。”12月5日，審核《肅清貪污運動綱領》及《改革黨務方案》，聲稱這兩個文件“極為重要”。8日日記稱：“《整理黨務方案》、《肅清貪污運動大綱》均已核定，中央黨政小組會議亦已成立，惟秘書組織尚未著手。”同時計劃成立“肅清貪污運動之組織”。12月28日，又將此事列入預定要做的專案中。

當時國民黨的情況是嚴重缺乏執行力。許多計劃、想法、做法都停留在口頭上、紙上或決議中，議而不行，行而不果。《整理黨務方案》、《肅清貪污運動大綱》核定了，中央黨政小組會議成立了，但是，也就沒有下文了。各地

---

1 《白皮書》，《中美關係資料彙編》第1輯，第191頁。

接收大員們的貪污行為依然如故，有增無減，情形日益嚴重。大員們紛紛搶奪"房子、票子、條子、車子、女子"，一時有"五子登科"之稱。1946 年 3 月，國民黨召開六屆二中全會，認為這是"本黨從根本上整理刷新的大好時光"，要求每一個黨員都"為民前鋒，為民服務"，決議加強對從政黨員的管理。會議特別在《政治決議》案中增設"檢討部分"，認為"多年以來，官僚主義早已構成政治上最大弊害"，"假公濟私為尤甚"，"一部分接受人員敗壞法紀，喪失民心"。[1] 8 月 26 日，蔣介石制訂《收復區人民約言》，向剛從日偽統治下回歸祖國的人民許諾：1. 停止沒收糧食。在收復區內凡有糧食的人民要向政府如限報告其存糧數額。其餘糧由政府定價收購（但不許隱藏）。2. 恢復人民自由，在收復區內的人民只要不違犯法令和公共秩序，均有集會言論之自由。3. 嚴懲貪污人員，不論黨政軍人員，凡貪污舞弊達一萬元以上者槍斃，並准民眾告密（設密告箱）。4. 處理土地，凡已分配之土地，只要其為自耕者，准予如舊耕種，但必須照二五減租規章繳納租稅。[2] 貪污 1 萬元以上者即槍斃，從《約言》第 3 條可以看出，蔣介石準備實行比抗戰時期更加嚴厲的懲處貪污辦法，並且設立密告箱，准許百姓檢舉、告發。9 月 8 日，蔣介石日記云："黨政軍各級幹部多幼稚無能，其間且真有貪污自私為中外人大所側目，尤其是京滬一帶，強佔民房，擅捕漢奸，藉此拷作報復，直至受降年餘之今日，關於此種非法行動猶在發展，以致怨聲載道，外邦譏刺，誠使此心愧怍無地。"又云："所部惡劣，促成共匪梟張，社會混亂之一大原因。悲痛未有甚於此者。"他當即執筆起草杜絕各種惡劣現象的"禁令"，一直到手臂酸疼，自感"疲憊"為止。蔣介石的這頁日記反映出，國民黨的貪腐情況較之魏德邁 1945 年會見蔣介石時所言，又有更嚴重的發展，其六屆二中全會決議、《約言》也未見什麼效果。

1　《中國國民黨歷次代表大會及中央全會資料》（下），第 1031、1039、1043 頁。
2　《雜錄》，《蔣介石日記》1946 年年末附錄。

六、蔣介石受美國人尖銳批評，決心"掃除貪污"，"剷除豪門資本"

1947 年 3 月，國民黨召開六屆三中全會，承認"黨的病狀已陷於積重難返之勢"，提出"反對個人利己主義，抨擊升官發財觀念"，要求"隨時淘汰投機份子、動搖份子、腐化份子及惡化份子，以保持黨員成分之純一"，同時提出"加緊監察工作"。同月 23 日，黃宇人等 100 名中委提出臨時動議，要求徹查"官辦商行"賬目，沒收貪官污吏財產，以肅官方而平民憤，會議決議交中央常務委員會迅速切實辦理。[1] 4 月，蔣介石對國民政府進行改組，青年黨、民社黨和少數"社會賢達"進入國民政府委員會，長期的"一黨專政"局面似乎得到改變，國民政府成為"多黨政府"了。但是，貪腐依舊。6 月 3 日，蔣介石得知山東高級將領貪污鉅款，不勝痛憤，決心徹查。[2] 22 日，蔣介石研究改革內政方案，決心"肅清貪污"，其措施之一是允准官員部下報告、檢舉其上級。24 日，蔣經國從東北經華北回南京，向蔣介石報告，高級將領已全失信心，對前途絕望，"貪污自保之念日甚一日"。蔣經國的報告引起蔣介石的自責，日記云："此皆余平時大意疏略，監教無方之過，能不自戒乎哉！"

同年 7 月，魏德邁受美國總統杜魯門指令，率領調查團再次訪華，其任務是對中國的政治、經濟、心理及軍事情況作出評估，以便確立美國下一階段的對華政策。7 月 22 日，魏等一行到達南京。29 日，魏德邁致電馬歇爾報告說："我覺得國民黨統治下的中國人在精神上已經破產，他們不明白為何而死或做任何犧牲，他們對軍政領導階層已失去信心，預期全面崩潰。那些居上層的貪腐之輩則企圖在崩潰之前競相撈取。"[3] 此後，魏德邁等人訪問北平、天津、漢口、瀋陽、旅順、青島、濟南、台灣、廣州等地，所得情況使調查團極為震驚。8 月 10 日，魏德邁向蔣介石遞交詳細提綱，列舉國民黨應該改革的各個方面，其中特別提到"清除貪污無能官員"。17 日，蔣介石在日記中寫下"掃除貪污，提高監察權與民意檢舉權"等字。18 日，寫下"貪污富豪應除黨籍"等字。19

---

1 《中國國民黨歷次代表大會及中央全會資料》（下），第 1106、1108、1109、1111、1156 頁。

2 《蔣介石日記》，1947 年 6 月 3 日。

3 《美國對外關係文件集》，*FRUS*, 1947, Vol.7. pp.682-683。

日，魏德邁在南京與蔣介石長談，從上午 10 點一直談到下午 4 點。蔣向魏德邁保證，"他是真心要幫助他的人民，消除腐敗"，魏德邁則告訴蔣，"改革已刻不容緩"。21 日，蔣介石在日記中自責："親屬貪污、中外詬病，其不知自恥，更增痛苦。每念少年罪孽深重，所以上帝予我以如此懲罰乎？不然，何以使我恥辱至於此極？否則，天父加我以特別鍛煉，而望我完成其所予我之重大使命，以增強我信心乎？"22 日，魏德邁應蔣介石之邀，向國民政府委員及部會首長報告訪華觀感，嚴厲抨擊國民政府的軍事措施和黨政官員的腐敗無能。戴季陶當場泣下，回家後又痛哭 4 小時之久。[1] 蔣介石也覺得難以忍受，日記云："本日魏德邁對我首腦部之談話，無異嚴厲之訓詞，類於斥責裁判，實為我國最大之恥辱"，"若不痛自反省，發奮雪恥，何以立國？何以成人？"[2] 這一天，蔣介石決定籌組偵察貪污與軍紀的機構，設立軍法總監與各路軍法機構。這就恢復抗戰時期將貪污罪移歸軍法處理的老辦法了。

8 月 24 日，魏德邁即將離開中國，臨行前發表聲明，認為"只要撤除目前在政府中佔據許多負責地位的不稱職和貪污的人"，"現中央政府就能夠贏得和保持大部分中國人民專一熱情的支持"。[3] 他提醒國民黨，必須立即實行徹底的深遠的政治經濟改革，"空言已是不夠，實行乃是絕對需要的"。9 月 19 日，魏德邁在致杜魯門總統的備忘錄中再次強調，苛政與貪污正在促使人民失去對政府的信任。[4]

魏德邁使團的調查和嚴厲、直率的批評促動了蔣介石。8 月 30 日，蔣介石決定開展"自力更生運動"，其具體辦法有"社會革新"、"為民服務與解除其壓迫"、"勤儉報國"、"平均地權、耕者有其地"等，其第 5 項則為"掃除貪污"。31 日，蔣介石進一步思考"自力更生運動"，認為這並非"局部之技術問題，乃為全般大原則之確立與重新問題"，如果僅停留於"技術補救"，則"利未收而害先見"，"反疑一切改革為不可能之事"。他決定先"確立大原則"，"立定前提"。其內容有："甲、忍痛斷臂與除毒，袪除情感，懲治貪污。乙、提倡

---

1 《蔣介石日記》，1947 年 8 月 25 日。
2 《蔣介石日記》，1947 年 8 月 22 日。
3 《白皮書》，《中美關係資料彙編》第 1 輯，第 302、770 頁。
4 《白皮書》，《中美關係資料彙編》第 1 輯，第 782 頁。

民主法則，加強群眾監督力量，滌蕩官僚惡習與劃除豪門資本。丙、建立組織與制度之基礎。丁、建立幹部政策，慎選核心幹部與新陳代謝法令之樹立。"

"豪門資本"亦稱"官僚資本"。自抗戰中、後期起，"豪門資本"就成為國人指責、唾罵的對象。1940 年 12 月，經濟學家馬寅初因此遭到蔣介石的軟禁。現在，蔣介石將"劃除豪門資本"，列為"自力更生運動"的大前提，反映出歷史的變遷和蔣介石所受魏德邁刺激之深。

當年 9 月 13 日，國民黨召開六屆四中全會，決定國民黨與三民主義青年團合併。蔣介石在會上演說，提出，第一，要澄清吏治，根絕貪污。他沉痛地說："現在我們中國政治最為外人所詬病的，就是我們政府的貪污和無能。這當然是部分的現象，然而我們政府裏面如有一個貪污的官吏，就是我們全體的恥辱。而本黨是中國的執政黨，當然要負責任。所以今後本黨從政的同志，一定要互相約束，互相挾持，更要嚴行糾舉，務使貪官污吏在政府中無法立足。必須禁絕貪污，而吏治乃能澄清，行政效率乃能提高。"國民黨的六屆四中全會是公開的會議，所以蔣介石在報告官場的貪腐情況時有所保留，強調"這當然是部分的情況"，不像他在日記中表現得那樣憤激。他又說："本黨今天所受的恥辱，是五十年來所未有。外國人詆譭我們貪污無能，腐敗墮落，一切罪惡的名詞都加到本黨的身上。我們必須認清這種恥辱，奮發圖強。"[1] 蔣介石這裏所說的"外人"，"外國人"，指的就是魏德邁。"五十年來所未有"的"恥辱"，這一句話說得很嚴重，可見魏德邁的批評對蔣刺激之深。

為了反對貪污，國民黨六屆四四中全會通過《當前組織綱領》，規定黨員、團員一律重新登記，黨員財產必須依規定申報，凡有貪污行為者，拒絕登記財產者，均不得成為黨員。貪污有據者，開除黨籍。《綱領》特別規定，黨的各級幹部，從政黨員，在公營事業及金融機關的黨員，其財產登記辦法另定。[2] 不過，這個規定始終未見問世。

美國人感覺到了蔣介石加強反貪的企圖。9 月 29 日，美國駐華大使司徒雷

---

1 《四中全會之成就與本黨今後應有之努力》，《中國國民黨歷次代表大會及中央全會資料》（下），光明日報出版社 1985 年版，第 1178、1181 頁。
2 《中國國民黨歷次代表大會及中央全會資料》（下），第 1172 頁。

登向國務院報告說："蔣主席至少是在設法解決這個問題。監察院已獲得大為增加的權力"，但是，司徒雷登也承認："貪污愈加盛行，對於此事處理究竟有何成功，迄今尚無很多的證明"。[1] 僅能一提的是，這一年 10 月，蔣介石發現自己的兒子蔣緯國也以"接收"為名在上海搞到一座房子，很生氣，認為蔣緯國"招搖不規〔軌〕，不知自愛，為人輕視，為家庭羞"，命蔣經國代為"教誡"。24日，蔣介石命蔣緯國將房產退還敵產管理處。[2]

1948 年，蔣介石進一步感受到貪污問題的嚴重和對於國民黨政權威脅的加大。其日記記載云：

1 月 7 日："聽取保密局貪污案報告，其誠駭人聽聞，可痛。"

1 月 16 日："重慶高級機關與主管官之貪污索榨，不道德無廉恥之腐敗情形，聞之色變，不知革命前途究將如何結果，不勝悲痛之至。"

3 月 3 日："桂系之貪污投機可認為今日之首也。"

6 月 8 日："每念中央軍隊高級將領之貪污富有、淫佚無度以致忠勇之氣蕩然，廉恥之心掃地，是以不能剿匪，不能整軍。"

這一時期，國民黨軍在和中共部隊的戰鬥中屢屢失敗。8 月 18 日，蔣介石總結、檢討其原因四條，其中兩條涉及貪污腐敗。一條云："將領精神喪失，軍隊腐敗"；一條云："經理制度不良，軍費無從核實，因之將領吃空貪污"。[3]

蔣介石計劃的"肅清貪污運動"、"自力更生運動"都未能發揮作用。8 月27 日，蔣介石企圖從扭轉社會和官場的奢侈風氣入手，決定改換名目，發起成立勤儉報國會，其宗旨為：1. 遵奉國家法規；2. 貫徹經濟改革命令；3. 實行自力更生；4. 提倡節約儲蓄；5. 協助農工生產；6. 宣佈貪污實據；7. 打破黑暗不平惡風；8. 厲行新生活信條。

這一時期，國民黨在軍事上連連失敗。蔣介石追根溯源，發現乃是軍隊，特別是高級軍官腐敗的結果。9 月 24 日，中共華東野戰軍攻克濟南，殲滅國民黨軍 10 萬餘人，山東省主席、第二綏靖區司令王耀武等高級將領 23 人被俘。

1　《白皮書》，《中美關係資料彙編》第 1 輯，第 308 頁。

2　《蔣介石日記》，1947 年 10 月 23 日、24 日。

3　《雜錄》，《蔣介石日記》，1948 年年末。

10 月 15 日，蔣介石日記云：“痛心王耀武之準備不確，決心不堅，此乃貪污無勇之結果，實皆余用心不當之罪也。”同日，東北野戰軍攻克錦州，國民黨東北“剿總”副總司令范漢傑等高級軍官 36 人被俘。18 日，蔣介石日記再云：“高級將領凡軍長以上者，幾乎多是貪污怕匪，以致軍隊枉然犧牲，而反加余之恥辱，思之無以自解，幾乎無地自容。”

1949 年 8 月 13 日，蔣介石翻讀舊日記，對國民黨“幹部無人，貪污怯弱”的情況感到“悲憤之至”。同年 6 月，閻錫山在廣州出任行政院長兼國防部長。10 月 11 日，蔣介石已經退到台北，與閻談財政。閻要求蔣撥存金四十萬兩以及兩月支出經費，蔣當即同意，只說了一句話：“勿浪用或將此現金為貪污投機者所得耳！”[1] 這說明，面對貪腐，蔣介石已經束手無策了。

結語

貪污、腐敗是一種痼疾、頑疾，一旦發生、發展，不下狠心，用大力氣，充分動員，群策群力，積極改革，多方採取措施，就很難治理，更難於根除。檢視蔣介石槍斃孔祥熙親信林世良及其以後的反貪史，應該承認，蔣介石確有反貪之願。抗戰時期，嚴刑峻法，不稍寬假；抗戰以後，屢立名義，更換方案和方法，但終未奏效，最後丟失大陸，敗走台灣。

貪腐可以亡政，信然。

1　《蔣介石日記》，1949 年 10 月 11 日。

蔣介石與蔣經國的上海「打虎」*

* 本文錄自《找尋真實的蔣介石：蔣介石日記解讀》（1），重慶出版社 2015 年版；原載《縱橫》
2013 年第 7 期。

1948 年 8 月，蔣介石為挽救因內戰而急劇發展的巨大經濟危機，將蔣經國派到上海“打虎”，實行經濟管制。蔣經國到上海後，採取群眾運動和鐵腕手段，強行“限價”，打擊投機倒把、囤積居奇的“奸商”，在一段時期內頗見成效。但是，在查封以孔令侃為董事長和總經理的揚子公司時碰到巨大阻力。宋美齡、蔣介石先後趕到上海，加以阻撓，蔣介石並公然下令，封閉敢言報紙，抗拒監察院的調查。蔣經國雖有法辦孔令侃和揚子公司之意，但父母之命難違。此際，由於物資嚴重匱乏，行政院不得不明令停止經濟管制和“限價”政策，蔣經國辭去職務，黯然離開上海。各地物價扶搖直上，剛剛發行的金圓券迅速如同廢紙，國民黨和政府陷入更大、更嚴重的社會危機中。

　　蔣介石、宋美齡徇私包庇孔令侃和揚子公司的情節迅速在社會和國民黨內流傳。人們不僅對蔣介石失望，也對最後希望所在的蔣經國失去信任，國民黨和政府人心盡失，連國民黨的機關報《中央日報》都在指責“豪門”為“人民公敵”，說著和中共大體相同的語言。

　　蔣介石自奉儉約，廉潔自守，對孔氏家族的貪瀆、腐敗有過調查和制裁，但是，顧慮重重，下不了狠心，終於因宋美齡關係，在孔令侃和揚子公司問題上失足，失去治理“豪門”和權貴資本的一次重要機會。

一、蔣經國奉命到上海"打虎",豪氣干雲,決心大幹

　　1948 年 8 月,蔣介石為挽救因內戰而迅速加劇的巨大經濟危機,頒佈《財政經濟緊急處分令》等幾項法令和辦法,宣佈發行金圓券,實行限價,規定各地物價必需凍結在 8 月 19 日的水準上,不得提高,同時限期收兌民間所藏金銀、外幣。8 月 20 日,行政院特設經濟管制委員會,下設上海、天津、廣州三個督導區。上海區以曾任財政部長、中央銀行總裁的俞鴻鈞為經濟管制督導員,蔣經國為助理,其任務是到上海實行"經濟管制"。蔣經國雖名為助理,實際上負全責。9 月 9 日,行政院頒佈《實施取締日用重要物品囤積居奇辦法補充要點》,規定個人和商家購買物品,其用量不得超過三個月,否則以囤積論。

　　蔣經國深知在上海前台活動的商界大佬們的後台就是南京的黨國要人,任務艱難,赴任之前,就對乃父說:"上海金融投機機關無不與黨政軍要人有密切關係,且作後盾,故將來阻力必大,非有破除情面,快刀斬亂麻之精神貫徹到底不可也。"[1] 到上海後,蔣經國即在中央銀行設置經濟管制督導員辦公室,調來 1948 年成立的國防部戡亂建國總隊作為基本幹部,以親信王昇少將指揮,企圖雷厲風行,大刀闊斧,以鐵腕手段實行經濟管制,打擊囤積居奇、投機倒把等行為。蔣經國聲稱,這是一種"社會性質的革命運動",要"發動廣大的民眾來參加這偉大的工作"[2]。戡建隊宣稱:將"以伸張正義的作法,嚴懲囤積居奇的奸商、污吏,穩定民生必需品的供應",同時希望"以群眾運動的方式,獲得廣大民眾的共鳴和支持"[3]。7 月下旬,王昇從戡建隊員中選拔精明成員成立"經濟管理工作隊"與新成立的經濟警察大隊聯合辦公,擁有檢查倉庫、貨棧,賬目,直接帶走違紀人員,查抄貨物等各種權力。8 月 29 日,成立"人民服務站",設立檢舉箱,鼓勵各界檢舉。其後,蔣經國先後扣押上海申新紡織公司總經理榮鴻元及杜月笙之子、鴻興證券號負責人杜維屏等"老虎",轉交法庭審理。

1　《蔣介石日記》,1948 年 7 月 2 日。

2　《申報》,1948 年 9 月 13 日—16 日。

3　王章陵:《蔣經國上海打虎記》,台北正中書局 1999 年版,第 20 頁。

蔣介石支持蔣經國的鐵腕做法。9月4日，蔣介石召見上海市長吳國楨，吳擔心蔣經國的做法有問題，蔣介石不以為然，日記稱：“經兒將滬上最大紗商鴻元與杜月笙之子拿辦，移交法庭，可謂雷厲風行，竭其全力以赴之。惟忌者亦必益甚，此為民之事，只有犧牲我父子，不能再有所顧忌，惟天父必能盡察也。”9月7日，蔣經國親自回南京向蔣介石報告，蔣介石對上海官商勾結的嚴重狀況雖感到痛心，但對蔣經國的“戰果”卻聽得眉開眼笑，“興奮非常”[1]。當日，蔣介石日記云：“經兒由上海來報告經濟管制情形。往日所有黑市與囤積等弊多有我黨政當局為首，言之痛心。但由此徹查，所有上海黑幕皆得發見，實堪欣幸。”11日，蔣介石得悉上海“物價平穩，黑市幾乎消滅”，認為蔣經國克服了經濟上的“滔天大禍”，為“戡亂”奠定基業，高興地感謝上帝的“保佑”，在日記中表示“不勝感禱之至”！[2] 14日，蔣經國奉命再次回南京報告。蔣介石告以“食鼠之貓不威”的古訓，要他“多做實事，少發議論”，以免他人指責[3]。後來，行政院長翁文灝轉告蔣介石，美國有人認為蔣經國在上海的作風，“全為俄共產主義之思想，而其行動真是打到大小資本家之力行者”，“美國人必強力反對，並將正式警告”，蔣介石得悉後，一笑置之[4]。

由於滿意蔣經國的工作。9月19日晚，蔣介石在和宋美齡乘車到南京東郊兜風時，特別和妻子相約，支持蔣經國在上海的舉措，“同為經兒前途打算，使之有成而無敗也”[5]。

二、啃到了硬骨頭——孔令侃的揚子公司

自9月12日起，戡建大隊號召上海年滿18歲至35歲的青年參加大上海青年服務總隊，與奸商、污吏鬥爭。報名者25428人，獲批准者12339人。9月25日，大上海青年服務總隊成立，舉行入隊宣誓，誓詞為：“絕對擁護政府，

1　蔣經國：《滬濱日記》，《蔣經國自述》，湖南人民出版社1988年版，第174頁。
2　《蔣介石日記》，1948年9月11日。
3　《蔣介石日記》，1948年9月14日。
4　《蔣介石日記》，1948年10月31日。
5　《蔣介石日記》，1948年9月19日。

服從領袖，遵守隊章，服從隊的命令，推行新經濟政策，力行三民主義，為人民服務，為國家盡忠，絕不妥協，絕不欺詐，如違誓言，願受最嚴厲的處分。"蔣經國為監誓人，他要求隊員"協助政府肅清上海的奸商"，聲稱："青年人大都很窮，在既無所有，亦無所求的環境中，才能真正同情窮人，而拿出勇氣來拼命的幹。"[1] 同日，蔣經國決定在上海實行物資總登記，限令各工廠及商家，於當月 30 日前將所存原料及製造品向同業公會登記，報告社會局，逾期即在全市普查，凡未經登記的商品、原料，一概沒收。

當時，上海最大的"老虎"是孔祥熙、宋藹齡的兒子孔令侃所開設的揚子建業公司（簡稱揚子公司）。9 月 29 日，盧家灣警察局向上海警察總局報告，茂名南路、長樂路口的英商利喊公司汽車行囤有大量物資，當由經濟警察大隊會同該局前往檢查。經檢查發現該處存有大量物資，均係揚子公司所有；另在大通路 277 號及虹橋路倉庫中也發現該公司儲存的大量物資。30 日，奉命查封所有物資。10 月 2 日，上海《正言報》發表消息，標題為：《豪門驚人囤積案，揚子公司倉庫被封》，副標題有《新型汽車數近百輛，零件數百箱，西藥、呢絨，價值連城，何來巨額外匯，有關當局查究中》、《貨主孔令侃昨晚傳已赴京》等。中云："本報訊：我國'首席豪富'所設揚子公司蒲石路倉庫為經檢當局查獲大批日用必需品，其中包括西藥、呢絨、汽車以及汽車零件材料。本報記者曾至該地調查，該揚子公司倉庫位於蒲石路，邁爾西愛路蘭心大戲院對面西首轉角外商'利喊汽車公司'樓上。汽車公司有彪形之羅宋人兩名看守大門。據看倉庫員某畏首畏尾的談稱，渠雖負責看管倉庫之職，卻不知內中所堆大木箱確數究有若干，因樓上所堆有半年以上或一二年以上者，其囤積居奇，由此可見一斑。又聞其中所囤物資，除已裝配之新型汽車近百輛外，另汽車零件數百箱，其餘西藥約二百餘箱，英美貨呢絨達五百餘箱，其價值無法估計。據該庫及鄰近住居者語記者，經警曾於前日至該庫檢查，並查封該項物資。後因為數過多，乃續於昨日完成查封手續。"該報未說明消息來源，但據其中"該庫及鄰近住居者語記者"一語，可知該消息出自該報記者自身的採訪。《正言報》創

---

1 王章陵：《蔣經國上海打虎記》，第 38 頁。

刊於 1946 年，創辦者為曾任上海市副市長、市黨部主任委員、社會局局長的吳紹澍。吳早年參加反帝、反軍閥運動，思想進步，後因與軍統和杜月笙矛盾，被撤銷職務，創辦《正言報》，批評國民黨和政府。該報在上海各報中率先刊登揚子公司被查的消息，正是吳紹澍和國民黨當局矛盾的體現。

同日《正言報》所發消息中，還根據接近孔令侃的揚子公司職員談話，披露了公司被查封的後續情況。

孔於該公司大批物資遭主管當局查封後，昨日致書經濟管制督導員蔣經國氏，對上項物資有所解釋，並說明揚子公司營業，遠不如外間傳言之盛，僅不過勉強維持同人生活而已。所查封之物資，均已向社會局登記，種類僅西藥及汽車零件等而已。又訊：“警局方面，至今尚未承辦此案。記者提出若干明確之問題及孔氏致函蔣督導員一事之證明時，亦諱莫如深，不願透露片言隻字。據探測，警局方面或為是項囤貨之物主，刻仍逍遙法外，在未就逮之前，未便直言，或深恐遠揚他遁也。同時有關當局對該公司巨量外匯之來源，亦正在查究中。又據交通機關悉，孔令侃已於昨夜車離滬赴京云。”

這些消息說明，在揚子公司被查封後，孔令侃曾致函蔣經國交涉，說明揚子公司營業額不大，查封之物，已向社會局登記，孔令侃並已於事發後乘夜車離滬赴京。

揚子公司的被查封，《正言報》和當時上海各報都未說明緣由，但是，根據當事人程義寬事後透露，這是杜月笙在兒子被捕後對蔣經國的“將軍”。

程義寬隸屬軍統，時任經濟檢察大隊長，每天都需要會見蔣經國，彙報情況。據他後來對同屬軍統的郭輝說，蔣經國決定召集上海鉅賈開會，堅要杜月笙出席。杜在會上說：“我的小兒子囤積了六千多元的物資，違犯國家的規定，是我的管教不好，我叫他把物資登記交出，而且把他交給蔣先生依法懲辦。不過我有一個要求，也可以說是今天到會的各位大家的要求，就是請蔣先生派人到上海揚子公司的倉庫去檢查檢查。揚子公司囤積的東西，盡人皆知是上海首屈一指的。今天我們的親友的物資登記封存交給國家處理，也希望蔣先生一視同仁，把揚子公司所囤積的物資，同樣予以查封處理，這樣才服人心。我的身體有病，在這裏不能多待，叫我的兒子維屏留在這裏聽候處理。”杜月笙的話，合情合理，無懈可擊，蔣經國不無尷尬地表示："揚子公司如有違法行為，我也一定繩之以法。"在送走杜月笙之後，蔣經國立即派程義寬赴揚子公司執行[1]。

孔令侃不僅是孔祥熙、宋藹齡的大兒子，而且和宋美齡關係密切。宋由於早年小產，後來一直沒有生育，非常疼愛她的這個外甥，視同己出，精心培植、呵護。杜月笙要求蔣經國去檢查揚子公司，這就等於在他的嘴裏硬塞了一塊硬骨頭。

三、宋美齡突飛上海，報導發生微妙變化

繼《正言報》之後，10月3日，上海三家大報《申報》、《新聞報》和《大公報》陸續報導揚子公司被查封的有關消息，但其態度卻出現了微妙的變化。《申報》的標題是《抄獲揚子建業物資，呈候經管局候示》，內容稱："本報訊：市警局據9月29日，盧家灣分局報告，茂名南路長樂路口（即13層樓對面）英商利喊汽車行內，囤有大量物資，當經派經管會同該分局前往調查，在該處一樓發現顏料、西藥、凡士林、油墨、香煙、紙、自由車、玻璃、電木、鋼鐵等物資，均係揚子建業公司所儲存。旋復在大通路277號及虹橋路該公司倉庫中查獲大批鋼鐵、白臘等工業原料。惟據該公司聲稱，上項物資均已向主管機關呈報有案，故警局方面已將調查經過及抄獲物資之數字，呈報督導員辦公室核示中。至外傳查獲大批新汽車及呢絨等，則並非事實。"這篇報導不僅標題較《正言報》平淡，其內容則一是強調"上項物資均已向主管機關呈報有案；二是強調外傳相關報導不確，聲稱"至外傳查獲大批新汽車及呢絨等，則並非事實。"《新聞報》的報導根據上海警察局特別刑事處的官方文書，其內容大體與《申報》相仿，但其標題則為《揚子公司物資呈報當局有案》，說明該批查封物資"呈報"過，有案可查，意在告訴讀者，並不是什麼大不了的事情。報導稱：局特別刑事處昨發表揚子公司倉庫被查經過，據稱上月29日盧家灣警局向警察總局報告茂名南路、長樂路口英商利喊汽車行囤有大量物資，當由總局經

1 郭旭：《揚子公司查而未抄的內幕》，《中華文史資料文庫》卷6，中國文史出版社1996年版，第203頁。

濟警察大隊，會同該分局前往調查，結果在該處二樓發現顏料、西藥、凡士林油、香煙、紙、自由車，玻璃、電木、鋼鐵等物資，係屬本市揚子建業公司所儲存。另有大通路 277 號及虹橋路倉庫中亦查出有該公司儲存之鋼鐵、白蠟等物，但該項物品揚子公司曾向主管機關呈報有案。現經警大隊已將辦案經過簽報督導員辦公室核示中，關於外傳警局抄獲大批汽車零件、呢絨等物，並非事實。《大公報》的標題為《揚子建業公司查獲一批囤貨》，內容亦與《申報》、《新聞報》相近，完全未提查獲汽車問題。

僅僅相隔一天，但三報與《正言報》的報導卻相差很大。其故安在？推其原，當和孔令侃的緊急赴寧與宋美齡的緊急上海之行有關。

據程義寬回憶，孔令侃在揚子公司被查封的當天，曾飛往南京，向宋美齡求救。《正言報》的報導則說，孔令侃係乘夜車赴寧。兩說在孔令侃赴寧所用交通工具上雖不同，但 9 月 30 日確有南京之行則一致。[1] 另據中央社消息：宋美齡於 10 月 1 日晨 9 時乘美齡號專機抵滬。[2]《申報》、《新聞報》、《大公報》的低調處理顯然和孔令侃、宋美齡抵滬之間的緊急互動相關。

四、蔣經國的困難與矛盾

按蔣經國的脾氣和一貫作風，在揚子公司查獲了如此巨額的囤積物資，自然只有一個辦法——審查、扣押、查辦其主人孔令侃，然而，蔣經國感到，抓不得。

《正言報》、《申報》、《新聞報》的報導都提到了一個共同的情節，這就是被查封的揚子公司物資在事前已向上海社會局呈報登記。據後來監察院的調查，在蔣經國發佈"物資總登記"的命令後，揚子公司確曾向經濟管制督導員辦公室遞交過一份英文貨單，雖然手續上略有未合，應該以中文向上海社會局報告，但是，人家總是報告、登記過的呀！

10 月 2 日，蔣經國日記云："前天發現的揚子公司倉庫裏面所囤積的貨物，

1　參見郭旭：《揚子公司查而未抄的內幕》，《中國文史資料文庫》卷 6，第 203 頁。
2　《大公報》，1948 年 10 月 2 日。

都非日用品，而外面則擴大其事，使得此事不易處理，真是頭痛。"

10月9日，蔣經國《反省錄》云："本星期的工作環境，是工作以來最困難的一段，希望這是一個轉機。除了物價不易管制以外，再加上揚子公司的案子，弄得滿城風雨。在法律上講，揚子公司是站得住的。倘使此案發現在物資總登記以前，那我一定要將其移送特種刑庭。總之，我必秉公辦理，問心無愧。但是，四處所造成的空氣，確實可怕。凡是不沉著的人，是擋不住的。"[1]

揚子公司以孔令侃為董事長兼總經理，屬於權貴資本（當時稱為"豪門資本"），成立於1946年4月，註冊資本1億元，1947年資本增加為10億元，分為100萬股，孔令侃佔24萬9千股。該公司長期名聲極糟。1947年7月，已因套用大量外匯事引起廣泛的社會反感，此次囤積大量物資一事被發現，自然更加激起各階層人士的不滿，甚至憤怒，不少人主張立即逮捕孔令侃。據蔣經國當時的親信賈亦斌回憶，某日，他問蔣經國："孔令侃案辦不辦？"蔣經國裝作沒有聽見，不回答。賈亦斌再問："孔令侃案你準備辦不辦？"蔣經國便說："塔斯社發表了一篇文章，評論上海'打老虎'，說用政治手段去解決經濟問題是危險的。"說完便不再吭聲。賈亦斌當時對蔣經國仍懷有希望，過了幾天，再到蔣經國的住處，對他提出："你對孔令侃一案究竟辦不辦？如果不辦，那豈不真像報紙上所說'只拍蒼蠅，不打老虎'了嗎？"蔣經國本來情緒就不好，聽了賈亦斌的話，便將沙啞的喉嚨放得特別大，嚷道："孔令侃又沒犯法，你叫我怎麼辦？"這時，一種從未有過的失望和憤怒從賈亦斌胸中湧起，一拳擊在桌上，大聲反駁說："孔令侃沒有犯法，誰犯法？……你這個話不僅騙不了上海人民，首先就騙不了我！"[2]

犯法還是不犯法，需要通過法律程序，以證據說話，孔令侃按蔣經國的規定，將揚子公司的囤積物資事先辦理了登記手續，這就讓蔣經國感到為難了。

---

1 蔣經國：《滬濱日記》，《蔣經國自述》，第184、188頁。
2 《賈亦斌回憶錄》，中國文史出版社2011年版，第161—162頁。

五、蔣介石自北平趕到上海，痛罵警備司令宣鐵吾

　　東北戰局逐漸轉向有利於中共。林彪實行 "關門打狗" 方針，先圍錦州，企圖卡斷東北國民黨軍退往關內的通道。由於錦州危急，蔣介石於 9 月 30 日自南京飛北平。10 月 2 日，自北平飛瀋陽，召開軍事會議，決定由廖耀湘指揮西進兵團，與自葫蘆島北上的東進兵團匯合，增援錦州。10 月 3 日，蔣介石自北平致電上海市長吳國楨，請其轉致已到上海的宋美齡，告以 "兄已由瀋陽返平，約數日後回京"，可見，當時蔣介石原無自北平直飛上海的計劃[1]。此後，蔣介石逛頤和園，參觀盧溝橋，聽譚富英的戲，好整以暇，顯得並不十分緊迫。10 月 5 日，蔣介石和傅作義同赴天津，至塘沽，登上重慶號軍艦，至葫蘆島視察，部署、指揮。10 月 7 日，返回塘沽，重回北平。10 月 8 日上午，蔣介石先後與侯鏡如、陳鐵、傅作義等將領研究東北作戰計劃。但是，當日下午，蔣介石卻突然乘中美號專機，飛抵上海，住進東平路官邸。

　　蔣介石突然飛抵上海，是蔣經國、孔令侃之間矛盾激化的結果。

　　據賈亦斌回憶，宋美齡到上海後，即乘中秋節之機召見蔣經國、孔令侃，企圖調解這兩個表兄弟之間的矛盾，蔣要孔 "顧全大局"，孔則大吼："什麼！你把我的公司都查封了，還要我顧全大局！" 兩人大吵起來。蔣經國臨走時表示："我蔣某一定依法辦事！" 孔則回答："你不要逼人太甚，狗急了也要跳牆！假如你要搞我的揚子公司，我就把一切都掀出來，向新聞界公佈我們兩家包括宋家在美國的財產。" 當即氣得宋美齡面色煞白，手腳發抖，急忙打電話給在北平的蔣介石，說是上海出了大事，要蔣介石火速乘飛機南下[2]。

　　蔣介石到上海後，當夜與宋美齡 "月下談心"。同晚見到上海出版的《大眾夜報》，其第 1 版報導為《揚子囤貨案，監委進行徹查，必要時並將傳訊孔令侃》。報導稱："茲據蘇浙區監委行署喻培厚對記者稱：法律之前，人人平等，如揚子企業公司及孔令侃確有囤積大批物資情事，其罪名較若干被捕老虎更重，監署在調查工作方面，亦將參加，且已著手搜集資料。監院對揚子建業

1　《事略稿本》，1948 年 10 月 3 日。
2　《賈亦斌回憶錄》，第 163 頁。

公司，早已予以注意。去年為徹查該公司結匯問題，亦曾從事調查，所獲資料已極豐富，均有案卷可調閱，此次再度徹查，決貫徹到底，不予絲毫放鬆。該報稱：監察院為徹查該案真相，特派監委兩人來滬。" 該報並配發一篇社評：《請蔣督導為政府立信，為人民請命》，中云："轟動一時的滬上豪門大囤積案似有煙消雲散之勢，方在人民心中栽下了的對政府的一點'信仰'之幼芽，恐將因此而連根拔去，同時亦可能給當前的經管工作以致命的打擊，瞻望前途，不勝憂惶。總理當初所夢想不到的，在革命的陣營中，竟有若干人因緣際會，形成了所謂'豪門資本家'⋯⋯在國內藉其政治上特殊的關係，經營一切戕賊民生之買賣，如攫取大量外匯以輸入口紅、尼龍絲襪等奢侈品，獲取暴利；囤積操縱，掀動經濟風潮；從事投機，擾亂金融等等，不一而足，從不見將其資本投向生產事業，做一絲一毫有益於國家人民之事。而政府一切經濟上的政策措施，往往被若輩略施小技，便已破壞無餘。人所共知，其中最著名者為孔氏豪門，此次利喊公司孔令侃大囤積案，不過是許多事件中被發現的一件。政府究竟是要豪門呢？還是要人民？將此處決定。" 社評表示："吾人盼望蔣先生貫徹'法律面前，人人平等'的主張'大義滅親'，毫無顧忌的對孔令侃大囤積案迅予徹查，鐵面無私，懲以應得之罪。"《大眾夜報》原名《大英夜報》，創刊於1946 年 8 月，其後台是當時擔任上海警備司令的宣鐵吾。宣鐵吾和蔣經國關係密切，支持蔣經國實行 "經濟管制"，報紙上的報導和社評，很可能反映蔣經國的態度。

蔣介石讀了《大眾夜報》的兩篇文章後，非常生氣，不過當晚還無法發作。

蔣介石到上海的時候，蔣經國正在無錫參加十一個縣的經濟管制會議，受到群眾的包圍歡呼。在參觀工廠的時候，工人佇立橋頭靜候，見到蔣經國經過，再次以歡呼送行。蔣經國見到此情此景，"內心十分難受，而且慚愧，眼淚亦想流出來"[1] 當晚 9 時，蔣經國離錫，12 時到達上海。第二天 5 點 30 分，天色破曉，蔣經國就急不可耐地拜見蔣介石。其日記稱："清晨拜見父親，報告上海情況。目前有許多問題，尚未解決，但亦不忍報告。蓋不願煩父之心也。"[2]

---

1 《滬濱日記》，《蔣經國自述》，第 187—188 頁。
2 《滬濱日記》，《蔣經國自述》，第 188 頁。

蔣介石的日記則記載說：“經兒自錫來見，在美亭中敘談，聽取其上海經濟管制經過之報告。經濟本為複雜難理之事，而上海之難，更為全國一切萬惡鬼詐薈萃之地，其處理不易，可想而知。”二人的日記都沒有記載雙方討論孔令侃和揚子公司的情況，顯然是一種有意的省略。

蔣介石會見蔣經國之後，先後接見薛岳、宣鐵吾、吳國楨、吳開先等人，所談均為有關滬市“經濟管制”事項。接見情況，上海報紙的報導一片祥和，不見半絲風雨，說是“總統先後接見吳國楨、蔣經國、宣鐵吾、吳開先、方治、薛岳、俞鴻鈞等，對於本市物價及最近經管工作進展狀況，垂詢頗詳，並面諭必須穩定物價，安定民生。”[1] 但是，當日蔣介石日記所記卻完全相反：

> 對於孔令侃問題，反動派更借題發揮，強令為難，必欲陷其於罪，否則即謂經《國》之包蔽，尤以宣鐵吾機關報專事攻訐為甚。余聲斥其妄，令其自動停刊。

“聲斥其妄”云云，雖僅四字，但不難想見當時蔣介石怒火中燒，嚴厲斥責的狀況。

宣鐵吾，浙江諸暨人，黃埔軍校第一期的畢業生。在軍校時就被蔣介石選為貼身侍衛，因忠誠和才幹，被提升為辦公室侍衛長。抗戰期間任浙江省保安副司令，並因蔣經國力薦，兼任三青團浙江省籌備主任。抗戰勝利後，被蔣介石親自提名，出任上海市警察局局長，接著兼任淞滬警備司令。他積極支持蔣經國，曾親自下令逮捕杜月笙的管家萬墨林，又曾帶隊抓捕杜維屏[2]。對於這樣一個忠心耿耿，和蔣氏父子都有長遠而深厚關係的人，蔣介石一時激憤，居然將之歸入“反動派”之列，顯然不當。

值得注意的是，蔣經國、宣鐵吾等辭出後，宋美齡卻於當日上午 10 時親自駕車將孔令侃帶進官邸，引見蔣介石。據報導：“夫人御黑色旗袍，孔御灰色西裝，神態怡然”[3]。這無異在向上海各界示威了。

10 月 12 日，《大眾夜報》發表《緊急啟事》，聲稱：“本報為改變組織，整

---

1 《正言報》，1948 年 10 月 10 日。

2 《宣鐵吾：國民黨內的好人》，www.eeloves.com/memorials-show/id/312324。

3 《大眾夜報》，1948 年 10 月 9 日。

理內部，自本月 13 日起，暫行停刊，敬希親愛讀者，賜以鑒諒。”一直到 10 月 20 日，該報才得以復刊，整整停辦了一個星期。

《正言報》最早報道揚子公司被查消息，但是，其後並未發表相關激烈言論。9 月 30 日，地下共產黨員王孝和因領導楊樹浦發電廠工人運動，被國民黨當局殺害，《正言報》發表消息，指責國民黨 “特刑庭亂殺人！王孝和口眼不閉，一路喊冤。”第二天，在吳紹澍指示下，又發表社論《不要再製造第二個王孝和了》。10 月 13 日，國民黨舉行 “宣傳會報”，蔣介石日記云：“對《正言報》吳紹澍等不法言行，氣憤不堪，暴怒峻斥，事後自覺無謂，而且吳本人並不在座，輕忽狂言，不惟傷神，且亦自鄙人格。”大概蔣介石的脾氣發得太大，言詞過於粗魯，所以蔣介石自覺不當。但是，有關當局還是下令《正言報》停刊。不過，其主因是該報對王孝和事件所發言論，而揚子公司案則可能只是次因。兩因併發，所以懲處分外嚴厲。前此相關著作將其與《大眾夜報》視為同受揚子公司案件之殃，顯然失之於簡單。

六、蔣介石阻止監察院調查揚子公司

案件發生後，在南京的監察院迅速注意到此案，決議派員調查。院長于右任將這一任務指派給了監察委員熊在渭與金越光。二人於 10 月 7 日抵滬，自 12 日起，先後訪問上海市政府、上海市經濟督導員辦公處、上海警察局、社會局等處，會見蔣經國，並且詢問了孔令侃本人。

10 月 18 日，蔣介石自北平致電上海市長吳國楨云：“關於揚子公司事，聞監察委員要將其開辦以來業務全部檢查，中以為依法而論，殊不合理，以該公司為商營而非政府機關，該院不應對商營事業無理取鬧。如果屬實，可囑令侃聘請律師進行法律解決，先詳討其監察委員此舉是否合法，是否有權，一面由律師正式宣告其不法行動，拒絕其檢查。並以此意約經國切商，勿使任何商民無辜受屈也。中正手啟。”[1] 按照 1946 年通過的《中華民國憲法》，監察院的

---

1 《蔣介石致吳國楨電》，《檔案與史學》，1989 年第 2 期。

主要職責在於防範政府機構與官員貪贓枉法，侵害人民權益，蔣介石此電，以保護“商民”和“商營事業”為盾牌，批評監察院超出其職責範圍，理由似乎並無不當。然而，孔令侃並非一般商民，而是權貴子弟，揚子公司也並非一般商業機構，而是權貴資本，在當時為社會所指，民怨所歸，理應加以處理；而且，即使是普通的商民和商業機構，違反國法，即使不是監察院，其他相應機構也完全可以查究，轉交司法機關處理。蔣介石派蔣經國到上海，不就是要他來調查並處理各類經濟問題或案件的嗎？蔣介石此電，對於如何處理孔令侃及揚子公司，無一語涉及，相反，卻嚴厲批評監察院“對商營事業無理取鬧”，要吳國楨轉囑孔令侃“聘請律師進行法律解決”，實際上是在鼓勵孔令侃抗拒調查。

揚子公司的囤積物資履行過“登記”，不好隨意逮捕，但是封存、查核，以便判明其罪或非罪，不僅是可以的，而且是應該的、必需的，蔣介石反對、制止監察委員的調查，而又不下令其他機構調查，其包庇行為就十分明顯了。

10 月 20 日，吳國楨復電蔣介石云：“查此案前系由督導員辦事處徑飭警局辦理，奉鈞座電後，經與經國兄洽定三項辦法：（一）警局即日通知監察委員，檢查該公司業務全部超越警局只能根據違反取締日用品囤積居奇條例之職權，警局前派會同查勘人員即日撤回；（二）該公司可以無當地行政人員在場為理由，拒絕查賬，不必正面與該委員等發生爭執；（三）監察委員熊在渭與天翼先生關係極深，職定訪天翼先生，請其轉達不作超越法律範圍之檢查。是否有當，敬請示遵。”[1] 從此電可以看出，吳國楨受到蔣介石 10 月 18 日的電報後，和蔣經國商量後定出三項辦法，其中最重要的一項便是以超越職權為理由，撤出警察局“會同查勘人員”，同時指示揚子建業公司“拒絕查賬”，並企圖利用熊式輝（天翼）和熊在渭的“極深”關係，勸熊在渭“不作超越法律範圍之檢查”。根據這三項辦法，徇私、包庇盡在其中，而又一切合法，沒有絲毫破綻。

次日，蔣介石復電云：“號電悉，可照來電之意進行，如至不得已時，仍應照中前電辦理。”[2] 可見，蔣介石批准了三項辦法，而將自己 18 日電所述作為最

1　《吳國楨致蔣介石電》，台北“國史館”藏，002-080108-00002-015。

2　台北“國史館”藏，002-080200-00334-079。

終辦法。

關於蔣、吳之間為揚子建業公司案往來通電情況，後來吳國楨回憶說："過了兩星期，什麼也沒發生，蔣經國無能為力。此後我突然接到蔣介石從北平發來的電報，電報裏說他已下令應由我處理此案。我回電說，從一開始我就向閣下說明過，我對此事不負責任，而且所有其他的案件也是別人處理的，我認為此案不應由我處理。三天後蔣夫人給我來長途電話，說委員長正在打另一份電報，命我直接處理此案，因此我最好還是照辦。"[1] 此回憶的特殊價值在於，它提供了宋美齡介入孔令侃案的直接證據。

11 月 4 日，蔣經國將孔令侃的囤積清單交給蔣介石，蔣介石閱後很生氣，日記云："本日經國報告，孔令侃囤積居奇，見其貨單，痛憤之至，故今日情緒更覺抑鬱矣。"然而，蔣介石也僅止於"痛憤"而已。

揚子公司案激起了監察委員們對宋子文、孔祥熙家族的聲討熱情，蔣介石本來認為，中國國情和西方不同，"未至民主程度而硬行民主"，只能"自討苦痛"[2]。早在 10 月 16 日，他就在日記中批評立法院、監察院的委員們不守紀律，和黨、和政府，包括他這個"領袖"矛盾、對立，日記說："數月以來，戰事不利，經濟拮据，外交艱窘，因之立法、監察各院之黨員更形無法無天，不僅事事違反紀律，與中央黨政處處立於反對地位，而且一人一黨，每一黨員皆欲自作領導，自有主張，直接領袖，而其對領袖意旨與命令陽奉陰違，口是心非，並對余之言論吹毛求疵，惡意曲解，不但喪失領袖威信在所不顧，而且無形中間接協助共匪，以摧毀黨政，亦所不恤，幾乎令余無所措手足。"

批評有兩種，一種是自己人的批評，目的在糾缺補失，謀求匡正，一種是敵對者的批評，目的在打倒自己，進而自立。明智、寬宏的統治者勵精圖治，只重視批評的事實，而不去追究批評者的立場和動機，更不計較其言辭的尖銳與激烈。剛愎、狹隘的統治者與此相反，一人為剛，萬夫為柔，喜歡己言方出，立即萬眾歡呼、擁戴，聽不得不同意見，更容不得別人批評、反對。這種人，熱衷於追究批評者的動機與立場，計較其言辭的尖銳與激烈，常常將自己

1　《從上海市長到台灣省主席——吳國楨口述回憶》，上海人民出版社 1999 版，第 70 頁。
2　《蔣介石日記》，1948 年 9 月 17 日。

人的批評視為敵對者的攻擊。蔣介石的上述日記指責立法院、監察院的委員們"無形中間協助共匪"，就部分地表現了後一種情況。

10月23日，立法院舉行時局談話會，有立委激烈地批判政府，發言說：

"人事破壞法統，貪污無法懲辦。如宋子文套購外匯，揚子公司的囤積嫌疑，至今也莫奈何。其次，例如豪門問題，至今沒有辦法。試問現在政府的權貴哪個不是豪門？哪個不是老虎？號稱打虎的蔣經國，又有什麼辦法！"

該立委責問當時的翁文灝內閣："是否能將政情澄清，否則請他下台！" [1]

立法委員的情緒如此，監察委員的情緒自然更不在其下。10月24日，蔣介石日記云："尤以監察委員對宋、孔之攻訐，糾纏誣衊，不顧大局，為匪作倀，此種卑劣無智之民意機構，更令人悲痛灰心也。"其實，民國時代的立法院大體上相當於西方的議會，監察院更是孫中山設計的具有中國特色的機構，其制衡、質詢、批評甚至抨擊政府的各級機構和成員乃是職責所在，蔣介石不能容忍其監督，不僅說明他對這種民主方式不習慣，也在某種程度上顯示出，儘管他有時候雖然高唱"民主"，而其實有類於葉公好龍。不過，應該指出的是，他還有一定的度量，沒有對這些放言高論者採取懲罰措施，報紙上也還可以將他們的言論登出來。

七、行政院取消"限價"，蔣經國辭職離滬

蔣介石阻止調查，揚子公司的案子辦不下去，其他事情自然也難於推動。10月16日，蔣經國在《反省錄》中承認："揚子公司的案子，未能徹底處理，因為限於法令，不能嚴辦，引起外界的誤會。同時自從此事發生之後，所有的工作，都不能如意的推動了，抵抗的力量亦甚大。"蔣介石下令阻止監察院調查的當日，蔣經國約吳國楨、宣鐵吾等討論目前經濟問題，"可以說沒有一個是支持政府政策的"。蔣經國在日記中自稱："今日在精神上受到極嚴重的壓迫，未安睡。" [2]

1　《立委昨檢討時局》，《大公報》（上海版），1948年10月24日。
2　《滬濱日記》，《蔣經國自述》，第192頁。

此後的一段時期內，蔣經國既感到行政院方面的動搖，也感到自己的話越來越沒有人聽。10 月 27 日日記云：“在前半個月我的話是不會打折扣的，而現在則不如前了。”

經濟問題只能用經濟辦法解決。國民黨用高壓手段“限價”，嚴禁物價上漲，這就逼得上海和各地商界用“拒售”的辦法來對付，從而形成更大的經濟危機和社會危機。10 月 24 日，蔣介石和行政院長翁文灝長時間討論經濟問題，日記云：“情形日非，商鋪空室藏貨，人民排隊擠購，尤以糧食缺乏為可慮耳！”同日，蔣經國早起到理髮店理髮，聽到的都是“排隊買不到東西”這許多話[1]。這種“買不到東西”的情況不僅嚴重影響到上海、南京的市民生活，而且影響到了蔣介石。10 月 31 日是蔣介石的 62 歲生日，蔣緯國夫婦和蔣介石的侄女蔣華秀夫婦前來祝壽，蔣介石居然辦不出一席稍微像樣的飯菜來，日記云：“晚課後緯兒及華秀等夫妻來祝壽，聚餐便飯，以買不到食物也。”連為蔣介石服務的侍從們都不能為蔣買到食物，市場上嚴重的物資匱乏情況可想而知。

10 月 28 日，蔣經國到南京參加經濟管制會議，“大家都主張讓步”。會議決定糧食可以自由買賣，工資可以調整，百物都可以照成本定價。11 月 1 日，行政院宣佈取消限價，糧食按市價交易，自由運銷，紗布、煤、糖、鹽，由中央主管機關核本定價，統籌調節。蔣經國原來主張堅決守住“八一九”的限價防線，至此，徹底崩潰。當日，蔣經國發表《告上海人民書》，承認自己未能盡責完成任務，在若干地方，增加了人民的痛苦，應向政府自請處分。11 月 6 日，正式發佈消息，辭去督導員職務。從即日起，蔣經國可以不再到中央銀行辦公。他到督導員辦公室走了一圈，“心中實有無限的感慨，幾欲流淚[2]。此後，他情緒消極，借酒澆愁，一邊喝酒，一邊焚燒文件，甚至連印好的請柬也在焚燒之列，賈亦斌問故，蔣答：“亡國了，還請什麼客？”[3]

蔣經國以鐵腕手段控制物價，在一段時期內有效，並且得到一般平民百姓的擁護，但是，一旦“限價”令取消，物價立即如斷線風箏，扶搖直上，平民

---

1 《滬濱日記》，《蔣經國自述》，第 194 頁。
2 《滬濱日記》，《蔣經國自述》，第 200 頁。
3 《賈亦斌回憶錄》，第 165 頁。

百姓受到更大的痛苦。11 月 8 日，蔣介石日記云："自限價取消，經國辭去管制督導員後，上海物價已日漸實漲四五倍。"蔣介石派蔣經國到上海，本意在解決經濟危機，不料卻陷入更大的危機中。

11 月 15 日，上海經濟督導員辦公室發表聲明：關於揚子建業公司囤貨事件，茲已將該案調查處理經過，連同警局檢查報告及該公司囤貨一並呈報行政院，督導處並規定該公司所囤工業原料及日用必需品由主管機關按照限價配給各廠家、商號，已轉飭市府及主管當局辦理。[1] 這份聲明無異提前宣告，孔令侃和揚子公司無罪。

八、監察院公佈對揚子公司的《糾舉書》

儘管蔣介石禁止監察院對揚子公司進行調查，但是，他當時還不擁有"一句頂一萬句"的無上的絕對權力，因此，熊在渭、金越光的調查一直在持續進行。孔令侃方面，由於有姨丈蔣介石和姨母宋美齡的撐腰，有恃無恐，拒不交出貨物進出總賬、分戶賬及結匯等重要帳冊，與熊、金二人接談過一次後即避不見面，僅由財務處副處長出面敷衍，聲稱："公司創設未久，賬項不全，且全盤賬目清查頗為繁複，未便交出。"同時，上海市政府等有關方面也不能積極配合。儘管如此，熊、金兩位監察委員仍然完成調查，寫出長達一萬二千字的《糾舉書》。

《糾舉書》提出：揚子公司囤有西藥、顏料、化妝品、玻璃質日用品等，共三四千箱；另有與揚子公司關係密切之利嘁所存新小汽車 75 輛、卡車 10 輛。以現貨從低估計，約合金圓券二千萬元以上，折合法幣六十萬億元，約合其第二年註冊資本的 6 萬倍，"要非該公司總經理孔令侃具有特殊權勢，巧取豪奪，誰能相信？"

《糾舉書》列舉揚子公司 1947 年以來的營業額，計算該公司應向國家交納的巨大稅款數字，指出該公司實際所交，僅及千分之五、六，特種營業稅只交

---

1 《中央日報》（上海版），1948 年 11 月 16 日。

了金圓券132元4角7分。"其中與稅務機關有無勾結，固不可知，然該公司仗勢逃稅，則實為明顯"。

《糾舉書》還提出：該公司存貨，大多為民國三十五年、三十六年購進，迄今尚未拋售應市，其中食糖、煤油，均在一年以上，"自難謂為非囤積居奇之行為"。又指出：在這些存貨中，屬於禁止進口或暫時禁止進口者達二十餘種，"其破壞法令，圖謀私利，殆無疑義"。

《糾舉書》並將矛頭指向孔祥熙，指出孔祥熙、孔令侃父子進口的"卡地洛克"汽車與揚子公司另一批6噸以上的"飛愛特"汽車，輸出入管理委員會都表示未發進口許可證，那麼，"江海關何以准其進口？"如非"與該江海關主管人員勾結，何能登岸？"

《糾舉書》認為，孔令侃"仗勢違法、逃稅走私、囤積牟利各罪俱全，自應予以嚴懲"，建議函請行政院轉飭工商部，吊銷揚子公司的營業執照，停止其營業，"至其侵犯司法部分，並應移送法院，依法究辦"。

此外，《糾舉書》並提出，上海市長吳國楨、警察局長俞叔平、經警大隊長程義寬，及上海市直接稅局局長黃祖培、輸出入管理委員會主委霍寶樹、江海關稅務司張勇年等，均"有玩忽職務之處"，一併糾舉[1]。

該《糾舉書》經監察委員劉延濤、王向辰、王澍臨三人審查成立，於12月21日送交行政院處理。

《糾舉書》送交行政院之日，離蔣介石宣佈下野，將總統職務交由李宗仁代理的日子已經不遠。自然，此後《糾舉書》即進入國民黨內習以為常的"公文旅行"流程。

九、國民黨和政府陷入人心盡失的危機

俗話說："好事不出門，壞事傳千里。"蔣介石、宋美齡包庇孔令侃的情節迅速在社會流傳、發酵，蔣介石父子和宋美齡都受到社會，包括國民黨內部

1　《監委對揚子公司糾舉書》，《申報》，1948年12月22日—26日。

的廣泛批評，它使國民黨和政府陷入人心盡失的嚴重危機。當時守衛北平的將領傅作義就曾為此事對杜聿明說：「蔣介石要美人不要江山，我們還給他幹什麼！」此事成為傅對蔣「失去信仰」的重要原因[1]。賈亦斌在向蔣經國勸諫不成後也對他最後失望，「決心同蔣家王朝決裂，同蔣經國分道揚鑣，去尋找新的道路」[2]。1949 年 4 月，在浙江嘉興起義，投向中共。

1948 年 11 月 4 日，《中央日報》曾發表殷海光執筆寫作的社論《趕快收拾人心》，批判「豪門」貪財橫行，「享有特權的人享有特權，人民莫可如何。靠著私人政治關係而發橫財的豪門之輩，不是逍遙海外，即是依勢豪強如故。」孔祥熙當時在美國，孔令侃在揚子公司被查封後不久也經香港去了美國。社論指認「豪門」為「人民公敵」，斥責國民黨和政府「甚至不曾用指甲輕輕彈他們一下」。社論說：「革命與反革命的試金石，就看是走多數派的路線，還是走少數派的路線。如果走少數派的路線，只顧全少數人的利益權勢，那末儘管口裏喊革命，事實上是反革命。」《中央日報》是國民黨的機關報。人們已經很難分清，這些言論和當時中共批判國民黨的言論有多大區別了。

國民黨和社會上普遍彌漫的這種不滿、怨憤，蔣介石自然是清楚的。不妨看他這一時期的日記：

11 月 3 日：「宣傳會報，為孔令侃牽累非淺也。」

11 月 5 日：「黨報社論，亦攻訐我父子，無所顧忌，此全為孔令侃父子所累，人心動搖，怨恨，未有如今日之甚者。」

11 月 9 日：「本日謠諑更甚，牽涉妻事。」

11 月 10 日：「為孔家事，全體黨員皆起疑竇，牽累不少。」

11 月 11 日：「本日為孔庸之事及社會對宋、孔豪門資本之攻訐，幾乎成為全國一致之目標。」

11 月 12 日：「今日謠諑繁興，甚於卅三年之時，並對孔、宋攻訐，牽涉內人。」

這些傳言、攻訐、謠諑的內容，今天已難一一闡述清楚。徐永昌日記云：

---

1 杜聿明：《遼瀋戰役概述》，《遼瀋戰役親歷記》，中國文史出版社 1985 年版，第 17—18 頁。
2 《賈亦斌回憶錄》，第 165 頁。

"聞蔣先生日前亟亟到滬，十之八九因孔大少爺不法囤積等問題，蔣夫人速其訪滬解圍云云。"[1] 蔣介石的秘書周宏濤則回憶說："我風聞這天蔣公為了揚子公司囤積居奇案，在夫人的要求下召見經國先生，垂詢上海金融管制執行情形，經國先生本要法辦經營揚子公司的負責人孔令侃，因而擱置。"[2] 徐的日記、周的回憶，都說明蔣介石、宋美齡干預揚子公司案一事流傳之迅速和廣泛。至於賈亦斌在回憶錄中所說，蔣介石曾在 10 月 9 日痛罵蔣經國："你在上海怎麼搞的，都搞到自己家中來了！"要他立即打消查抄揚子公司一事。又曾召見上海文武官員說："人人都有親戚，總不能叫親戚丟臉，誰又能真正鐵面無私呢？我看這個案子打消了吧！"賈亦斌並非在現場目擊耳聞的當事人，他的這些回憶和蔣介石的身份、性格與語言風格不合，顯然屬於傳言、謠諑之類。

　　既然是傳言、謠諑，自然不可能很準確，模糊失真，甚至誇大、扭曲都在所難免。傳言中可能有同情蔣經國，指責宋美齡的內容，因此，宋美齡覺得很委屈。11 月 27 日夜，國民黨和政府已經風雨飄搖，宋美齡赴美乞援，行前之夜，蔣介石發現宋美齡突然啼泣不止，日記記載說："午夜醒時，妻又悲切不置。彼稱國家為何陷入今日之悲境，又稱彼對經兒之愛護，雖其親母亦決無此真摯，但恐經兒未能了解深知耳！惜別淒語，感慨無窮，彼為余與國家以及宋、孔之家庭受枉被屈，實有不能言之隱痛，故其悲痛之切，乃非言詞所能表達其萬一。"可能宋美齡當時對蔣經國確有真摯"愛護"之意，也可能在蔣、宋、孔三家的關係中，傳言中宋美齡的作用有不完全準確之處，但是，衡以本文所舉上述例證，蔣介石、宋美齡夫婦徇私包庇孔令侃及其揚子公司的基本事實應無疑義。

　　傳言、謠諑有很大的殺傷力，基本符合事實的傳言，其殺傷力就更大。在揚子公司問題上，人們對蔣介石、宋美齡、孔祥熙、孔令侃以及蔣經國的批評實際上就是對掌控當時社會、國家的"豪門"的批評。這種批評是很容易轉化為打倒"豪門"，推翻"豪門"的革命情緒的。

　　平心而論，蔣介石自奉儉約，大體清廉，對孔氏家族的貪瀆、腐敗也有過

1　《徐永昌日記》，1948 年 9 月 13 日，台北"中央研究院"影印版第 9 冊，第 139 頁。
2　《蔣公與我》，台北天下遠見出版公司 2003 年版，第 54 頁。

制裁。例如：1942 年 12 月，槍斃與孔祥熙家族關係密切的林世良。1945 年，親自審查孔祥熙涉案的美金公債舞弊事件，迫使孔祥熙辭去行政院長、財政部長、中央銀行總裁等多項職務。但是，蔣介石顧全國民政府和孔氏家族的體面，擔心"夜長夢多，授人口實"，最終還是只能以大事化小，後台結案的方式了斷[1]。到了揚子公司問題上，蔣介石礙於宋美齡和孔令侃之間的關係，壓制調查，窒息言論，徇私包庇，終於毀滅了國民黨和政府擁戴者的最後一點希望，陷入人心盡失的嚴重局面。

豪門越"豪"，處理其貪腐，就應該越堅決、果斷、及時，這就是歷史的教訓。

十、尾聲

熊在渭、金越光在《糾舉書》中提出，揚子建業公司的"侵犯司法部分，並應移送法院，依法究辦"。其後，該案交上海地檢處偵查，由游鴻翔檢察官承辦。1949 年 1 月 9 日，地檢處傳孔令侃及揚子建業公司副總經理于鐘聲到庭說明。二人不到。1 月 18 日，再傳，28 日，三傳，仍然不到。其間，上海社會局擬定對該公司查封貨品處理辦法，建議將其中工業原料及日用品兩部分由政府收購出售，其盈餘之數，半供全市公教人員福利基金，半充救濟難民之用，12 日。上海市政府第 158 次會議討論，通過這一辦法。15 日，孔令侃呈文反對，聲稱"所存貨品並無違法，不服處理，聲明異議，請予取消原處理辦法，發還貨品"。上海社會局審核後，於 2 月 24 日報告吳國楨，認為該公司存貨大多係 1946、1947 年購進，儲存均在一年以上，當限價期內工業原料恐慌之時，該公司仍不應市，實屬囤積居奇之作為[2]。2 月 26 日，吳國楨批交上海參事室核議。4 月 12 日，孔令侃再次遞狀。聲稱現因病在穗，不能來滬，一俟病癒，即行投案[3]。4 月 30 日，參事室復核，認為揚子公司"違法囤積"一案，經監察院

1　參見本叢書卷 2 中的《蔣介石親自查處孔祥熙等人的美金公債舞弊案》。
2　《上海社會局呈》，上海市檔案館藏，Q1 全宗 -7-335（市府機要室存揚子公司案卷）。
3　《揚子案將再傳訊》，《申報》，1949 年 4 月 12 日。

金、熊二委員調查屬實，孔令侃所稱毫無囤積居奇意圖之說，"自難採信"，原經濟督導員辦公室"將其貨物予以查封，以利處理，於法尚非無據"，按照限價，供應市場的決定"亦無不合"。參事室並提出，將揚子建業公司的貨品分為三類：日用品部分，待法院判決後再行處理；無關法令部分，帶徵自衛捐後發還；工業原料部分，則收購出售[1]。

同年 5 月 27 日，中共領導的解放軍攻入上海，實行軍管，揚子建業公司案件結束。據此，吳國楨的下述回憶就不完全準確了。吳稱："我組建了個委員會，包括市商會、審計業同業公會、市議員代表、一個來自俞鴻鈞和蔣經國方面的代表，當然還有一個市府代表，以及上海律師公會的律師們。大家一起研究此案，結果是律師公會認為一切均屬合法。不管怎樣，在金圓券垮台後，調查結果也公開了，由於那時一切都處於混亂之中，再也沒人去想這件事了。"[2]所謂"組建了個委員會"，可能在交參事室核議過程中，有過類似事情，但是"一切均屬合法"則並非一致結論，除了熊在渭、金越光二位監察委員的《糾舉書》之外，並無其他"調查結果"公佈。

附記：本章寫作和修改過程中，得到上海檔案館陳正卿、香港中文大學鄭會欣、台北"國史館"侯坤宏、北京國家圖書館李丹等教授、先生、女士的幫助，特此致謝。

---

1 《上海市參事室所擬答復函稿》，上海市檔案館藏，Q1 全宗 -7-335（市府機要室存揚子公司案卷）。

2 《從上海市長到台灣省主席——吳國楨口述回憶》，上海人民出版社 1999 版，第 70 頁。

從大舉進攻到全面敗北

——讀蔣介石致熊式輝函 *

* 本文錄自《楊天石評說近代史》，中國發展出版社 2015 年版。

美國哥倫比亞大學珍本和手稿圖書館藏有蔣介石致熊式輝手札多件，是研究國共內戰時期東北戰場的重要資料。

　　1945 年 8 月 8 日，蘇聯對日宣戰，蘇軍向盤踞在中國東北的日軍發起進攻。日本侵略者的徹底失敗即將成為事實。10 日、11 日，中共中央連續發出《關於蘇聯參戰後準備進佔城市及交通要道的指示》及其他命令，要求各解放區部隊迅速前進，收繳敵偽武裝，接受日軍投降，並令在冀熱遼邊區的部隊迅速深入東北。與此同時，蔣介石則下令要各解放區部隊"原地駐防待命"，並在美國的幫助下搶運部隊，接受淪陷區的主要城市和交通線。於是，國共兩黨間一面在重慶舉行談判，一面開始了緊張的角逐。

　　8 月 31 日，蔣介石任命熊式輝為東北行營主任，同時將原東三省劃分為九省二市，分別任命了省長和市長，以示其對於東北的統治權。10 月 18 日，任命杜聿明為東北保安司令長官，積極準備進攻東北。與此同時，共產黨也針鋒相對，積極準備抗禦國民黨軍。9 月 14 日，中共中央決定建立東北局，以彭真為書記。19 日，中共中央確定"向北發展，向南防禦"，打擊和阻止國民黨軍北進，控制東北。此後。陸續派遣 10 名中央委員、10 名候補中央委員率領 2 萬名幹部和 11 萬部隊進軍東北。10 月下旬，成立東北人民自治軍。1946 年 1 月，改名東北民主聯軍，以林彪為總司令，彭真為政治委員。中國兩大政治力量的生死較量首先在東北展開。

一、大舉進攻

當時，東北處於蘇軍控制之下，蔣介石要接收東北，不得不和蘇方交涉。1945 年 9 月 4 日，蔣介石任命蔣經國為外交部駐東北特派員，協助熊式輝進行談判。

最初，蔣經國等根據蔣介石的意見，提出以大連港作為國民黨軍登陸地點，但蘇方強烈反對，不得不改變計劃。10 月 23 日，熊式輝與蔣經國會見蘇軍元帥馬林諾夫斯基，提出在葫蘆島及營口的登陸計劃。10 月 29 日，蔣介石致熊式輝函云：

> 刻與美軍商定，我軍決在秦皇島先登陸一軍（即十三軍）（先頭運輸），至另軍約須下月初旬到達葫蘆島，如形勢未能變更，亦仍在天津登陸，由鐵路向東北運輸也。惟與蘇軍仍應繼續交涉，要求其負責協助我軍在葫蘆島登陸也。一面必須要求其由瀋陽至山海關段鐵路，負責保護，協助我運輸，此應作為主要交涉也。

蔣介石擔心新計劃仍然會遭到蘇方的反對，因此，作了兩手準備：一面以已為美軍控制的秦皇島作為登陸地點，一面命熊等和蘇方交涉，如蘇方仍然不同意以葫蘆島為登陸地點（即函中所云 "形勢未能變更"），即在天津登陸，利用北寧路向東北輸送。蔣經國 1945 年 10 月 29 日日記云："下午一時會見馬林斯基，彼對重要問題，皆不作正面之確定答復，即關於葫蘆島我軍登陸一事，俄方亦不願作安全之保證。"[1] 指的就是有關交涉。

在美國海軍的幫助下，國民黨軍隊第六十軍曾澤生部、第十三軍石覺部、新一軍孫立人部、第七十一軍陳明仁部、新六軍廖耀湘部等先後到達東北，和共產黨的矛盾日形緊張。蔣介石 1946 年 3 月 30 日致熊式輝函云：

> 東北執行組方針及我方應取之態度，特派范漢傑同志來錦面詳一切，並留其在東北協助一切可也。

---

1 《五百〇四小時》，《蔣經國自述》，湖南人民出版社 1988 年 9 月版，第 149 頁。

1945 年 12 月 20 日，美國總統特使馬歇爾抵華。次年 1 月 7 日，張群、周恩來、馬歇爾組成軍事三人小組，商討國共兩黨間停戰及整編等問題。10 日，國共雙方代表簽署停戰協定，但國民黨堅持不包括東北在內。14 日，國民黨、共產黨、美國政府三方代表在北平組成軍事調處執行部。2 月 25 日，軍事三人小組簽訂《關於軍隊整編及統編中共軍隊為國軍之基本方案》。3 月 27 日，通過《東北停戰協定》，規定停戰期七天。29 日，軍事調處執行部發表公報，決定派四個執行小組赴東北。次日，蔣介石決定派范漢傑赴錦州，向熊式輝傳授機宜，並留范在東北北策劃。本函即作於當日。蔣介石的如意算盤是：以最快的速度消滅中共在東北的主力，儘量佔據有利地位。對此，鄭洞國回憶說：“我們的方針大致是，乘三人小組未到東北之前，儘可能擴大佔領地區，首先要控制鐵道沿線的重要城市，造成既成事實，以便將來停戰談判時，處於有利地位。”[1]這段回憶是符合蔣介石當時的思想的。

4 月 6 日正午，蔣介石致范漢傑轉熊式輝函云：

> 我軍應在四平街以南地區與赤匪決戰，以期徹底消滅其主力，則今後東北即易為力矣。如兄等同意，則新一軍暫緩北進，即在現地整頓，而調新六軍、第五十二軍以及其他有力部隊，全力北進，與匪以殲滅之打擊，並準備用空軍臨時助戰，以期一網打盡，為東北根本之圖也。希以此意轉示鄭、梁各副長官、趙參謀長、各軍師長參謀長可也。

四平街當時是遼北省政府所在地，為東北交通、工業及軍事重鎮，中長、四洮、四梅等鐵路在此交匯，東北郊山巒重迭，西南郊河流縱橫，為通往長春的咽喉要道。蔣介石決心在這裏和共產黨人打一場惡戰。同日 16 時，蔣介石又致熊式輝函云：

> 望於本月 10 日召集師長以上之高級將領在錦州或瀋陽開會，此間當派何總長、白副總長或陳部長來錦參加會議，面達機宜也，惟要旨仍不外附函中所述方略，請照此預備，但須極密，尤不可以派大員來錦事為任何人所知也。集會當以兄之名義分別電召，亦不可言明開會也。何人來錦，

---

1 《從倡狂進攻到放下武器》，全國政協《文史資料選輯》第 20 輯，第 57 頁。

約 8 日下午可決定電告。兄如接"敬〔修〕〔健〕兄後日起飛",即知何總
長 10 日來錦矣!萬不可派人到機場迎接,必須極秘,勿為共黨探悉為要!

何總長,指何應欽,時任軍事委員會總參謀長;白副總長,指白崇禧,時任軍
事委員會副總參謀長;陳部長,指陳誠,時任軍政部長。蔣介石佈置熊式輝在
錦州或瀋陽召開師長以上高級將領會議,並擬派何應欽等參加,可見他對該會
的高度重視。由於當時正處於國共談判期間,因此,蔣介石叮囑熊式輝採取嚴
格保密措施,特別要注意"勿為共產黨探悉"。

附函共三份,細緻而具體地提出了作戰方略。其機密(甲)第 9349 號云:

> 我軍應集中所有全力,凡最有力之部隊,皆應向北抽調,先擊破四平
> 街以南之匪部,故應從速調整現在散漫之部署,至於新到後續部隊,應全
> 部控制於北寧路全線,而津灤空虛,更應從速負責增強其兵力與防務為要。

機秘(甲)第 9350 號云:

> 新一軍方面戰況如何,無時不在深慮之中。詳察我軍在東北部署,散
> 漫薄弱,而在北寧全線後方基地尤為空虛,此最為不可。應即重新調整,
> 尤應將第五師歸還津灤方面其本軍之建置,切勿再事延宕,貽誤大局。如
> 我軍決心向北挺進,則對南除收復本溪湖以外,不必再求發展,應暫取守
> 勢,而用全力向長春挺進。對法庫、康平方面,是否應用七十一軍全部前
> 進,亦應研究。中極不以現在此種散漫部署為然也。目前匪部主力全在瀋
> 北,應抽調新六軍及其他有力部隊向北推進,集中全力,擊破其四平街以
> 南匪部而消滅之,則大局定矣!而今後新到之六十軍等,應全部控制於北
> 寧路全線,萬勿再忽視後方交通基地。此次東北作戰,如果一地略遭挫
> 失,則全域皆危,國脈將斷。希兄負責審慎,勿使有萬一之挫失也。

機秘(甲)第 9351 號云:

> 瀋陽、錦州應派機保護基地,前方如有需要,應派機偵察匪情,協助
> 我陸上作戰,若在緊急戰況,或發現重要有利目標,亦可對匪射炸。然此
> 只可偶然為之,不可常用。惟蘇軍所駐地點及其附近上空,應避免進入,
> 以免發生波折,故偵察機北至四平街以南為止,對瀋陽、海城以南,則不

可用飛機偵察也。若炸射動作，則僅以前線作戰最激烈之地點為限也。

抗戰勝利後，國共兩軍在上黨、邯鄲有過戰鬥，國民黨軍都處於下風，蔣介石決心在東北打出個局面來。"東北作戰，如果一地略遭挫失，全域皆危，國脈將斷"云云，可見東北戰場在蔣介石心目中的地位。

在蔣介石的親自指揮下，國民黨軍由鐵嶺、法庫分別北犯，中共方面則以十四個師（旅）的兵力阻擊並守衛四平街。17 日，蔣介石派白崇禧到瀋陽視察，白對杜聿明說："只要將四平街打下，對中共的和談即有面子。"[1] 18 日，國民黨軍開始進攻四平街。21 日，蔣介石致熊式輝函云：

> 東北軍事甚為焦慮，特再派員前來授旨，務希照辦為要。

函末，蔣介石附言云："漢傑同志可先回渝面報。"軍事上的大忌是"遙制"，蔣介石身在重慶，卻要"遙制"千里之外的東北戰場，不僅派員"授旨"，而且要求"照辦"，在這種情況下，其部屬是很難指揮作戰的。

當時，馬歇爾正在調停，蔣介石企圖爭取時間，佔領長春，四平街在所必得，因此，一再採取措施，力爭速勝。而中共中央則希望在四平街給予國民黨軍以沉重打擊，以便爭取較好的談判條件。5 月 1 日，中共中央指示林彪說："東北戰爭中外矚目，蔣介石已拒絕馬歇爾、民盟和我黨三方面同意的停戰方案，堅持要打到長春。因此我們必須在四平、本溪兩處堅持奮戰，將兩處頑軍打得精疲力竭，消耗其兵力，挫折其銳氣，使其受到最大消耗，來不及補充……那時，便可求得有利於我之和平。"[2] 5 月 3 日，中共中央再次指示林彪和彭真，要求堅決保衛四平。但是，由於力量懸殊，東北民主聯軍傷亡 8000 餘人，被迫於當月 18 日撤離四平街。22 日，國民黨軍進佔長春，28 日進佔吉林。

蔣介石興奮之至，於 24 日飛抵瀋陽視察，30 日返回北平。31 日致函熊式輝云：

> 途中研究東北內部，以人事之關係最大。中意，如兄以行政長官兼遼

1　杜聿明：《蔣介石破壞和平進攻東北始末》，全國政協《文史資料選輯》第 42 輯，47 頁。
2　轉引自陳沂：《四平保衛戰》，《遼瀋決戰》（上），人民出版社 1988 年版，第 224 頁。

寧主席，則瀋、長人選是否以徐箴為宜，亦希考慮詳復。道儒來平時擬另
予位置。在其任務未發以前，暫以梁華盛代理省主席名義行之如何？

徐箴，字士達，安東（今遼寧）新賓人，國民黨六屆中央執行委員，時任遼寧
省主席。從本函看，蔣介石一度考慮以熊式輝兼遼寧省主席，而以徐箴改任瀋
陽市長。道儒，指鄭道儒，天津人，原任行政院善後救濟總署副署長，時任吉
林省主席。梁華盛，廣東茂名人，黃埔軍校第一期學生，時任東北保安副司令
長官。從本函可以看出，由於國民黨軍佔領長春、吉林，控制了松花江以南地
區，蔣介石以為東北大事已定，在調整人事安排了。

二、停戰煙幕

儘管各界人士強烈呼籲東北停戰，但是，卻遲遲難以實現。現在，國民黨
軍攻佔四平街及長春等地，佔了大便宜，蔣介石終於點頭了。6月6日，國共
雙方達成協議，在東北停戰15天。6月7日，蔣介石致熊式輝函云：

> 2日函悉。近日回京事忙，不能詳加研究，一俟稍暇，再行商討。惟
> 行營此時不能取消，兄亦不能擺脫此重任也。停止前進令既下，我軍在此
> 十五日之內，必須絕對遵守令旨，勿予匪方稍有藉口之資料。匪必不能在
> 此短期內就範，則十五日之後，我軍仍須照預定計劃，一舉而收復安東、
> 通化也。
> 　　安東省主席趙家驤、趙公武皆可，屆時當再決定。惟現主席高惜冰應
> 予安置。中意高任瀋陽市為最宜。董文崎調永安市長，而現任長春市長，
> 一望而知為弱不勝任者，亦應從速決定人選，希詳報。鄭道儒決調關內任
> 事，彼亦甚願也。

趙家驤，字大偉，河南汲縣人。畢業於東北講武堂。時任東北保安司令
部參謀長兼瀋陽警備司令。趙公武，時任第五十二軍軍長。高惜冰，遼寧鳳城
人。畢業於美國麻省羅惠爾理工學院。1945年任第四屆國民參政會參政員。
次年9月任安東省政府主席。董文琦，吉林雙城人。畢業於日本名古屋工業大

學。後曾任東北水利總局局長，1946年1月任瀋陽市市長。"現任長春市長"，指趙君邁，畢業於美國威斯康辛大學。1942年任第三屆國民參政會參政員。1945年12月長春市市長。此函表明，蔣介石的停戰令不過是掩人耳目之計，一場新的進攻正在醞釀。

同函，蔣介石將6月6日致馬歇爾備忘錄附寄熊式輝，要他和東北保安司令杜聿明"詳閱"。

蔣介石致馬歇爾備忘錄云：

閣下5月26日大函所示之建議，余根本上極表贊同。為使閣下建議之意見及目的更為明晰起見，特為提出下列數點，尚祈鑒照。余過去五個月來所獲痛苦之經驗，使余於應付共產黨時更為準確切實，誠盼閣下對於下述各點予以充分之諒解與支持。

（一）閣下建議余下令國軍停止前進攻擊及追擊共產黨，此固不僅為閣下之願望，余最近前往東北時亦抱此願也。是以，余近日已下令在東北之國軍自明日正午起，至6月21日正午止，在此15日內准停止對共產黨之一切攻擊、前進及追擊，並盼在此時期中對於業已簽訂各協定之詳細實施辦法均能完成，惟須請閣下自共產黨方面獲得保證，將整軍協定立即在東北首先實行，並請閣下在此時期內議訂實行2月25日所訂整編及統編軍隊之整個計劃，並將實施之具體辦法示知為荷。至於閣下暨中共代表所建議派遣執行部前方小組往東北一節，自可派往長春先作準備工作，俟具體辦法解決之時再行開始其任務。

（二）關於修復鐵路及恢復交通一節，余認為有關此事之決定權應賦予美方代表，即由其決定最後完成修復之時期及進度，否則，即無從保證其實現。

（三）余特為強調一點，即政府接受東北之神聖職責不應久延，是以，1月10日停戰協定中所規定政府對於收復主權保持自由行動一點，應始終予以維持。例如倘共黨仍繼續其目前所為，在長春以南之海城附近攻擊國軍，則國軍仍保持其反攻之權。此應特別聲明也。

5月26日，馬歇爾曾致函在瀋陽的蔣介石，建議立即在長春設立軍調部前進指揮所，同時發出在24小時內停止國民政府軍隊前進和追擊的命令。馬歇爾聲稱："如果你不能做到上述兩點,就將違反你最近向共產黨提出的建議。"[1] 29日,馬歇爾致電蔣介石稱:"國民政府軍隊繼續在滿洲前進,你並未採取任何行動以停止衝突","使我作為一個可能的調解人的工作陷時分困難,也許不久實際上陷於不可能了"[2]。蔣介石無奈,同意在東北停戰15天。備忘錄即是對馬歇爾5月26日信件的回答。備忘錄中,蔣介石特別強調,"接收東北"不應久延,政府"保持自由行動"云云,都是為了重新挑起內戰埋下伏筆。蔣介石要熊式輝、杜聿明"詳閱",也是為了要他們注意這一點。

6月17日蔣介石致熊式輝、杜聿明函云:

> 停戰令期滿以後我軍行動應重加研究,切勿稍有疏忽,免誤全域。否則,功虧一簣,不能不為之戒慎恐懼,尤以東北地位與處境,不可不熟慮深思,期無萬一之錯失,以東北兵力在此兩個月內無法增加與補充也。故照現有兵力,在停戰期滿以後積極攻取安東與通化,同時並進,及其佔領以後,是否更覺防廣兵單,此其一也。以戰略與政略論,我軍對哈爾濱之進退取捨之方針最為重要。我軍此時如能用全力佔領哈爾濱,先打通哈爾濱至瀋陽一段鐵路,於外交與政治上自為有利先,而且不患共匪破壞該路。如此比較,先取安東、通化為安全,而且兵力亦容易集中與運用。預料此時進佔哈爾濱時,外交上不致發生困難。故此時先佔哈爾濱,而致安東於緩圖,亦一方案,應加考慮。此其二也。

> 但安東、通化不先收復,則匪之山東來源不能斷絕,而且我瀋陽側背時受威脅。中意,在此二案之中,必須決定一策,否則期滿以後,暫時不動為宜。故派至柔兄前來面商一切,望詳加研討後決策呈核,再行實施可也。餘不一一,皆由至柔兄面達一切。

至柔,指周至柔,蔣介石的親信。原任軍事委員會委員長侍從室第一處主任,時任空軍總司令。按蔣介石的本意,15天之後立刻要恢復進攻,但是,是先進攻哈爾濱,還是先進攻安東、通化,蔣介石躊躇難定。在進佔四平街、長春、吉林之後,國民黨軍戰線拉長,已經感到兵力不足。本函中,蔣介石明確地告訴熊、杜二人:"東北兵力在此兩個月內無法增加與補充",並擔心攻佔安東、

---

1 《馬歇爾使華》(1),中華書局1979年版,第102頁。
2 同上,第104頁。

通化後 "更覺防廣兵單"，傾向於 "期滿以後，暫時不動為宜"。可見，蔣介石已經感到背上包袱的分量了。

三、轉入守勢

蔣介石的 "暫時不動" 維持了四個多月。10 月中旬，蔣介石覺得休整得差不多了，又著手佈置新的進攻。他一面發表聲明，提出所謂八項停止衝突條件，作出和平姿態，同時制訂了一項 "南攻北守，先南後北" 的計劃，企圖集中兵力，首先消滅或逼退南滿的中共部隊，切斷東北解放區和華東解放區的海上聯繫，然後進攻北滿，控制整個東北。18 日，蔣介石致函熊式輝、杜聿明云：

> 前函諒達。收復安東，未知時間能及否？巴黎和會結果，歐洲與近來重要問題並未有所解決，俄國對我國東北之干涉尚非其時，故吾人尚有豫餘時間策劃北滿。但安東能在此次停戰令以前收復更妥，否則蓋平、岫岩應可相機收復也。自中聲明以後，中共尚無反響，惟我軍仍應作其不接收條件之準備。即使停戰令發表，亦必有三五日之猶豫時間耳！天翼兄如能於下月初來京一敘，甚盼。否則請公權兄先來協助國大之召開。請先準備為荷。

巴黎和會，指中、蘇、美、英、法等 28 國代表於當年 7 月 29 日在巴黎召開的會議，目的在於審查對德國的歐洲盟國意大利、羅馬尼亞、匈牙利、保加利亞、芬蘭等五國的和約草案。會議至 10 月 15 日結束，未能就全部條款取得協議。蔣介石分析會後國際形勢，估計蘇聯不可能出面干涉中國的東北問題，要搶在新的停戰令發佈以前攻佔安東，至少也要攻佔位於遼東半島的蓋平和岫岩。19 日，熊式輝、杜聿明根據蔣介石的部署，調集九個師約 10 萬人的兵力，分三路大舉進攻南滿。同月下旬，相繼佔領安東、通化等城市。公權，指張嘉璈，銀行家，時任東北行營經濟委員會主任委員。當時，蔣介石正積極準備召開國民大會，要張回南京參加籌備。

蔣介石的國民大會預定於 11 月 12 日召開。11 月 6 日，蔣介石致函熊式輝、杜聿明云：

> 國民大會決如期召開，在開會期間，不能不暫時停戰，故決日內下令，定於本月 11 日正午起，關內外全面停戰。但匪心決難望其誠服，故我軍在停戰之時，更應積極準備，嚴防其突擊，並乘機整補，萬勿因此懈怠。將來命令雖不明定停戰期限，但不久匪必向我乘隙進攻，望密告各將領，切戒與嚴防勿誤。

同函蔣介石又附言說："將來第二期進剿目標，東則敦化，西則白城子，請積極準備為要！"要開"國大"了，為了裝點門面，蔣介石不能不"暫時停戰"，但是，他深怕熊、杜等人"因此懈怠"，特別提出"第二期進剿目標"，要他們"積極準備"。敦化，在今吉林省東部；白城子，在今吉林省西北部。

1946 年 12 月 6 日蔣介石致函熊式輝云：

> 東北今日之急務，應速修復古北口至錦州鐵路。凡有枕木、鋼軌，應以此為最優先使用，請全力督成為盼！東北今日之形勢，無論政治、軍事、與交通各業務，皆應以西重於東，南重於北。故必須在遼西盡力拓展與鞏固，則進佔退守，皆可確保安全。請照此意旨努力實施。如果寬甸河口之電廠俄軍尚未交還，則對輯安暫緩進取亦可。並請轉告光亭長官是荷！

光亭長官，指杜聿明。從本函看，蔣介石除恢復"南攻北守，先南後北"的計劃外，又增加了"西重於東"的內容，企圖鞏固與擴展其在遼西的統治，以便確保關內外的聯繫，進可攻，退可守。但是，其進攻重點仍然在東線。自 12 月 17 日起，國民黨軍先後四次集中兵力，進攻位於吉林東南部的臨江，均未成功。在此期間，國民黨軍被殲 6 萬 4 千餘人，丟失城市 11 座，不得不停止戰略進攻，轉入守勢。東北人民解放軍則轉入主動。

當國民黨軍在東北屢遭失敗之際，在山東卻取得了一次使蔣介石極為開心愜意的"勝利"。1947 年 2 月 20 日蔣介石致熊式輝函云：

> 臨沂收復以後，黃河南岸之共匪勢如破竹，不難於一個月內肅清，此

後關內僅為黃河以北之問題，務望關外亦能積極整訓，期於今春南滿與熱北之殘匪同時肅清也。

1947 年 1 月，蔣介石調集 53 個旅 31 萬人，進攻魯南地區。其中，以八個整編師 20 個旅為突擊集團，自台兒莊、嶧城、城頭一線進攻臨沂，以三個軍九個師自明水、周村進攻萊蕪，企圖南北夾擊，迫使華東野戰軍在臨沂地區決戰。2 月上旬，華東野戰軍根據中共中央軍委指示，放棄臨沂，主力秘密北上，準備殲滅自北南進的李仙洲集團。蔣介石寫這封信的時候，他還完全沒有察覺中共的戰略意圖，以為打了一個極大的勝仗，夢想在一個月內肅清黃河南岸的中共部隊。基於這一估計，他也要求熊式輝在當年春季肅清南滿和熱河北部的中共部隊。但是，蔣介石好夢不長，李仙洲集團迅速被殲，這樣，他在東北戰場上不得不謹慎一點。

3 月 7 日致熊式輝、杜聿明函云：

> 奸匪敗竄以後，其死傷與損失程度究竟如何？如我軍乘勝進佔哈爾濱，只就東北原有兵力佈置，能否足用？如以為可，則進佔哈爾濱亦無不可；否則，仍照原定方針不如暫緩也。請兄等決之，並詳報計劃候核為要！此次保衛德惠與松江橋頭堡之各主管長官，希即詳告，並先晉一級，其所部官兵皆應重獎。望擬定辦法，一面呈報，一面發表。如只一團，則應命名為德惠團，或中正團亦可。特致立人一書，望轉交為荷！

立人，指孫立人，當時率新一軍駐守長春，該軍第五十師則駐守長春北部的德惠。2 月 20 日，東北民主聯軍主力跨過松花江，奔襲城子街，包圍德惠。長春國民黨軍派出 12 個團的兵力赴援，民主聯軍撤回江北。其後，杜聿明乘機宣揚：「德惠大捷，殲滅共軍 10 萬！」但是，有了臨沂之役的教訓之後，蔣介石持保留態度了。所以本函要求了解民主聯軍的真實損失情況，對熊式輝等進攻哈爾濱的打算，也傾向於「暫緩」。事實上，當時國民黨在東北戰場上已經感到兵力不足，捉襟見肘了。

3 月 17 日蔣介石致熊式輝、杜聿明函云：

> 關於收復旅大政權方案，已囑董參謀長面達不贅，第二次匪部反攻

長春，其意在演成拉鋸戰，俟我官兵疲勞，而後彼乃乘機伺隙以襲長春。故第三、第四次之反攻亦將繼續而來，因之我軍對長春據點之固守，必須指定部隊，使之專守長春核心工事，切勿如過去市內防務之空虛。不僅長春，即瀋陽亦應如此。茲決定在已成立之保安團隊中，長春與瀋陽各調集四個至六個團，專供防守市區核心之用。除步兵輕武器已配發者外，所需重武器必須配給之種類數目，希詳報候批。惟此八個至十二個保安團應即派定，一面調集瀋、長二市，一面呈報番號，以備四、五月間中來東北時親自校閱也。

3月8日，民主聯軍再次跨過松花江，在靠山屯等地殲滅國民黨軍第88師全部及第87師一部，包圍農安，準備殲擊長春、德惠援敵。本函所稱第二次"反攻長春"，指此。從函中可以看出，國民黨軍往日氣勢洶洶的進攻姿態已不復再現，蔣介石開始和熊式輝等討論"固守"及抽調保安團一類問題了。其間，杜聿明曾派鄭洞國赴南京見蔣介石，要求增加兩個軍，同時要求將劃歸華北的第五十三軍調回東北。蔣介石愁眉苦臉地對鄭說："各個戰場的兵力都不夠用。"[1]

四、敗局已定

當時，東北民主聯軍已發展至46萬人。為了從根本上扭轉東北戰場形勢，打通南北滿，民主聯軍於當年5月13日發起夏季攻勢，攻擊長春至四平街兩側地區及沈吉路中段之敵。至6月初，南北滿民主聯軍會師，吉林、長春以南，四平街以東廣大地區國民黨軍被肅清。同月11日，以24個師的兵力進攻四平街，以割斷瀋陽、長春之間的聯繫，孤立長春、吉林的國民黨軍。6月13日蔣介石致熊式輝函云：

> 光亭病狀如何？無任繫念。第五十三軍集中瀋陽後，當可打通四平街鐵路線，未知由四平打通至長春一段有否把握？務希切實估計詳報，下列各點亦希妥籌密報。

1　鄭洞國：《從倡狂進攻到放下武器》，《文史資料選輯》第20輯，第70頁。

一、長春與永吉兩地能否固守三個月？

二、此時大石橋與營口應可派正規軍固守，尤以營口為然。究派何部及如何決心與計劃？

三、錦州與葫蘆島防務應積極加強，並指定得力部隊固守核心工事，以防萬一。如何計劃？

四、聞四平街士氣最低落，如飛機仍可降落，應由兄或派高級人員以中名義前往視察與慰勉。

五、東北將領之生活與舊習應徹底改革，自高級軍官本身做起。一面組織整頓軍紀督察組負責執行，先由瀋陽做起。如何實施希詳告。如欲收復失土，完成革命任務，非從本身之精神與修養做起，則不足再言剿匪矣！希告我各將領，共同一致，努力實施。

六、長春、吉林、四平街、新民、鐵嶺各地部隊，請派專員與王副司令叔銘為我前往慰勞，並勉其作三個月之固守準備，以防萬一。如兄或光亭兄能親自慰勉更好。

七、第五十三軍集中後之全般計劃，希函告。

八、各地守軍應下決心，作固守三個月之準備。

九、此時必須增強北寧路後方聯絡線之防務，尤以營口、錦州、葫蘆島三地為然，務希即速著手佈置勿忽。

光亭均此。

王叔銘，山東諸城人。黃埔軍校第一期畢業生。時任空軍副總司令。本函充分反映出，在東北民主聯軍的強大攻勢下，國民黨軍的處境日益不妙：杜聿明身患重病，國民黨軍士氣低落，所佔領的城市成了孤島，蔣介石自己也失去信心，只能提出打通鐵路線、"固守三個月"之類的要求了。

6月20日，蔣介石致熊式輝函云：

來書詳悉。凡可能之事，皆已督促各部照辦勿念。關於四平得失，無任系慮。瀋陽增援部隊應即向四平前進勿延，不必待五十三軍之集中。但其後續一師必令另迅速車運無誤。關於作戰意見，已囑孫副長官面詳不贅。順頌光亭長官均此。

蔣介石懂得四平街戰略地位的重要，因此，命令瀋陽增援部隊迅速前進。6月

27 日，民主聯軍曾一度攻入四平街城內，但由於兵力不足，自瀋陽馳援的國民黨軍又已迫近，遂決定停止進攻四平街。

民主聯軍發起的夏季攻勢至 6 月 30 日止，歷時 49 天，共殲滅國民黨軍 8 萬餘人，收復城鎮 40 餘座，廣大的解放區連成一片，國民黨軍只保有中長路及北寧路的少數點線。

同年 7 月，杜聿明因病離職。8 月，熊式輝被免去東北行轅主任職務，黯然離開東北。12 月，被任命為戰略顧問委員會委員。

在熊式輝檔案中，還保存著蔣介石 1948 年 1 月 26 日的一封信，中云：

一、保密。

二、防奸（清查）。

三、封鎖消息（檢察）駐地及行進通過道路之兩側地區（十五公里以內）通過前後各一日皆應事先派便衣隊密佈要路口，禁止行人來往。對匪所在方向之交通道路，更應特別封閉，無論何時，皆不准人民出入來往。

四、情報組織與技術之加強。

五、團以上各級指揮部新聞處，設置登記丁糧、組訓民眾之專員及人民服務隊，負責編訓地方各級武裝自衛隊。

六、通信工具機構與技術之加強與監督考察，及每月賞罰及其成績之呈報。

七、偽裝假情報與反間等技術之加強與每月賞罰之評定呈報。

八、參謀業務之加強與與調查研究督導工作及其方法之不切實不敏捷與判斷識別之不明晰與判斷之不正確，決心與實行之不堅定，皆應徹底改革糾正。以上各條，請擇要編入於新剿匪手本之內。

本函反映出，由於在全國戰場上屢遭慘敗，蔣介石已經無計可施，只能藉助於特務手段，加強控制了。

衛立煌與中共關係之謎 *

* 原載《世紀》2019 年第 2 期。

衛立煌，國民黨高級將領，位至中國陸軍副總司令。抗戰初期，多次要求參加中共，與八路軍長期保持良好關係。戰後，通過蘇聯駐法國大使館與延安中共中央暗通消息。1948 年，被蔣介石派赴東北，出任"剿總"司令，企圖依靠他挽救危局，但衛之志則在於促使蔣介石失敗。瀋陽雖有十餘萬大軍，但未經激戰，幾乎等於和平解放。

近年來，個別中共領導人曾說明，衛立煌是 1939 年的中共秘密黨員，情況是否如此呢？

一、陳鐵向蔣介石告密，衛立煌與之相約："同入共黨"

蔣介石 1940 年 11 月 24 日日記云："注意：陳鐵報稱，衛在忻口戰役後約陳同入共黨，於情理太不合，必有另故。"

陳鐵，名永貞，字志堅，1899 年出生於貴州。1924 年 6 月，考進黃埔軍校第一期。其後，參加平定商團叛亂，討伐陳炯明，平定滇桂軍閥楊希閔、劉震寰的叛亂諸役，升任營長和團長。1927 年 12 月，入陸軍大學將官特訓別班學習。1931 年冬，與衛立煌一起從陸大畢業，衛被任命為第十四軍軍長，陳任十四軍八十三師副師長，自此，與衛立煌關係日深。盧溝橋事變後，陳鐵在滄州火車站召開全師官兵抗日動員大會，寫詩明志："滿城風雨定難保，不滅倭寇

勢誓不休。"1937 年 10 月，日軍為佔領山西、控制華北，由板垣征四郎指揮 3
個師團，約 6 萬人，向晉北要地忻口進犯，企圖進一步進攻山西省會太原。為
保衛太原，中國方面調集約 16 個師的兵力，由第二戰區副司令長官衛立煌指
揮，佈防抵禦。陳鐵時任第八十五師師長，奉命調到山西，加入衛立煌的第二
戰區第十四集團軍，對日作戰。

在太原保衛戰中，陳師向日軍反覆衝殺，肉搏五六日，陳鐵因所部傷亡過
半，申請辭職，蔣介石未予追究，反補充兵員，去電嘉獎。此後陳鐵所部即在
山西一線作戰。

經查，蔣介石日記的上述記載，出於 1940 年 11 月 22 日陳鐵向國民黨第
34 集團軍總司令胡宗南的報告，中云：

> 衛長官俊如，自忻口以後，即閱讀共黨書籍，並為共黨份子掩護工
> 作。去年之春，王明、劉公俠（共黨中委河北負責者）同在衛寓，衛於深
> 夜以自己汽車，召十四軍長陳鐵到寓，介紹入黨，並謂共黨力量雄厚，地
> 位特殊，且有蘇聯幫助，可以成功，而我們加入，可以自重，陳鐵當時勸
> 衛緩參加，衛遂作罷。[1]

胡宗南得報，即以"極機密"、"親譯"方式致電蔣介石，蔣介石即據此寫
入日記。電報云"去年之春"，則此事發生於 1939 年。當時，衛立煌受命擔任
第一戰區長官，駐洛陽。在座者，除衛外，還有時任中共中央統戰部部長的王
明和中共河北省委負責人劉公俠。陳鐵密報並稱："衛常謂日軍將由襄樊而取漢
中，不與共黨合作，自取滅亡。"又稱：蔣介石"對衛電令督責太嚴，反使衛
不悅，嗣後對衛似須選擇另一態度為宜。"據此，陳鐵之所以向胡宗南告密，
目的在於通過胡向蔣介石提出意見，對衛立煌，不宜"督責太嚴"。而要"選
擇另一態度"。

關於此事，陳鐵 1949 年後有過回憶，當時衛立煌與他對話如下：

衛："有人要我們入黨（中國共產黨），你看怎樣？"

1　《第 34 集團軍總司令胡宗南呈蔣委員長報告衛立煌與中共王明、劉公俠交往情形電》，《中華民國重要史料
初編──對日抗戰時期》第 5 編，《中共活動真相》（3），台北中國國民黨黨史會 1985 年編印，第 35 頁。

陳：「蔣的特務得知，報告蔣，很危險。等將來時候到了，行動時再說。」

衛：「我們化名，不用真名就不要緊。」

陳：「蔣的特務很厲害，化名也不保險。」[1]

衛立煌聽了陳鐵的回答後，不再說話，面色表現很不好。陳感覺衛有很大顧慮，一定要解除他的顧慮。便說：「這樣好不好？我入，你暫時不入，出了問題時，由你保護我，在蔣的面前堅決否認，替我擔保。」這時，衛立煌的「臉色就忽然變好了」，並說：「現在都不入，以後再說。」

關於衛立煌要求加入中共一事，衛的秘書趙榮聲也有類似回憶：1938年下半年，衛立煌曾問他：「我參加共產黨好嗎？怎麼參加呢？」他要趙到延安去問朱德，趙因路遠，便去西安會見八路軍辦事處林伯渠。林稱：「回去告訴衛立煌，好好做一個革命的國民黨員，做一個真正實行孫中山革命主張的國民黨員，這樣對於中國革命的貢獻比參加共產黨更大一些。」其後，蔣介石決定在衛立煌的第14集團軍下面增設軍團一級編制，以李默庵為第33軍團長，引起衛立煌的反對，新任14軍軍長陳鐵、副軍長彭傑如、原85師副師長陳武也不滿，到垣曲見衛立煌，衛對三人說：「我的心已經變了，不是從前的衛立煌了。我們當共產黨去。當共產黨你們幹不幹？」三人都說：「願意幹。」[2]據說，1939年，鄧小平、楊尚昆到河北，路過河南，見到衛立煌時，衛再次提出入黨要求。二人感到奇怪，未有表示。[3]

上述多種資料，可以相互參證，足見抗戰初期，衛立煌曾數次在不同場合，要求參加中共。

陳鐵長期對蔣介石不滿。1938年春，他曾對衛立煌說：「蔣介石沒有良心，太惡毒，對我很不好，我決心不再當他的走狗了，特來向你請長假回鄉種田。」衛立煌不同意，對陳說：「你不要離開部隊，我們同共產黨一道來整垮他。」「蔣對你不好，對我更不好，你是知道的。我們不能消極不幹，應該積極對付。」[4]上述資料證明，在反對蔣介石這一問題上，衛立煌與陳鐵兩心相通，所以衛立

1　陳鐵：《我與衛立煌》，《中華文史資料文庫》卷9，第61頁。

2　趙榮聲：《回憶衛立煌先生》，第148頁。

3　趙榮聲：《回憶衛立煌先生》，第135頁。

4　陳鐵：《我所了解的衛立煌》，《文史資料存稿選編・軍政人物》（上），第18、19頁。

煌才會約陳"同入共黨"。其目的,正在於"積極對付"。

蔣介石一向多疑,為何他認為陳鐵的告密"於情理太不合"呢?

二、衛立煌是蔣介石的虎將

衛立煌(1897—1960),字俊如,安徽合肥人。辛亥革命後到漢口報考學兵營。結業後南下廣州,被選任加入孫中山衛隊,任警衛隊排長。1918 年 5 月,奉派編入粵軍,屢立戰功,先後升任團長、旅長。1926 年 7 月北伐,在何應欽指揮下入閩作戰,再立戰功。1927 年 4 月,蔣介石發動政變,建立南京國民政府,衛立煌率第十四師駐守鎮江。8 月,孫傳芳率兵南下,衛立煌在龍潭與孫軍鏖戰六晝夜,並乘勝渡江,追擊至蚌埠。10 月,升任第九軍副軍長,南京衛戍副司令。1932 年,蔣介石調兵進攻鄂豫皖蘇區,下令先佔其軍政中心金家寨者,將來設縣時即以其名字命名。9 月 20 日,衛部攻佔金家寨。蔣介石即在金家寨及其周圍地區建立煌縣,任命衛為"豫鄂皖邊區剿匪總指揮"。衛並非蔣介石嫡系,但能聽從蔣介石調遣,努力作戰,先後在福建、河南、安徽等地迭任"剿匪"要職。1935 年 11 月,被選為國民黨中央委員。

抗戰爆發,衛立煌率第十四集團軍請纓北上抗敵。1937 年 10 月初,衛立煌率部自石家莊進入山西,在忻口地區抵禦自晉北南犯,企圖進攻山西省會太原的日軍板垣征四郎師團,10 月 6 日,閻錫山、衛立煌、傅作義等商定,統一指揮參加忻口會戰的部隊。右翼地區晉軍十個團,歸朱德、彭德懷指揮,中路正面五十個團由衛立煌指揮。毛澤東致電周恩來、朱德、彭德懷等提出,由衛立煌的四個師擔任出擊兵團的主力。10 月 14 日,會戰開始。忻口只是幾十米高的土丘,衛部在這一地區堅持 21 天,殲敵 2 萬餘人,軍長郝夢齡、師長劉家麒等先後戰死。朱德曾稱:"忻口戰役,我軍以配合由衛總司令指揮,扼守忻口正面英勇抗戰之軍隊作戰,分派許多游擊支隊,在敵主要後方聯絡線上到處襲擊,斷絕敵之交通。"[1] 11 月 3 日,國民黨軍從忻口撤退。8 日,太原失陷,衛

1　朱德:《八路軍半年來抗戰的經驗與教訓》,《朱德軍事文選》,解放軍出版社 1997 年版,第 319 頁。

立煌集結部隊，堅守山西中部的汾陽、平遙一線，繼續抗擊日軍南下。1938年1月，衛立煌升任第二戰區副司令長官兼前敵總指揮。次年1月，調任第一戰區司令長官，駐守河南洛陽。不久，兼任河南省主席。他以山西南部的中條山為依靠，背水為陣，保衛黃河，與日軍對峙，達四年之久。日軍認為："衛立煌指揮的二十六個師，在山西南部黃河北岸地區構成了堅固的陣地，成為擾亂華北，尤其是山西的主要根源。"[1]

三、中共開始做衛立煌的工作

衛立煌這一員虎將，自然是中國共產黨團結、爭取的對象。

衛部進入山西後，衛立煌曾在太原閻錫山的客廳裏與中共軍委副主席周恩來見面，周鼓勵衛立煌去忻口作戰，但不贊成調新近在平型關獲勝的八路軍去打陣地戰。這次相見，給周恩來留下了深刻印象。太原失守後，衛立煌在臨汾再次見到周恩來。衛向周表示了反對妥協求和的態度，周則向衛闡明了堅持華北抗戰的有利條件及其前途。此後，周恩來赴武漢工作，第十八集團軍（八路軍）總司令朱德遂經常和衛立煌聯繫。

1938年1月12日，蔣介石在洛陽召開第一、第二戰區高級軍官會議，朱德和衛立煌自臨汾同時啟行赴會，二人同處一節車廂，促膝長談。朱德讚揚衛立煌忻口戰役打得好，使衛得到很大鼓勵。26日，朱德、任弼時與衛立煌商定，由衛部抽調六個團，以四個團交劉伯承指揮，以二個團交賀龍指揮，彼此配合，襲擾平漢路和津浦路。不僅如此，朱德等並向衛立煌提出過一份《機動部隊組織大綱》，以利於兩軍進一步協同。[2] 2月17日，閻錫山、衛立煌與朱德在臨汾土門召集會議，討論如何貫徹蔣介石的即日反攻命令，發動韓侯嶺戰役，決定由閻錫山、衛立煌撥出七個半師，由朱德指揮。同年3月，朱德應衛立煌要求，為衛部開辦訓練班。當時，衛立煌命令所部各師派團長一人，各團

1　《日本軍國主義侵華資料長編》（上），四川人民出版社1987年版，第629頁。
2　《朱德、任弼時關於衛立煌抽六個團歸八路軍指揮等問題致毛澤東等電》，《八路軍文獻》，解放軍出版社1994年版，第134頁。

派營長一人，到八路軍總部參加訓練班，每期 20 天，學習游擊戰理論。

太原失陷後，臨汾成為山西臨時省會。朱德領導的第八路軍駐臨汾辦事處和衛立煌的第十四集團軍總司令部相距不遠，衛立煌得以多次和朱德、徐向前及八路軍臨汾辦事處處長彭雪楓等談話，受到很多影響。同年 1 月 31 日為農曆正月初一，衛立煌率第 14 軍軍長李默庵、第 9 軍軍長郭寄嶠等，到八路軍駐地馬牧村拜年。朱德在致辭中盛讚衛立煌為"民族英雄"和"抗日領袖"，希望中央軍、晉綏軍、八路軍"合作抗戰到底"。衛立煌則聲稱：八路軍"是復興民族的最精銳的部隊，尤其是抗日的方法和經驗都非常豐富，希望以後不要忘掉責任"，"把日本打出去"。他並鼓勵說："能得大勝利就是大勝利，能得小勝利就是小勝利，幾千幾百個小勝利，湊成一個大勝利。"[1] 以丁玲為首的西北戰地服務團在現場演出了活報劇《八百壯士》、《忻口之戰》和秧歌舞劇《全民總動員》等節目。衛立煌等感到耳目一新，決心學習八路軍的政治工作經驗，自己找人幹。

1938 年 2 月，趙榮聲（1915—1995）受八路軍軍總政治部正副主任任弼時和傅鐘的派遣，到衛立煌部工作，被任命為少校秘書。趙榮聲原是燕京大學新聞系學生。1935 年在"一二·九"運動中加入中共。1937 年春到延安，參加丁玲領導的西北戰地服務團，趙到衛部的任務是籌建第二戰區前敵總指揮部戰地工作團。

4 月 17 日，衛立煌偕同參謀長郭寄嶠及趙榮聲等訪問延安，延安傾城出迎。在會見毛澤東時，衛讚美八路軍對日本作戰打得好，毛誇獎衛立煌抗日堅決，對八路軍友好，表示要沿著這條路走下去。毛談及八路軍深入敵後，在彈藥、衛生器材、服裝等方面的困難，衛答應協助解決。衛在抗日軍政大學演說時，用親身作戰經歷說明，只有同八路軍親密合作才能打勝日本。他說："如果沒有八路軍，他是殺不了那麼多鬼子的。"他表示，要和八路軍一道堅持華北抗戰，決不退過黃河，反對妥協投降，反對張惶失措，退卻逃跑。當晚，毛澤東陪衛立煌出席晚會，衛致辭稱頌邊區各地的人民組織"實為全國的模範"，

1　任天馬：《西線上一個盛會》，漢口《群眾週刊》卷 1，第 9 期。

"應該把邊區的好例子更加發揚起來"。[1] 19 日，衛立煌返回西安，下達手諭：即發八路軍步槍子彈一百萬發，手榴彈二十五萬發。此外，還補發 180 箱牛肉罐頭，以此表示團結抗日的願望和對八路軍的感謝。[2]

同年 7 月 26 日，周恩來在武漢向蔣介石提出擴大八路軍問題，蔣介石藉口二百師的編制已經滿額，不願增加師的番號。8 月 13 日，朱德與衛立煌在垣曲辛莊會談。這時，朱德與衛立煌友誼日深，二人長談兩整天。朱德提出：八路軍比以前有很大發展，擬向蔣介石提出增編三個師，衛立煌表示同情，答應接濟槍支、彈藥、和炮彈。事後衛立煌對人說："朱玉階對我很好，真心願意我們抗日有成績。這個人的氣量大，誠懇，是個忠厚長者。"[3] 朱德也對人說，"衛立煌這人可靠。"[4]

1938 年 11 月 9 日，中共中央政治局決定，以劉少奇為中共中央中原局書記，領導長江以北河南、湖北、安徽、江蘇地區黨的工作。11 月 27 日，劉少奇到達河南西部的古老縣城澠池，特別召見趙榮聲，指示他解散黨支部，停止組織生活，保留黨籍，長期隱蔽，以個人身份在衛立煌身邊工作。他批評趙"想挖蔣介石的牆角"，聲稱"我們黨和國民黨講好了，彼此都不在對方的黨、政、軍裏面搞黨的活動"。[5] 劉少奇此行，須經過國民黨太行山龐炳勳軍隊的防區，龐炳勳正在和中共鬧磨擦，衛立煌命陳鐵派人護送劉少奇走出防區，劉得以順利到達皖東，開始了在華中地區的發展。

四、衛立煌力抗蔣介石的"剿共"密令，化解內戰危機

中共投入抗戰後，迅速發展、壯大，兵力和地區的擴展速度加快，部分八路軍進入傳統的國民黨軍防區。這種情況，引起國民黨和蔣介石的憂懼。1939

1 《衛立煌將軍道經延安》，《新中華報》，1938 年 4 月 20 日。
2 王繩武：《與八路軍合作抗日》，《八路軍參考資料》（1），解放軍出版社 1992 年版，第 692 頁。
3 《朱德年譜》，第 823 頁；參見趙榮聲：《回憶衛立煌先生》，第 126 頁。
4 《訪問康克清記錄》，1988 年 7 月 2 日，金沖及主編：《朱德傳》（下），中央文獻出版社 2016 年版，第 522 頁。
5 趙榮聲：《回憶衛立煌先生》；劉向三：《〈回憶衛立煌先生〉序》，文史資料出版社 1985 年版，第 6、第 138—141 頁。

年 1 月，國民黨召開五屆五中全會，秘密頒發《防制異黨活動辦法》。同年 11 月，國民黨在重慶召開五屆六中全會，將原來的政治限共為主，軍事限共為輔，改為軍事限共為主，政治限共為輔。12 月，閻錫山發動事變，在山西進攻中共領導的山西新軍，摧殘抗日民主政權，殺害共產黨員。胡宗南集中 30 餘萬兵力，包圍陝甘寧邊區。1940 年 2 月至 3 月間，國民黨石友三、朱懷冰等部進攻晉東南太行區的八路軍總部，從而形成國共合作後的第一次反共高潮。

1940 年 2 月，蔣介石致電衛立煌，聲稱"共黨巧言欺人，無論何言，皆不足信，更不可為其服從擁護之蜜語所迷惑，望嚴防審慎。"[1] 3 月 12 日，蔣介石致電衛立煌，嚴令朱德部於 15 日以前撤至長治、邯鄲以北地區，將以南地區交中央軍防守。又稱："如其不遵限撤去，應以違抗命令破壞抗戰之叛軍論罪，並用晉南中央軍之全力剿除之，勿稍猶豫，致誤大局。"他甚至提出，如果此時日軍進攻，也要先消滅晉東南的"叛軍"，然後再對付日寇。[2] 13 日，蔣介石再電衛立煌，要他"從速渡河指揮，以示我軍決心"。14 日，三電衛立煌，認為"朱、彭之言，毫不可信。如其言愈甘，其詞愈卑，則其險愈大"，要衛"嚴密防範"。15 日，四電要衛"準備完妥，然後再向對方步步進逼"。自 3 月 12 日起，蔣介石在 4 天之內，連發四電。不僅如此，蔣介石還自重慶打電話給衛立煌，聲稱八路軍超越規定範圍活動，必須撤出太行山以南地區，不服從就打，武力解決。衛立煌基於一貫立場，答稱："這樣內戰就打大了。抗日重要，當前最重要的事情還是抗日，不能自己內部打起來。日軍正在行動，國內的事情慎重一點好。"[3] 蔣介石見衛立煌敢公然頂抗自己的命令，大發脾氣，罵了衛立煌一頓。衛立煌無奈，只能立即遵命，由洛陽渡過黃河，到晉城召集軍長范漢傑、劉勘、陳鐵等會議，要他們做好準備，候命行動，一面則私下對陳鐵說："我們不能打八路軍"，表示將派人送信給朱、彭正副司令，了結此事。[4] 4 月 9 日，衛立煌派高級參謀申凌霄到武鄉八路軍總部，遞交函件，表示將與八路軍保持團結互助，並肩作戰的情誼，要求朱、彭將越境部隊撤回，同時根據蔣介

1　《蔣中正致衛立煌電》（1940 年 2 月 27 日），《蔣中正先生年譜長編》第 6 冊，第 259 頁。
2　《蔣中正致衛立煌電》（1940 年 3 月 12 日—15 日），《蔣中正先生年譜長編》第 6 冊，第 270—271 頁。
3　參見趙榮聲：《回憶衛立煌先生》，第 210 頁。
4　趙榮聲：《回憶衛立煌先生》，第 210—211 頁。

石此前"各縣縣長須慎選得人"的指示,提出河北武安、涉縣兩縣的縣長由衛立煌任命。[1]

第一次反共高潮出現後,中共即針鋒相對地進行鬥爭,在山西、河北、陝西等地都取得很大勝利,已在華北佔據優勢,正準備根據有理、有利、有節的原則,暫停武裝攻勢,對國民黨做適當的緩和與讓步。3月5日,毛澤東、王稼祥致電彭德懷,共同提出:"我們方面目前任務,是在主要地區求得對內和平,以便在半年之內鞏固已得陣地",因此,要認真恢復和閻錫山的關係,爭取使閻錫山、蔣介石、衛立煌都承認軍渡、汾陽、臨汾、屯留、壺關、林縣、漳河、大名一線為雙方作戰地界,以南為國民黨防區,以北為八路軍防區,彼此都不越界。[2]

對於衛立煌這個親共的國民黨高級將領,中共自然更願意做出讓步。3月7日,毛澤東、王稼祥致電朱德、彭德懷、楊尚昆表示:"我們覺得此時應對衛立煌有所讓步,將三四四旅略向北撤"。"在此線以南,應與國民黨休戰,維持衛之地位。"電報強調,"這種休戰是完全必要的"。[3] 3月14日,衛立煌從洛陽北上晉城,表面上部署進攻八路軍,實際上要和朱德會談。中共中央當即致電前方,要求朱德赴晉城與衛立煌會見,重申團結願望,提出劃分作戰區域,為八路軍增餉,允許八路軍擴編等要求。[4]

4月9日,衛立煌決定派高級參謀申凌霄到黎城與八路軍談判。12日,毛澤東、王稼祥立即復電朱德、彭德懷,同意"向衛再讓一步",武安、涉縣兩縣縣長由衛立煌任命。毛澤東指示,"目前力爭八路軍、中央軍和好團結"。他詢問朱德,"能否與衛一晤?"同日,毛澤東再次指示朱德與衛立煌談話,其談話中心應為:強調"團結抗戰,緩和中央軍中一部分頑固派的反共空氣,向他們聲明,只要中央軍不打八路軍,八路軍決不打中央軍,決不越過汾(陽)離(石)臨(汾)屯(留)、漳河之線以南,要求他們也不越過該線以北。"電報中,

---

1 陳鐵:《我所了解的衛立煌》,《文史資料存稿選編·軍政人物》(上),第19頁;趙榮聲《回憶衛立煌先生》,第211頁;參見《蔣中正致衛立煌電》(1940年2月27日),《蔣中正先生年譜長編》第6冊,第259頁。

2 《毛澤東、王稼祥於爭取對內和平、鞏固已得陣地的方針與具體步驟致彭德懷電》,《八路軍文獻》,解放軍出版社1994年版,第483—484頁。

3 《朱德年譜》,中央文獻出版社2006年版,第947頁。

4 《中共中央書記處關於與衛立煌談判要點致朱、彭、楊電》,1940年3月28日。

毛澤東再次催問朱德"何時可去見衛"？[1] 4月17日，申凌霄輾轉到達八路軍總部，朱德召開歡迎大會，致辭時特別強調，希望申凌霄等人將華北軍民要求進一步加緊團結的願望，帶到後方去。[2] 這時，衛立煌、和朱德都來到晉城，各住一村，距離很近，派員傳話，重新議定：八路軍退出太行山以南地區，但河北、太行山以及晉冀豫邊區的部分地區則劃為八路軍防區。[3] 中共中央迅速批准了這次談判。4月19日，中共中央致電朱德、彭德懷、劉伯承、鄧小平等人，指示"用各種方法緩和與頑方進攻，極力避免衝突。我們決以長治、平順、磁縣之線為界，此線是蔣介石三月三日手令規定的。如頑方動此線，我們應給以堅決的還擊。"[4]

至此，洶洶一時的第一次反共高潮暫告段落。後來，朱德總結說："蔣介石就是怕一個東西，怕力量。"周恩來肯定朱德此語說：朱懷冰被消滅了，蔣介石"只好捏住鼻子，叫衛立煌和朱總司令談判，劃漳河為界。第一次反共高潮過去了，就來了個第一談判。"[5]

晉城談判中，衛立煌邀請朱德訪問洛陽。4月25日，朱德、康克清偕國民黨戰地黨政委員會副主任委員王葆真等人離開太行山，前往洛陽。5月7日，衛立煌派軍樂隊到孟津縣碼頭迎接。8日晚，衛立煌舉行歡迎大會，朱德致辭說："全國人民需要國共兩黨和全國軍隊的團結。國民黨的大多數需要這種團結。共產黨、八路軍堅決要求這種團結。"他提出："這種團結，必須建立在進步的基礎上。只有這樣，才能克服困難，爭取抗戰的最後勝利。"[6] 這次，朱德在洛陽停留十天，與衛立煌會談多次，取得多項共識。應朱德要求，衛立煌迅速釋放了磨擦事件發生以來的被捕的進步人士和八路軍戰士一百多人。10日，朱德致電毛澤東彙報，說明國民黨正在華北"利用中間力量來磨擦"，衛立煌是"中間力量"的代表，"我們只有同衛弄好關係，注意實際配合，加強爭取，同時忠告衛，我們決不與他爭。"[7]

1　《朱德年譜》，第 956 頁。
2　《朱德年譜》，第 958 頁。
3　趙榮聲：《回憶衛立煌先生》，第 212—214 頁。
4　《朱德年譜》，第 958 頁。
5　《論統一戰線》，《周恩來選集》（上卷），人民出版社 1980 年版，第 200 頁。
6　《朱德年譜》，第 961—962 頁。
7　《朱德年譜》，第 962 頁。

5 月 29 日，朱德回到延安，在中共中央書記處會議上報告國共磨擦問題，再次強調爭取中間力量的重要。他說：“我們和衛立煌的關係很好，使他在國共兩黨的磨擦中保持中立。蔣介石曾令衛立煌向我軍進攻，後來我們退出白（圭）晉（城）公路，磨擦空氣便和緩了。”他介紹洛陽情況說：“洛陽是國民黨特務機關集中的地方，但因為有衛立煌這個中間力量在，情況比西安還要好些。衛立煌表示要堅持進步。我們得到一個大的教訓，這就是爭取中間力量是非常重要的。”[1]

在反共高潮中，衛立煌不僅力抗蔣介石的“剿共”密令，而且逐漸發展，主動配合八路軍的攻勢作戰。8 月 20 日，八路軍的 105 個團向日軍發動破襲戰，力圖摧毀日軍控制的正太路交通線及沿線據點。26 日，衛立煌致電表示“佩慰”，並且通知朱德“已飭各部迅速動作，配合貴部作戰”。28 日，再電朱德，肯定中共所發動的百團大戰，“不惟予敵寇以致命的打擊，且予友軍以精神上的鼓舞”，再次保證出動部隊，“向當地頑敵襲擊”，“加緊動作，策應牽制”。[2] 這樣，衛立煌的中央軍和中共領導的八路軍就在真正意義上成了協同作戰的友軍。

五、衛立煌向毛澤東求教

自從在延安會見毛澤東後，衛立煌感到很多問題要向毛請教。當時，洛陽設有八路軍辦事處，衛立煌便通過該處的電台和毛澤東聯繫。據經手人少將高級秘書吳春惠回憶，自 1939 年至 1941 年的三年中，衛立煌和毛澤東之間，往來電報約六十餘通，涉及革命理論與抗日戰略等多方面的問題，如：

> 盧溝橋事變之後，日軍長驅直入，我方雖在抗戰，但節節轉移陣地，以日本的國力、軍隊和武器等，我方都遠不如日方，說持久抗戰，終必獲勝，對此，有些懷疑。

1　《朱德年譜》，第 968—969 頁。
2　《解放》週刊，第 116 期。（《八路軍參考資料》（1），解放軍出版社 1992 年版，第 477 頁。）

人們常說，中國是半殖民地半封建的國家，革命的目的是要求民族的自由平等和抵抗外族之侵略，即應走孫中山先生的三民主義道路，為什麼要走共產主義道路呢？

革命要走共產主義道路，我們的產業落後，工人不多，而要實行工人與農民聯盟，各人的利益不同，步調就難一致，力量就不會很大，能否完成這個革命大業？

中國專制時代最久，歷代的皇帝大都奉行孔孟之道，講道德，講仁義，因而尊君愛國、富國強兵的觀念極強，所以號稱文明古國。馬克思主義學說，講無產階級專政，一部分人壓迫另一部分人，與中國國情不相吻合，恐難推行。

中國人民的家庭觀念甚濃，認為養生送死，仰事俯畜，是人生的職責，不可移易。馬克思學說，講階級鬥爭，人與人之間，不和平共處。這與中國人民的家庭觀念不合，難受歡迎。

中國人民歷來講財產私有，不論田土或金錢，都是勞心勞力得來，為一家的幸福所關，比其生命還貴。馬克思學說，講共產主義，要他們拿出來共產，這是不可能的，硬逼他們拿出來，這是講霸道，不是講人道，斷難執行。

以大勢看，國共兩黨最後勝利，或將屬於共產黨，但以蔣的部隊，雖不及八路軍善戰，但蔣的人源及財源，卻比八路軍優越得多，不是短時間就可以決勝負，兩黨之間的戰爭將推延至何時，尚難預料。等等。

年深日久，吳春惠雖是經手人和文書保管者。上述問題是否準確地反映出毛、當年衛之間電報往來的真實情況，今天已經難以判明，不過，這些問題，倒是反映出衛立煌初次接觸中共革命理論時的部分疑慮。據吳回憶，毛澤東對衛的這些疑慮，都從理論和實際兩方面作了回答。例如，蔣的部隊與八路軍的對比問題，毛答：這要看國民黨內有識之士的行動如何而定，是以國家利益為重，還是以私人利益為重。如果以國家利益為重，革命是會早日成功的。[1]

吳春惠的上述回憶，如果屬實，反映出毛澤東為爭取衛立煌所做大量深入、細緻的工作，不知中共中央的現存相關檔案中，是否還有遺存？倘有，則是極為珍貴的統戰工作史料。

1　吳君惠：《抗戰期間衛立煌與毛主席秘密函電概況》，《文史資料存稿選編·軍政人物》（上），第 12—13 頁。

六、繼續和中共保持良好關係，
表示 "終必有以報毛先生"

1940 年 10 月 19 日，何應欽、白崇禧以正副參謀總長的名義，強令八路軍和新四軍在一個月內開赴黃河以北。次年 1 月 6 日，新四軍北移過程中，在皖南遭到國民黨軍襲擊，1 月 17 日，蔣介石下令取消新四軍番號，進攻江北新四軍，聲稱要將葉挺交付軍事法庭審判，從而形成第二次反共高潮。

二次反共高潮期間，中共仍然極力維護和衛立煌之間的友好關係。1941 年 2 月 7 日，彭德懷致電衛立煌，指責何應欽親日，以分裂代團結，以內戰代抗戰，表揚衛立煌在敵寇乘機進攻之際，仍然 "親臨前線督戰"。他代表八路軍表示："職軍無論在任何情況下，抗日決奉為第一。在敵奸猖狂企圖突擊西安，威脅抗戰大業之今日，職軍仍願在我公指揮之下，配合作戰。如有所命，願效前驅。"[1] 2 月 17 日，毛澤東、朱德、王稼祥、葉劍英聯合致電彭德懷等人，指出衛立煌是 "可與合作人物，對他政策應十分謹慎，應向著爭取他與我們長期合作的方向去做"。[2]

1941 年 5 月 7 日，日軍調動 7 個師團，18 至 21 萬人，飛機 300 餘架，從東西北三面進攻中條山。衛立煌要求八路軍配合作戰。5 月 10 日，毛澤東、朱德、王稼祥、葉劍英聯合致電彭德懷及左權，要求擬出計劃電告，同時指示先回復衛立煌一電，"告以我軍自當配合作戰之意，以鼓勵之。"[3] 此次戰役，由於日軍攻勢兇猛，以飛機、傘兵、毒氣助戰，中央軍不斷潰敗。5 月 31 日，朱德、彭德懷致電衛立煌，表示當劉勘的 38 軍、范漢傑的第 27 軍和武士敏的 98 軍 "向北迴旋" 時，八路軍太岳所部當 "予中央軍以各種方便"。對於處於日軍包圍中的武士敏部，毛澤東、朱德表示 "當令派部隊接引出險"。對於衛立煌接濟糧食的要求，毛、朱稱："民間食糧已燒毀過半，野草樹根為食已久"，但是 "當盡力之所及，予以協助"。[4] 這時，中共仍然尊奉蔣介石為 "統帥"，繼

---

1 《彭德懷關於團結抗日粉碎日軍夾擊西安致衛立煌電》，《八路軍文獻》，第 617 頁。
2 《朱德年譜》，第 1042 頁。
3 《朱德年譜》，第 1057 頁。
4 《朱德、彭德懷關於協助國民黨軍解決糧食問題致衛立煌電》，《八路軍文獻》，解放軍出版社 1994 年版，第 646 頁。

續抗戰。因此，6 月 7 日，毛澤東與朱德等致電彭德懷、左權等，指示："我們對蔣方針著重在拉，而衛立煌在拉蔣抗日問題上有更大作用。目前衛立煌處境甚為困難。我們須極力同他拉好關係，予以種種援助。"當時，八路軍正準備建立太岳軍區，派兵南下，毛澤東等認為時機還不適當，因為這將"給國民黨親日派以投降反共的藉口，給蔣以刺激，給衛以反感，結果將使我們處於不利地位。"[1] 6 月 9 日，毛澤東為朱德、彭德懷起草致衛立煌的電報，表示"目前大局，非國共兩黨貴我兩軍密切合作不足以圖存"。毛澤東代表朱、彭表示：日軍在山西南部得手後，將進一步進取鄭州、洛陽、西安，八路軍決在委員長及衛立煌領導下，"與友軍配合作戰，堅決破壞敵之進攻"。電報中，毛澤東提出直接、與間接兩種配合方式，要求在中條山及三角地區發動民眾，組織抗日游擊隊。當時，彭德懷、劉伯承正部署強行進佔中條山，毛澤東認為，此事只能取合法步驟，得到蔣介石的同意，要在重慶的周恩來為此活動。[2]

中條山戰事結束前，毛澤東、朱德於 5 月 26 日聯名致電衛立煌及胡宗南，指出："目前唯有國共團結，並在蔣委員長領導之下實行親蘇外交，堅持抗日到底，方能挽救危亡。我們所希望於國民黨的只是（甲）堅持抗戰；（乙）民族政治；（丙）改善國共關係。"電稱："贊同衛長官與胡宗南先生會見，時間約定後，將派南漢宸到洛陽，共商團結對敵大計。"[3] 衛立煌對八路軍"積極配合作戰甚為興奮，提議與胡宗南在洛陽相見，準備派車迎接南漢宸"。[4] 6 月 3 日，衛立煌與胡宗南將毛、朱的聯名電報轉呈蔣介石，蔣介石認為毛、朱之意在於"對我前方將領作離間之計"，於 6 月 6 日急電衛、胡二人，置之不理。蔣要衛、胡通知中共在陝代表："毛等果有誠意商談各事，應直電中央，不宜對我前方與各地將領通電，殊非正當行為。"[5]

中條山戰役歷時一個多月，中國軍隊 11 個軍，約 15 萬人，除少數突圍外，陣亡 4.2 萬人，被俘 3.5 萬人。[6] 會戰中，第三軍軍長唐淮源被圍，舉槍自

1　《毛澤東年譜》修訂本（中卷），第 305 頁。
2　《毛澤東年譜》修訂本（中卷），第 307 頁。
3　《毛澤東年譜》修訂本（中卷），第 302 頁。
4　《毛澤東年譜》修訂本（中卷），第 302 頁。
5　《蔣中正先生年譜長編》第 6 冊，第 565 頁。
6　日本防衛廳研究所戰史室《中國事變陸軍作戰史》卷 3 第 2 分冊，中華書局 1983 年版，第 132 頁。

殺，第 27 師師長王峻、副師長梁希賢、參謀長陳文杞犧牲。這是中國軍隊在淞滬抗戰以後的又一次大損失，黃河北岸的一塊重要抗戰基地因此喪失。

中條山戰役之後，日軍繼續南下，進攻湖南長沙。八路軍則在敵後開展反掃蕩，藉以牽制日軍。10 月 1 日，朱德、彭德懷致電閻錫山與衛立煌說："我為抑留日寇於華北戰場，減少其對我華中、華南壓迫，除嚴令聶榮臻部堅持邊區鬥爭外，於上月馬日起又復調集賀師、劉師及呂正操部共二十餘團，分由邊區之東西南三面大舉向進攻聶邊區之敵後進攻，配合邊區內聶部反攻，抑留敵人，使敵無法抽集兵力運往長江流域，藉取得直接（配合）保衛長沙之作戰。"[1] 朱、彭的這一決策再次體現出兩黨、兩軍的戰略合作關係。

蔣介石一直認為衛立煌受了共產黨"迷惑"。中條山戰役失利，蔣介石認為衛立煌指揮失當。6 月 30 日日記云："晉南損失與傷亡雖不如南京失陷時之大，然而危險與壯烈則過之，此應由衛立煌不學無術、處置疏忽之所致，然而彼毫不自知其過惡與責任之重大，可痛之至。"[2] 8 月 29 日，蔣介石致電衛立煌，指責其"應負慘敗全責"，命其"自請嚴處"。[3] 1942 年 1 月 5 日，蔣介石主持軍事會議，決定調蔣鼎文為第一戰區司令長官，衛立煌為軍事委員會西安辦公廳主任。次日，免去衛立煌的河南省主席職務，以李培基繼。衛立煌離開洛陽時，各界十餘萬人焚香夾道相送。

在西安期間，衛立煌對隨行至西安的吳春惠說："蔣為人太狹隘，他的獨裁政府，都是一丘貉，上下交徵利，奔潰瓦解，是肯定的，不過時間的問題而已。延安毛先生，智仁勇兼備，深謀遠慮，最後勝利，可計日而待，我終必有以報毛先生者。"[4]

蔣鼎文調到洛陽後，下令撤銷八路軍駐洛陽辦事處。1942 年 2 月 3 日，中共黨員、處長袁曉軒背叛，供出衛立煌與八路軍領導人的秘密往來，袁並稱，1939 年冬，自己兩次向衛表示，願脫離中共，投效於衛，衛似已轉告中

1　《朱德、彭德懷關於八路軍大力反掃蕩配合保衛長沙作戰致閻錫山、衛立煌電》，《八路軍文獻》，解放軍出版社 1994 年版，第 700 頁。
2　《本月反省錄》，《蔣介石日記》，1941 年 6 月 30 日。
3　《事略稿本》第 46 冊，台北"國史館"2010 年版，第 695—696 頁。
4　吳春惠：《抗戰期間衛立煌與毛主席秘密函電概況》，第 14 頁。

共，云云。[1] 2 月 5 日，蔣鼎文密電戴笠面呈蔣介石，蔣即命戴笠調查此案。同月 25 日，蔣介石起用衛立煌為中國遠征軍司令長官，赴緬甸與日軍作戰，但因袁曉軒案牽連，衛未能及時履職，閒居成都，並且受到監視。直到 1944 年 11 月，中國遠征軍司令長官陳誠胃病復發，衛立煌才得到接替機會。1944 年 5 月，衛立煌指揮遠征軍強渡雲南怒江，連克松山、騰衝、龍陵、芒市、畹町等地。1945 年 1 月，中國遠征軍與駐印軍會師於芒友，滇西及緬北反攻作戰勝利結束。

七、遊歷美歐，通過蘇聯駐法使館密告中共，準備起義反蔣

衛立煌在滇西戰役中的赫赫戰功受到廣泛重視。抗戰即將勝利，傳說中國遠征軍總司令部要改組為中國陸軍總司令部，衛立煌將出任陸軍總司令，美國將軍魏德邁也上書蔣介石推薦。衛立煌估計提升有望，但是命令公佈，陸軍總司令是何應欽，衛立煌僅僅是副總司令。衛立煌氣得多時不肯就職，也不辦移交。

多年前，陳鐵曾向蔣介石告密，衛立煌約自己"同入共黨"，這時，李默庵又向蔣告狀，說衛立煌和陳鐵同共產黨有關係，蔣命何應欽考查。何打電話到貴州遵義，召因葬父回籍的陳鐵到重慶，親自問道：

"你同衛立煌的關係很好，你同我的關係也不錯。今天有件事問你，希望你不偏在一邊，說老實話。衛立煌參加共產黨沒有？

陳鐵："據我所知沒有。"

這時，何應欽才說出實話："校長打算要他到徐州指揮軍隊，同共產黨打，怕他參加共產黨，問題就大了，要我作認真的了解。算了，你我都不要負責的好。" [2]

1　《第一戰區司令長官司令部密函戴雨農面呈委座》（1942 年 2 月 5 日），台北"國史館"，特交檔案 50604；《袁曉軒重要供詞錄》（1942 年 2 月 23 日），台北中國國民黨黨史館 581/370，參見《中共活動真相》（1），第 363—366 頁。

2　陳鐵：《我與衛立煌》，《中華文史資料文庫》卷 9，第 62 頁。

1946 年 11 月底，衛立煌掛著陸軍副總司令的頭銜，偕新婚續弦夫人韓權華、翻譯鍾安民等出洋。在蔣介石的意思，是要衛立煌去看看美國的國力，消除抗戰初期八路軍對衛的影響；在衛立煌的意思，則是避開和共產黨的內戰。出國前，他對部將說："為將之道，必須待人以誠，甘苦與共，上下一心，軍隊才能克敵制勝。像現在國民黨這樣腐敗，滅亡在即。延安的作風，必能統一中國。"[1]

衛立煌一行，先到日本，次到美國，再到英國，最後到達法國。當時，法國共產黨員已經發展到二百多萬人，民主運動有聲有色，居西歐各國之冠。在巴黎，衛立煌會見了夫人韓權華的姨侄女李惠年的夫婿汪德昭。汪德昭是物理學家，於 1934 年 10 月，到法國巴黎大學保羅·朗之萬實驗室攻讀研究生，朗之萬是著名的大物理學家，法共黨員，在他的指導下，汪德昭的論文被評為 "最高榮譽級"，獲得法國國家博士學位。不僅如此，汪德昭還是留法學生中的左派領袖。衛立煌在見到汪德昭之後，急不可耐地詢問，認不認識法國共產黨。他直率地表示：自己堅決抗日，率領遠征軍出國，打了勝仗，卻被削了兵權，放逐出洋。汪德昭聽後，決定繼續幫助衛向前進步。在瑞士雷蒙湖的遊艇中，二人無心欣賞山光水色，在船艙中密談。衛立煌回憶自己的抗日歷史和對朱德這位 "忠厚長者" 的良好印象，相信中共必將勝利。他知道自己在蔣介石心目中的地位，對汪德昭表示：

"將來回國，蔣還是要用我的。"

"那你就起義嘛！" 汪德昭年輕，單刀直入。

"我決心這樣幹！" 衛立煌透露出暗藏心中已久的秘密打算。"現在感到難辦的是我的意見，沒法傳到延安方面去。"[2]

"回到巴黎，我可以找到適當的關係，取得聯繫，尋求配合。" 汪德昭本人這時還不是中共黨員，和法國共產黨也沒有深入聯繫，但他仍然答應想辦法解決。

汪德昭在朗之萬實驗室有個同事，認識蘇聯駐法使館參贊戈羅道夫。汪德

---

1 王理實：《衛立煌率師反攻滇西》，《遠征印緬作戰親歷記》，中國文史出版社 2015 年版，第 326 頁。
2 《回憶衛立煌先生》，第 310—311 頁。

284

昭自瑞士回到巴黎後，即以辦理簽證為名和戈羅道夫聯繫，企圖通過這一管道將情報轉交蘇聯使館，再轉交中共中央。戈羅道夫不敢輕信汪德昭，暗中進行考察，沒有及時給予明確答復，到第六次時，汪德昭生氣了，對戈羅道夫說："這麼重要的事情，拖了這麼久，你們還決定不下來，今後如果產生嚴重後果，你們可是要負責任的。"汪德昭的這次生氣起了作用，蘇聯駐法使館同意以"代電"的形式為汪傳遞情報。

衛立煌得知管道打通，立即起草電文，略謂："為了儘快地結束中國的內戰，我決心站到人民一方，和有關方面進行軍事的、政治的及其他的一起合作。"電報要求有關方面"顧及個人的環境，希望絕對保守秘密"。電文起草以後，由汪德昭、韓權華譯為法文，並由汪德昭送交蘇聯駐法國大使館，請使館設法轉交延安的中共中央。不過直到 1948 年 1 月，蘇聯駐法使館才通知汪德昭到館，以口述，汪德昭記錄的方式稱：信件已轉到目的地，據革命權威人士的意見，假如真心實意，衛將軍應當自己選擇並且利用當時的情況，做有利於革命的事情。[1]不過，這時候，衛立煌已經被蔣介石任命為東北"剿總"司令，奉命回國了。

八、衛立煌出任東北"剿總"司令，暗助中共"關門打狗"

抗戰勝利，國共兩黨立即為爭奪勝利果實而鬥爭，首先表現在東北問題上。

8 月 11 日，日本尚未投降，周恩來即以朱德名義，要求原東北軍呂正操、張學思、萬毅等部，各由現地向察哈爾、熱河、遼寧、吉林進發，賀龍部、聶榮臻部由現地向北行動。8 月 12 日，中共冀察遼區黨委書記兼軍區司令員李運昌下令分三路跨越長城，向東北挺進。23 日，中共中央在延安召開政治局擴大會議，決定派幹部到東北工作。28 日，朱德對即將開赴東北工作的幹部講話，

---

1 《紀念著名物理學家汪德昭院士誕辰 100 周年》，http://www.sina.com.cn，2005 年 12 月 20 日；參見劉振坤、柳天明：《中國科學院院士汪德昭》，金城出版社 2008 年版，第 70 頁。關於電文內容，韓權華 1961 年 5 月著《1948 年衛立煌赴東北前後的簡介》有敘述，參見嚴如平：《善始善終的赫赫戰將衛立煌》，《民國著名人物傳》卷 2，中國青年出版社 1997 年版，第 647、649、657 頁。

提出積極向東北發展，"派五萬軍隊、萬把幹部去，爭取 3000 萬群眾和我們在一起"。29 日，中共中央指示，"只要蘇聯紅軍不堅決反對，我們即可非正式地進入東三省，控制廣大鄉村和中小城市，建立地方政權及地方部隊。" 9 月 2 日，延安 800 餘名幹部到晉西北與林楓的幹部團會合，組成 1500 人的隊伍，向東北進發。9 月 6 日，李運昌、曾克林等 1 萬多人進入瀋陽。

國民黨當然也力圖控制東北，掌握東北。8 月 25 日，中國陸軍總部發佈命令，將遠在四川、雲南、滇緬邊境的中央軍調往華北、華東、東北等地，執行受降任務。31 日，國民政府決定在長春設立軍事委員會委員長東北行營，旋即任命熊式輝為行營主任。10 月 18 日，宣佈杜聿明為東北司令長官。1947 年 8 月 22 日，蔣介石決定陳誠以參謀總長兼任東北行轅主任。

1948 年 1 月，陳誠指揮的國民黨軍連遭挫敗，由於積年的胃潰瘍病，其胃已被割去三分之二。蔣介石覺得陳 "因病而發生心理變態"，一面為之聘請醫生，飛瀋陽為陳誠治病，一面找尋可以替代的將領。東北戰場這時已成爛攤子，無人願接。蔣介石猶豫數日，最後選定衛立煌。15 日，蔣介石致電傅作義，要傅與衛 "密切合作。協同一致。"[1] 蔣介石覺得，衛立煌此行，東北局勢 "或可轉危為安"。他覺得東北軍事 "負責有人" 了，心情頓時輕鬆許多。[2] 他不知道，衛立煌此刻心中已經有了自己的盤算：到東北，促成蔣介石的失敗。[3]

當時，東北國民黨軍約 55 萬人，被分割在長春、瀋陽、錦州三個孤立的據點內，彼此之間的交通線已經割斷。2 月 7 日，毛澤東致電中共東北野戰軍領導人林彪等說："對我軍戰略利益來說，是以封閉蔣軍在東北加以各個殲滅為有利。"[4] 毛澤東的這一戰略，後來被稱為 "關門打狗"。東北野戰軍根據這一指示，集中 20 萬兵力，計劃先行攻克錦州。錦州位於遼西，是東北與華北之間的必經通道。對其重要性，蔣介石也有清醒認識。1 月 31 日，他在《上星期反省錄》中寫道："共匪逼緊錦州，瀋陽形勢更孤，國軍若不積極出擊，作破釜沉舟之決心，則瀋陽二十萬官兵皆成甕中之鱉。"[5] 為了打開將東北國民黨軍撤回

1　《蔣中正致傅作義電》（1948 年 1 月 15 日），台北 "國史館" 藏，002-010400-00008-013。

2　《上星期反省錄》，《蔣介石日記》，1948 年 1 月 17 日。

3　韓權華回憶：《回憶衛立煌先生》，340 頁。

4　《毛澤東軍事文選》卷 4，第 391 頁。

5　《蔣介石日記》，1948 年 1 月 31 日。

關內的通道，他分別親筆給各軍、師長寫信，要他們"團結一致，同仇敵愾，以九死一生之志衝出一條血路"。2月19日，鞍山國民黨守軍進入巷戰狀態，蔣介石電催衛立煌增援出擊。他命在北平的李宗仁、傅作義派出援兵接應。當時，國民黨在華北的兵力也很拮据，蔣介石指示，即使無兵可派，也要虛張聲勢，做出姿態。蔣介石雖然深知，由瀋陽西進，危險很多，仍於3月13日致函衛立煌，"嚴令其主力提早西進，集結錦州附近"。[1]

衛立煌在得到汪德昭轉來的延安訊息後，立即密電巴黎，邀請汪德昭急速回國，幫助自己。1948年4月，汪德昭以祝賀老母80歲大壽為名，辭去法國國家科學院研究中心和原子能委員會的各種職務，回到國內。他隻身一人，到瀋陽衛立煌處，擔任東北"剿總"司令部少將副秘書長兼辦公廳主任。同年5月，衛立煌又調在貴州家中休假的陳鐵到瀋陽擔任"剿總"副總司令，對陳說，苦的是沒有自己的部隊，要陳找兩三個人來當軍長。8月，再調第14集團軍舊部彭傑如為"剿總"副參謀長、第1兵團副司令官。彭當年也曾和陳鐵一樣，向衛立煌表示過，要參加共產黨。顯然，這些做法，都是在為起義做準備。

起義必須有適當條件。衛立煌在同汪德昭多次密商之後，認為條件尚不成熟，決定頂著蔣介石的命令，在錦州戰役最激烈的時刻，拒絕馳援，促使錦州失守，截斷東北國民黨軍退向關內的通道，同時，保護瀋陽的工業設施與文物建築。[2]據衛立煌夫人韓權華稱，衛曾派人一再與中共領導聯繫，遺憾的是沒有聯繫上。[3]

7月19日，衛立煌到南京見蔣，謊稱東北"國軍"的戰力與精力均已恢復，瀋陽獨立守備計劃亦已達成，如出兵打通錦瀋路，徒損兵力，增加瀋陽危機，誘使蔣介石做出固守瀋陽的決定。[4]9月30日，蔣介石親赴北平，接見傅作義，督導增援錦州。10月2日，蔣介石親飛瀋陽，催促出兵，衛立煌私下對陳鐵說："我們不能同共產黨破臉。"他要陳召集軍長們開會，引導他們反對出兵。[5]蔣介石訓話稱："此次和大家晤面，當以不成功，便成仁之遺訓互勉。如果

1　《蔣介石日記》，1948年3月13日。
2　《中國科學院院士汪德昭》，第76—77頁。
3　嚴如平：《善始善終的赫赫戰將衛立煌》，《民國著名人物傳》卷2，中國青年出版社1997年版，第650、657頁。
4　《蔣介石日記》，1948年7月22日。
5　陳鐵：《我所了解的衛立煌》，《文史資料存稿選編》，第21頁。

出擊不勝，爾等自必成仁，我蔣中正亦將無顏立世。"[1] 此次蔣介石飛瀋，參謀總長顧祝同隨行。顧貫徹蔣介石意旨，堅決要求出兵，衛則堅決不幹。最後蔣介石決定，瀋陽方面出動五個軍，組成西進兵團，由廖耀湘指揮；錦西方面出動兩個軍及兩個師，由闕漢騫指揮，組成東進兵團。東西合力，會援錦州。10月12日、14日，蔣介石兩電衛立煌轉廖耀湘，要廖部"一意西進"。15日，蔣介石再飛瀋陽，督導各軍"急進赴援"。15日，東北野戰軍攻克錦州。19日，國民黨長春守軍第60軍曾澤生起義，東北"剿總"副總司令鄭洞國在堅守5個月後投降。18日，蔣介石三飛瀋陽，要求衛立煌、杜聿明規劃收復錦州，但衛、杜都主張固守瀋陽。25日，廖耀湘兵團在彰武、黑山之間被圍，衛立煌乘機下令各軍輕裝突圍，致使全軍潰散。

　　長春易主後，林彪立即揮師南下，軍鋒直指瀋陽。10月29日，圍殲廖耀湘兵團的解放軍也向瀋陽急進。衛立煌要求遷離瀋陽，移駐錦西。蔣介石致電衛立煌，要他"固守"，"誓與瀋陽共存亡"。[2] 30日，蔣介石得悉衛立煌已處於不作為狀態，"不發一語，神志恍惚"，慨歎道："此種行伍粗漢，已不能如往日之勇壯，害事殊甚。然將領缺乏，多皆貪生怕死，求一如衛者亦不可得也。"[3] 蔣介石不理解，衛立煌之所以如此，實係有意為之。30日，蔣介石命衛立煌到葫蘆島指揮。31日，電告蔣介石："自本拂曉以後，匪軍大部大軍入市區，情形混亂，並無戰鬥。"又稱："市內寂靜，滿街皆是匪軍。"留守瀋陽的第八兵團司令周福成則報蔣稱，衛立煌"棄職逃走"。

　　11月1日，東北野戰軍向瀋陽發動總攻，當時瀋陽國民黨軍尚有13萬4千人，除青年軍207師抵抗外，其餘紛紛放下武器投誠。11月2日，解放軍四路入城，"人人相安，雞犬不驚"，瀋陽極為簡易、輕鬆地佔領。衛立煌在飛抵遼西後，奉蔣介石之命，飛赴北平。11月30日，蔣介石以"遲疑不決，坐誤戎機，致失重鎮"為理由，將衛"撤職查辦"。衛本人在飛到北平後，轉飛廣州，在廣州時被蔣介石下令押回南京軟禁。12月25日，中共宣佈第一批頭等戰犯43人，故意將衛立煌名列第13人。1949年農曆正月初一，衛立煌潛離南

1　《蔣介石日記》，1948年10月3日。
2　《蔣中正致衛立煌電》，1948年10月29日。
3　《蔣介石日記》，1948年10月30日。

京，轉居香港。

中華人民共和國成立，衛立煌致電毛澤東等，表示"雀躍萬丈"。周恩來託人轉告，歡迎其回大陸定居。1955年3月，衛立煌自香港到北京，發表《告台灣袍澤朋友書》，希望他們"及早醒悟"，"乘機量力而為"。中共給了衛立煌以熱烈的歡迎和禮遇，任命其為政協常委以至國防委員會副主席等要職。1960年1月17日病逝。

1961年12月31日，蔣介石在台灣回憶往事：一為1937年的南京之戰時任命唐生智，一為1948年的東北之戰時任命衛立煌。關於後者，他在《上月反省錄》中寫道，當時，"未有敢應命者，只有衛立煌一人願接斯任，最後在當年冬，瀋陽全軍崩潰，此役為平生最大之恥辱。以上二者，唐（生智）則為無恥投機之叛徒，衛（立煌）則為不學無術之狂徒。余乃授以臨危之命，非徒不能知人善任，更應對歷史負其創巨痛深之重責也。"可見，一直到這時，蔣介石都沒有察覺衛立煌早有異志，出任東北"剿總"司令時，已經懷有異心。

九、衛立煌是否中共秘密黨員之謎

多年前，筆者就曾聽金以林研究員說，楊尚昆日記原載，衛立煌於1939年經朱德、彭德懷介紹，秘密加入中共，後來日記正式出版時被刪。2013年2月23日，我參加一次宴會，與統戰部門的一位局級幹部同席，談及此事，他說，係他所刪。當日，我曾將此事寫入日記。2016來12月，何新先生撰文稱："這個歷史深部的秘密是我的老友張老九今天讓我知道的。此前關於衛立煌的政治身份有過許多猜疑，皆無法確證。張老九，中共元老張鼎丞之女。她今天對我說：'我一直看衛立煌在東北戰場的表現太離奇草包，有一次在楊主席家飯桌上說起這事。楊尚昆主席親口告訴我，衛立煌是共產黨員，他是衛立煌加入共產黨的三個介紹人之一。於是我才恍然大悟。'楊尚昆對張老九說：'衛立煌是共產黨員，衛是我、葉帥和李克農三人介紹加入中國共產黨的。'[1]張九九並稱，'衛秘密入黨是在1939年。'"何新此文使我更加相信，衛立煌確曾是中共秘

1　何新：《張九九揭秘——衛立煌之謎》（修訂版，手機搜狐網），http://blog.sina.com.cn/hexinbbs/。

密黨員。不過，在進一步的研究中，我對此說的確信動搖。其原因在於毛澤東致季米特洛夫的電報所述與此相反。1940 年 11 月 26 日，毛澤東自延安致共產國際領導人季米特洛夫的絕密電稱："第一戰區司令是衛立煌。他屬於對蔣介石不滿的一派，內戰時期他任師長和軍長，多次同我們作戰。按他的話說，當時他不願意這樣做，而為反共份子所迫。中日戰爭以來，他的表現最好。今年春第一次反共高潮時期，他表明自己不願意反共。他主張和解，但受到蔣介石的譴責。現在由於準備發動新的反共戰爭，他在我們代表面前採取了同樣的態度，希望和解。他對蔣介石一直很不滿，說對中國來說蔣是沒有希望的。他試圖成立獨立的派別取代蔣。"

衛立煌、馮玉祥、孫連仲對蘇聯很誠懇。衛立煌暗示，以後形勢變化，他希望通過中共得到蘇聯的支持。在國共內戰的第二年，朱德針對衛立煌想要入黨一事說，"他想加入我們黨，我們建議他留在國民黨陣地，因為這樣有利。此後他再也沒有提出這個問題。"毛澤東告訴季米特洛夫："這個人是今後與我們合作的最可靠的人之一。他是中資產階級的代表。蔣介石對他進行了嚴密的監視，他稍不小心就會被蔣介石撤職。"[1] 毛澤東上述電文所稱 "解放戰爭" 第二年，應為抗日戰爭第二年，即 1938 年。這則資料證實，忻口之戰前後，衛立煌約陳鐵 "同入共黨" 是事實，當時，他是向朱德正式提出申請的，只不過中共覺得衛立煌留在國民黨內更有利，沒有同意。毛澤東此電發於 1940 年 11 月 26 日，這就有力地證明，此前衛立煌還不是中共黨員，所謂 1939 年入黨之說不能成立。此後呢？從衛立煌到法國巴黎，曲曲折折，通過不是中共黨員的汪德昭，和蘇聯駐法使館與延安建立聯繫，說明他這時也還不是中共秘密黨員。

楊尚昆日記出版於 2001 年，收楊 1949 年至 1965 年期間的部分日記。這就說明，即使其中有關於衛立煌加入中共的記載，亦係多年後追憶或補述。最近，我曾詢問中央文獻出版機構的原負責人，答稱："當年曾就此問題請示，認為楊說沒有確切根據，所以出版時就從日記中將有關說法刪去了。"

---

1 《共產國際、聯共（布）與中國革命檔案資料叢書》第 19 冊，中共黨史出版社 2012 年版，第 105—106 頁。

蔣介石與淮海戰役

1948 年是國共兩黨軍事對決的關鍵一年。這一年 9 月 16 日至 24 日期間，人民解放軍攻克山東省會濟南，殲滅國民黨軍十萬四千餘人，俘虜國民黨軍第二綏靖區司令官王耀武等將領 23 人。毛澤東很高興，親自審改社論，認為華東人民 "獲得了比以往任何時候更大的自由"，"任何一個國民黨城市都無法抵禦人民解放軍的攻擊了"。[1] 9 月 22 日，中共中央軍委致電劉伯承、陳毅、鄧小平等轉告彭德懷、粟裕等人，要求戰爭第三年，全軍應殲敵正規軍 160 旅左右，其中，華東野戰軍應殲滅 40 個旅，開闢第四年大舉南進的道路。[2] 9 月 24 日，粟裕致電中共中央，建議不作休整，立即進行淮海戰役，以便 "為將來渡江創造有利條件"。25 日，毛澤東為中央軍委起草復電，認為 "進行淮海戰役，甚為必要，可於 10 月 10 日左右開始行動。進行幾個作戰，首先殲滅在新安鎮、運河之線殲滅黃伯韜兵團。三個作戰合起來，是一個大戰役。"[3] 與此同時，國民黨也覺得 "守江必守淮"，決定放棄隴海路上所有城市，集中兵力於徐州、蚌埠間的津浦路兩側地區，與解放軍主力決戰。國民黨將這一行動稱之為 "攻勢防禦"，蔣介石則親自擬定，命名為 "徐蚌會戰計劃"。1948 年 6 月，蔣介石任命杜聿明為徐州 "剿總" 副總司令兼第二兵團司令官，將杜從東北戰場調到華東，名為協助徐州 "剿共" 總司令劉峙而實際上主持全盤戰局。

1　《毛澤東年譜》(下卷)，第 346—347 頁。
2　同上書，第 348 頁。
3　同上書，第 349 頁。

一、東線，碾莊之戰，黃伯韜兵敗自殺

11 月 6 日，中共華東與中原兩大野戰軍進行的淮海戰役開始。此次戰役，以徐州為中心，東起海州，西迄河南商丘，北自臨城（今薛城），南達淮河。中央軍委原來決定殲滅劉峙、杜聿明集團的一部分，至此擴大規模，改為求殲其主力或全部於長江以北。8 日，國民黨第三 "綏靖" 區副司令、中共地下黨員何基灃、張克俠率 2 萬 3 千餘人在台兒莊、棗莊地區起義，徐州東北門戶洞開，為淮海戰役取得開門紅。11 月 16 日，中原野戰軍攻克徐州以南津浦線上的戰略要點宿縣，這就切斷了徐州和蚌埠之間的聯繫，完成了對徐州的戰略包圍。中共中央軍委決定由五人組成的總前委，劉伯承、陳毅、鄧小平三人為常委，鄧小平為總前委書記。

淮海戰役開始的第一個夜晚，華東人民解放軍 7 個縱隊即自魯南兼程南下，進攻黃伯韜兵團。該團號稱第七兵團，成立於 1948 年 8 月，下轄第 25、第 53、第 64 三軍，不久，又增加第 44、第 100 兩軍，共約十二萬人。11 月 3 日，蔣介石命黃伯韜退守徐州以東地區。9 日，黃伯韜率部抵達碾莊，被解放軍 11 個縱隊包圍，縱橫不到十華里。自 12 日起，解放軍發動猛烈攻擊，黃伯韜致電蔣介石告急。11 月 15 日，蔣介石在還沒有做早課之前，就得到消息，碾莊情勢危殆，西南、西北陣地已完全失去，立即命參謀總長顧祝同飛到碾莊上空，投送手令，告以本人決定，即飛徐州督戰增援，"望靜鎮固守，必可轉危為安。"[1] 黃伯韜接到手令後，立即復電表示："決苦撐到底，決不負鈞座栽培與付託之重。"[2] 蔣介石一面下令空軍向進攻碾莊的解放軍全力轟炸，從早到晚，不得間斷；一面命顧祝同代替自己，督促邱清泉、李彌兩個兵團迅速向東急進，中央突破，增援黃伯韜。11 月 19 日，黃伯韜致電蔣介石稱："碾莊遭共軍炮擊一萬五千餘發，幾成火海，共軍連續衝鋒 7 次，激戰至拂曉，但本軍苦戰十餘日，彈藥告罄，無法轉移攻勢。"[3] 蔣介石氣得立即給杜聿明打電話，痛罵增援的邱清泉 "指揮無方，已成為老爺軍，何能革命剿匪！" 蔣介石告訴杜

---

1 《蔣中正致黃伯韜手令》，《蔣中正 "總統" 文物》，002-020400-00024-043。

2 《事略稿本》第 77 冊，第 475 頁。

3 《黃伯韜致蔣中正電》，《蔣中正 "總統" 文物》，002-090300-00193-222。

聿明，如果邱兵團今日不能攻至曹八集，使碾莊安而復危，萬一有失，邱清泉"應負其全責"。杜聿明答稱："願以生命擔保，碾莊已無危險。"蔣介石不相信杜聿明的保證，電話裏斥責杜聿明"不能如此看法"。"如邱不能進展"，共軍還會回來，碾莊還是要丟的。[1]

除邱清泉兵團外，負責馳援黃伯韜的還有李彌的第 13 兵團，但都受到解放軍的頑強阻擊，逐村爭奪，逐村苦戰，7 天後仍無法向前。黃伯韜兵團可以聽見他們的炮聲，但不見支援的人影。解放軍通過網狀壕溝和坑道一步步逼近，黃伯韜只能利用空軍濫炸和炮兵濫轟反擊。19 日，第 44 軍和第 100 軍已幾近被全殲，第 25 軍和第 64 軍亦已彈盡糧絕，士氣極端低落。20 日凌晨，黃伯韜逃至大院上，午後又轉逃吳莊，擬向西北方向突圍，但解放軍包圍嚴密，無路可逃。11 月 22 日，蔣介石命令黃伯韜率所部突圍，並指示其方向與道路，但當日大霧彌漫，空軍無法以通訊袋投遞。同日，大院上、尤家湖、大興莊三據點相繼被解放軍攻克，只有吳莊繼續作戰。下午 6 時，黃伯韜見大勢已去，舉槍自殺。至此，淮海戰役第一階段結束。

二、西線，黃維被圍雙堆集

黃維兵團原駐紮於河南中部的確山、駐馬店、遂平地區，淮海戰役開始後，黃維奉劉峙命，於 11 月 18 日進抵安徽西北部的蒙城地區。這時，黃伯韜兵團已在碾莊被圍，蔣介石電令黃維兵團向宿縣急進。20 日，各部先後到達澮河以南地帶，但澮河一帶陣地已被中原解放軍佔領，蒙城也被解放軍佔領，截斷黃維兵團退路。24 日，黃維向津浦線上的固鎮轉移。25 日，被包圍於蒙城東北雙堆集附近地區。蔣介石命黃維向蚌埠方向突圍。27 日，第 15 軍第 100 師師長廖運周，向黃維自請擔任前鋒。廖早在 1927 年就成為中共黨員。該師在 1947 年就成立了地下黨委。至此，廖遂率部起義。28 日，黃維復電蔣介石，聲稱："兵團被堅圍，限於危殆，就現位置現態勢，以必死決心，與匪

---

1 《蔣介石日記》，1948 年 11 月 19 日。

同歸於盡。"[1]

11 月 24 日，蔣介石得知陳賡主力已自徐州東部轉向宿縣方面，計劃與劉伯承部會合，擊破黃維兵團。當日，蔣介石認為如將領指揮有方，這將是聚會殲陳、劉的機會，當日召見劉峙、杜聿明，商談作戰計劃。25 日，蔣介石命黃維兵團向安徽固鎮方向移靠。該兵團原駐防河南中部鄲城，奉命參加徐蚌會戰，因路經黃泛區，缺乏架橋準備，延誤時日，而中共部隊則捷足先登，黃維只能改變向宿縣西進的原令，向東北方向前進，結果被圍於蒙城東北的雙堆集。[2]

自 11 月 20 日起，解放軍即圍攻徐州之南位於津浦線上的宿縣，經四晝夜苦戰攻克。這樣，國民黨軍的徐州南部防線就被打開了缺口。固鎮位於宿縣之南，是津浦線上的另一戰略要地。解放軍於攻克固鎮之後，乘鐵橋尚未被破壞，向南進迫蚌埠，蔣介石下令空軍全力壓制，據稱，中共部隊被炸射死傷者達萬人以上，但解放軍"仍不畏死挺進"，讓蔣介石既驚慌，又羨慕，驚呼"其氣焰之高漲如此也"。[3] 當時，黃維兵團的副司令胡璉稱病留在南京，得知有關情況後，不願回前線，經蔣介石力促，才勉強回任。此際，黃維兵團的陣地已經愈縮愈小。11 月 30 日，蔣介石手令黃維，要他"積極向外擴展陣地"，"時時研究匪最薄弱之一點或其最弱之匪部，集中有力部隊，徹底殲滅其一二個縱隊，否則能殲滅其一二師，或一二個團，亦可增加我士氣，而使匪勢大挫。"[4] 這時，由於一次又一次吃敗仗，蔣介石實在太需要打一次勝仗了。所以電報的口氣很遊移，消滅"一二個縱隊"、"一二師"，甚至"一二個團"，都行。但是，黃維卻實在難給蔣介石以確切而滿意的回答，只好用空話來哄騙他的上司："開始攻擊戰鬥，正順利進展中。"[5] 為了提高國民黨兵士的士氣，顧祝同甚至向蔣介石提議，頒發金錢犒賞，徐州地區的賞額為四百萬元。[6] 顧祝同不懂得，提高士氣的根本辦法是使士兵懂得為何而戰，為誰而戰。解放軍的一次訴苦會、慶功會就可以使士兵鬥志倍增，區區幾塊賞錢何能使得國民黨的士兵甘心赴死？

1　《黃維致蔣中正電》，《蔣中正"總統"文物》，002-020400-00024-057。

2　《事略稿本》第 77 冊，第 616 頁。

3　《蔣介石日記》，1948 年 11 月 29 日。

4　《蔣中正致黃維函》，《蔣中正"總統"文物》，002-080200-00590-005。

5　《事略稿本》第 77 冊，第 643 頁。

6　同上，第 643—644 頁。

三、南線：攻克固鎮，津浦路再被截斷，
蔣介石決定放棄徐州

　　東線，黃伯韜的第七兵團被殲；西線，黃維的第十二兵團被重重包圍；南線，津浦線上的宿縣、固鎮，都掌握在解放軍手中，交通命脈被切斷，與後方的連絡、補給都很困難，這樣，徐州雖仍有邱清泉的第二、李彌的第十三、孫元良的第十六等兵團守衛，但完全被孤立，只能支撐時日，成了甕中之鱉，蔣介石決定放棄徐州，向南突擊，解除黃維兵團之圍後，轉守淮河，掩護南京，同時從事整補，相機再興攻勢。

　　蔣介石日記記載：

　　11 月 25 日："陳匪主力已由徐東移向宿縣方向與劉匪會合，以期擊破我黃維兵團，此實又為我聚殲陳、劉兩匪之良機也。"

　　同日："研討宿、蚌附近戰局，黃維兵團又有被圍之勢，不勝憂慮，乃即指導要旨，先令黃打通蚌埠為基地之道路也。"

　　11 月 27 日至 30 日，劉峙率徐州"剿匪"總部一部分人員撤到蚌埠。30 日夜，杜聿明以副總司令、前進指揮所主任身份，率邱清泉、李彌、孫元良三個兵團、徐州各機關團體及地方部隊撤離徐州，避開津浦線上的中共軍隊主力，向西南方向進發，期於在河南東部的永城地區與黃維、李延年兵團會師，夾擊陳賡、劉伯承的部隊。

　　12 月 2 日，蔣介石得悉杜聿明已率領部隊到達安徽北部的蕭縣，蚌埠以西的中共部隊有向北撤退模樣，緊張的心情稍感安定，電告赴美求援、剛剛到達華盛頓的宋美齡說，徐州已自動放棄，二十萬大軍正向南對蚌埠附近的共軍"壓迫包圍"，"只要匪不逃竄，必可獲得決定性之勝利"。[1] 事實是，杜聿明率領的部隊，正在向永城方向逃跑，何曾有向蚌埠方向"進剿"的跡象？

　　當日，天色晴朗，視線清晰，蔣介石督促空軍"奮勇炸匪"，空軍向蔣報告，"為我所殺傷者，當有數萬餘人"[2]。這使蔣很高興，親筆寫信給杜聿明，要

1　《事略稿本》第 78 冊，第 016 頁。

2　同上，第 018 頁。

他停止向西邊的永城方向移動。仍按照手令"向南圍剿殘匪"[1]。當晚，蔣介石根據空軍的偵察報告，認為安徽濉溪口等地共軍總數不到四萬人，立即連寫數函，交空軍投遞杜聿明，要他"改變方向，前進奮擊"。函一稱："刻接空軍偵察詳報，西、南兩面皆已有匪部工事，對我軍形成弧形包圍態勢，此時惟有積極進擊，乘匪薄弱各部，予以殲滅幾部，則其全部即將崩潰。此正我等以逸擊勞、以大吃小之良機。"函二稱："時日延長，則二十萬以上兵員，糧秣、彈藥斷難接濟，惟有上下決心，共同以死中求生之覺悟，衝破幾條血路，對匪反包圍，予以殲滅若干縱隊，乃可解決戰局。好在匪部薄弱疲憊，甚易擊滅，以其包圍線過長決難處處作濃厚之縱深配備也。"[2]

人有所明，必有所蔽。蔣介石發現，杜聿明所部已經陷入中共部隊的"四面合圍"之中，這是正確的，但是，在判明中共部隊的戰力時卻又顢頇糊塗了。杜聿明接到蔣介石的這些信件後，極感為難。按照原計劃向西撤退，有可能達到目地的地；按照蔣介石的命令向南進攻，有可能全軍覆沒。他召集孫元良、邱清泉等人商量，決定服從蔣的命令，立即調整部署，採取三面掩護，一面攻擊，逐次躍進的的戰法，向濉溪口之敵攻擊前進。

12月3日蔣介石日記云："本日最苦悶者為杜兵團主力仍向西永城行進，而不向南積極進攻當面殘匪，失卻大好良機。如能最初先佔領瓦子口，濉溪口各要點，以截堵夾溝方面轉來之匪部於各山口要隘，則不至如今日受匪弧形之包圍，將領不學無術能至此，殊為痛心。今日兩函飛投，令其改換方向，得復照辦，然時機已誤其大半矣。"

事後，杜聿明想來想去，覺得蔣介石"變更決心"是被"郭汝瑰這個小鬼的意見所左右的"。[3]對蔣的這兩封親筆信，杜答稱"向東南攻擊中"。蔣介石接電，大不滿意稱："雖已遵照辦理，然時機已誤去大半矣！"[4] 12月4日，杜聿明先後兩次致電蔣介石，一稱，不問狀況如何，決採逐次躍進辦法，向東南作

1 《事略稿本》第 78 冊，第 018 頁。
2 《蔣中正致杜聿明函》，《蔣中正"總統"文物》，002-020400-00024-061；002-020400-00024-062。
3 郭汝瑰，1928 年參加中共，後失去組織聯繫。抗戰期間，秘密會見董必武，投入隱蔽戰線。三年內戰時期任國民政府國防部作戰廳中將廳長，向中共遞送過不少情報。
4 《事略稿本》第 78 冊，第 024 頁。

楔形突進。所謂"楔形突進"，即"三面掩護，一面攻擊"，可見國民黨軍當時小心翼翼，膽戰神疑的緊張狀態。杜聿明希望用這種"戰法"達到與黃維兵團會師的目的。同時要求李延年兵團向北積極行動，黃維兵團轉取攻勢。另一電解釋行動緩慢的原因在於："四面皆匪，且戰且行"。他向蔣表示："職決心始終未變，本晚仍排除萬難，攻擊前進中。"他向蔣報告，當面之"匪"係主力，則黃維、李延年兵團正面之"匪"較少，希望蔣下令各該兵團"積極西進"，與本人所率各兵團南北夾擊，將不難一舉擊破。但是，他也表示，"存糧無多，已無法維持，懇請空投補給"。[1] 發電後，杜聿明即命令邱、李兩兵團竟日猛攻，預計如每日進展數裏，估計六、七日後即可與黃維兵團接近，但是，這一時期，國民黨軍處處遭到中共部隊的"猛撲"，僅能維持原有陣地，抽調兵力出擊已經不可能了。

12月4日，黃維兵團副司令員胡璉自雙堆集飛到南京，要求突圍。蔣介石命令該兵團向東攻擊，與蚌埠的李延年兵團會合。同日，蔣介石查明，第110師師長廖運周確已率部起義，他是黃埔軍校第5期學生，蔣介石日記稱："此為余一生最大之恥辱。"

12月5日，蔣介石因觀看以文天祥為主角的電影《國魂》，曾閃過自殺念頭，但很快就否定。日記云："存亡成敗，聽之於天"，"若狂念自戕，以表白心跡，了結一生，此乃卑怯心理，應掃除淨盡"。[2] 此前，蔣介石因為環境惡劣已極，所受刺激亦為任何時期所未有，屢有生不如死之感。[3] 12月8日，蔣介石再萌自殺念頭，日記云："此時更應鎮定靜修，不可稍萌妄念輕生之意"，"否則城危殉職，亦得其所"。當日朝課後，蔣介石得報，盱眙以西地區中共部隊正渡過淮河，空軍集中炸射，中共部隊被殺傷萬餘人，躲在兩岸蘆草中被汽油彈燒死的人更多。蔣介石立即感謝天父："此誠天父保佑之所致，否則明光以南，天長、滁縣皆危，浦口與南京即受威脅矣。"

---

1 《事略稿本》第78冊，第036—037頁。
2 《蔣介石日記》，1948年12月5日。
3 《蔣介石日記》，1948年11月23日。

四、蔣介石決定使用毒氣

在徐蚌會戰中，國民黨軍隊一再敗北，處於下風。為了挽救敗局，12 月 9 日，蔣介石動了"用化學彈以制匪"的念頭。化學彈就是毒氣彈，其中裝填毒劑和毒氣藥，是一種大規模殺傷性的生化武器，有催嚏性毒氣彈、催淚性毒氣彈、糜爛性毒氣彈、窒息性毒氣彈、神經性毒劑、全身中毒性毒劑、失能性毒劑、窒息性毒劑等多種。1914 年，第一次世界大戰時，德國首先使用榴彈炮發射催淚瓦斯。1915 年，英軍在戰爭中使用了光氣與氯氣的混合化學武器。1917 年，在協約國和同盟國的衝突中，使用了芥子氣。二戰中，據不完全統計，日本違反海牙國際公約，曾先後在中國 14 個省市、77 個縣區使用過毒氣彈。

國民黨軍擁有毒氣彈，但一直未使用過，不知道其效果如何，蔣介石日記云："此實為最後之一著，存亡成敗，皆繫於斯。上帝其佑華乎？必能使之有效耳！"12 月 10 日，黃維兵團所在地王莊遭到中共部隊的猛攻，蔣介石除急催李延年兵團所屬兩軍火速增援外，企圖利用毒氣彈以救黃維兵團之困，因此，特別關心使用化學彈的準備工作。他親到空軍指揮所研究，並親自致函黃維，告知其使用注意之要點。[1] 12 月 11 日，蔣介石再到空軍指揮所，指示使用化學彈的方法與地區。同日，黃維兵團所屬第 85 軍第 23 師師長黃子華率兩團士兵投奔解放軍，蔣介石即致電黃維，聲稱"雖甚痛憤，但以後陣內份子純潔，陣容更易整齊強固"。他特別告訴黃維："好在各種新武器使用之準備已經完成，日內定可轉危為安。務希整頓陣地，嚴密準備，不慌不忙，靜鎮猛擊，爭取最後之勝利。"[2] 然而，就在蔣介石大做其黃粱美夢之際，解放軍陸續攻克沈莊、周莊、王莊，第 85 軍之 23 師再次有部分士兵投奔解放軍，解放軍猛攻馬圍子，黃維兵團岌岌不可終日。蔣介石的心突然猛揪緊起來。當晚，蔣介石聽取化學司令的試驗報告，結果良好，於是，蔣介石的心又略感放鬆。其反省錄云："本週督導化學炸彈之使用，不遺餘力，而且甚盼其發生絕大功效，惜黃維兵團迫不及待，未曾使用而使發生威力為憾。"[3]

1　《蔣介石日記》，第 104—105 頁。
2　同上，第 108 頁。
3　《事略稿本》第 78 冊，第 114 頁。

對是否使用化學彈，國民黨中有不同意見，有人認為"威力過猛，有失人道"，堅決反對。12月12日，蔣介石與空軍總司令王叔銘屢通電話，研究化學彈是否可用，不能決定。當日中午，蔣介石決定放棄使用。[1]不過，蔣介石的決心並沒有堅持幾天。12月19日，蔣介石日記云："朝課後召見叔銘與汪化學司長，研究使用化學炸彈與杜部作戰使用方法。"可見，蔣介石還是未能抵禦化學彈威力的誘惑，再次研究起它的"使用方法"來。[2]據黃維回憶，大約在12月10日前，黃維曾要求蔣介石派大量空軍用凝固汽油彈大規模轟炸，在規定的時間和區域造成火海，以掩護兵團殘部突圍，隨即受到空投的蔣介石親筆復信，信中說："決用空軍全力投下，拯救你的突圍，可徑行同空軍總部聯絡。"同時又空投下關於空軍用毒瓦斯彈轟炸和使用毒氣的說明（油印品共300多份），其中詳細說明甲彈（糜爛性毒瓦斯炸彈）和乙彈（窒息性毒瓦斯炸彈）的性能、使用和防護的注意事項，並規定了空地日夜各種聯絡和地上各種標示辦法，又規定把戰場地區的日夜氣象情況（晴、雨、風向、風速等等）按時報告空軍總部。兵團部秘密擬定在空軍大規模使用毒氣彈轟炸掩護下的突圍計劃，並秘密底立即進行各種準備，以待空軍確定開始轟炸的時間實施。據黃維回憶："當時因為這是違背國際公法來屠殺同胞的罪惡計劃，沒有予以公開，在兵團部還有我、胡璉、正副參謀長和第三處處長以及各軍軍長知道。至於由各部隊準備的事項，則只是規定其作某項準備而已。連說明的油印品，係數由我親自保管，準備開始行動之前，臨時發給各部隊（在突圍時，連同其他機密文件都由我親自焚毀了）。與此同時，還陸續空投下催淚性瓦斯投擲彈和催淚性迫擊炮彈，共約二三十箱，據說每箱12顆，可能悉數分配給第18軍了。當時是分配給各部自行掌握，其使用情況不明。"[3]又據杜聿明回憶，12月19日，他在黃維兵團放毒後，曾當面詢問蔣介石派來的空軍總司令部通訊署署長董明德，"用的什麼毒氣？"董答："催淚性的。"杜問：這有什麼用？為什麼不用窒息性的呢？"

1　《事略稿本》第78冊，第117頁。
2　據郭汝瑰回憶，當時交通部長俞大維說："糜爛性毒氣，國際公法禁止使用。"蔣介石表示："催淚彈不是毒氣彈，可以使用。"見《郭汝瑰回憶錄》，第339頁。
3　黃維：《第12兵團被殲紀實》，《中華文史資料文庫》卷7，中國文史出版社，第119頁。

董答："窒息性的太嚴重，還不敢用。"[1] 可見，蔣介石在否定使用毒氣彈之後，又曾決定使用，但是，也只敢使用毒性較小的"催淚性"的毒氣，而不敢使用殺傷力強大的糜爛性、窒息性毒氣。[2]

五、黃維突圍被殲

12月12日，黃維電告蔣介石，共軍第三縱隊猛攻馬圍子陣地，第10軍第52團團長激戰後重傷。現在陣地破碎，僅存第10與第18兩軍，情況危急。[3] 蔣介石復電安慰稱："此間各種準備與飛機裝彈均已完成，只要前後方氣候轉佳，必隨時起飛實施。" 又電稱："據空軍最後報告，此兩天我空軍無法助戰時，匪部猶未能猛攻，可見匪力已竭，只要明後兩日氣候轉佳，空軍必可出動，雙堆集附近所有之匪，不難全部殲滅。" 蔣介石要求黃維加強工事，注重坑道作業，阻遏"匪"之攻勢，再過兩日，確信"匪"必被殲，弟部必可轉危為安。[4] 13日，蔣介石為兌現對黃維誇下的海口，命令空軍對雙堆集東西兩區集中"大轟炸"，以為一定有效果，但入晚，中共部隊的攻擊分外猛烈，蔣介石不能理解，日記云："實令人不能想像，其魔力之大而能持久至如此也。"[5] 12月15日，黃維電告蔣介石，"匪"軍猛攻大王莊、無名莊、楊莊、金莊等陣地，金莊西南陣地已被摧毀殆盡，第54團團長率部搏鬥，身負重傷，陣地淪陷。蔣介石本擬復電訓勉，但從黃維電報的字裏行間察覺到黃維的內心，認為"彼之惶惑畏匪心理已成魂不附體之象，不敢復望其有成也。"[6] 由於鄙視黃維和對其失望，訓勉電就沒有發出。當日，黃維認為彈盡糧絕，據點均失，下命令各部破壞其重裝備，分向東南及西南突圍。結果，被中原解放軍在華東野戰軍一部的配合下，於宿縣西南雙堆集地區殲滅。黃維及第18軍軍長楊伯濤、第85軍長吳紹

1 杜聿明：《淮海戰役始末》，全國文史資料委員會編：《中國命運的大決戰》，安徽人民出版社2000年版，第725—726頁。

2 據郭汝瑰回憶，他以後聽黃維說，糜爛性毒氣還是投了。見《郭汝瑰回憶錄》，四川人民出版社1987年版，第339頁。

3 《黃維致蔣中正電》，《蔣中正"總統"文物》，002-020400-00024-091。

4 《蔣蔣中正致黃維電》，《蔣中正"總統"文物》，002-020400-00024-092。

5 《蔣介石日記》，1948年12月13日。

6 《蔣介石日記》，1948年12月15日。

周、第 10 軍軍長覃道善被俘，第 14 軍軍長熊綬春戰死，胡璉負傷逃出。淮海戰役第二階段結束。蔣介石決定："今後守淮無力"，"作守江之準備"[1]。

月終反省，蔣介石自認"本月實為處境最逆之一月"。[2]他當然想不到，更"逆"的"處境"還在後頭呢！

六、杜聿明被俘，淮海大戰結束

繼黃維後，杜聿明迅速陷入同樣命運。為了防止蔣介石決策海運平津國民黨軍南下，12 月 11 日，毛澤東指示淮海前線部隊"留下杜聿明指揮之邱清泉、李彌、孫元良諸兵團之餘部（已殲約一半左右），兩星期內不作最後殲滅之部署"。[3] 14 日，毛澤東致電粟裕，指示"就現陣地態勢休息若干天，只作防禦，不作攻擊"。[4] 17 日，毛澤東親筆書寫廣播稿《敦促杜聿明等投降書》，進行政治攻勢，要杜聿明等"放下武器，停止抵抗"。此後，粟裕即以 8 個縱隊繼續包圍杜聿明集團。杜聿明為了解脫困境，派舒適存參謀長到南京，要求蔣介石調集其他各戰區部隊來援。12 月 18 日，蔣介石復電杜聿明，告以"此種幻想，決無可能"，聲稱自己"已用盡心力，想盡辦法，再無強大軍隊能來增援"。他明確表示："除弟與各將領奮鬥自救以外，並無他望。"緊接著，蔣介石語含譏刺地說："若有如此強大兵力尚不能擊破殘匪，非特弟等無顏見人，即中亦再難立於天地間矣。"他不從自己身上找尋兵敗原因，批評高級將領們"無決心，無勇氣，其精神全為匪部所脅制"。接著，蔣介石提出重賞："茲特頒令，如此次決戰果能徹底遵奉命令，達成任務，除賞一億金圓外，並準各級官兵皆晉升一級，而其中特別勇敢有功者，當另行重賞。"[5] 蔣介石懂得，"重賞之下，必有勇夫"，但是，他不懂得俗話所說，"兵敗如山倒"。"山倒"代表著歷史趨勢，當巍巍高山瞬間倒塌之際，豈是個別"勇夫"所能挽救！

---

1 《蔣介石日記》，1948 年 12 月 16 日。
2 《上月反省錄》，《蔣介石日記》1948 年 12 月 31 日。
3 《毛澤東年譜》（下卷），第 418 頁。
4 同上，第 419 頁。
5 《蔣中正致杜聿明函》，《蔣中正"總統"文物》，002-080200-00590-005。

函末，蔣介石稱："速戰速決乃是唯一之生路，如徘徊滯延，或困守待援，無異束手待斃。"他要杜聿明"與各將領切討之"。自然，這是地地道道的廢話。

杜聿明部由於被解放軍長期圍困，糧彈兩缺的危機日益嚴重。對此，杜聿明回憶說："各部只有到一村搶一村，劫奪民間糧食，宰牛馬、殺雞犬以充飢。到19日以後，風雪交加，空投全停，始而挖掘民間埋藏的糧食、酒糟，繼而宰殺軍馬，最後將野草、樹皮、麥苗、騾馬皮都吃光。"及至盼到天晴，開始空投，於是，就出現下列場面：飛機怕被解放軍打落，飛得很高，投的糧食到處飛散，各處官兵如同餓狼一樣地到處奔跑，衝擊搶糧，有的跟著空投傘一直衝到解放軍陣地前，不顧死傷地搶著吃大餅、生米；有的互相衝突，格鬥殘殺；有的丟開陣地去搶糧，指揮部也無法維持。空投現場收集起來的糧食，分到各部隊，每日不得一飽，[1] 12月26日晨，南京大雪，無法空運，蔣介石想起前線被包圍的部隊，正"忍餓耐凍"，自稱"焦灼不可名狀"。他致電杜聿明並轉邱清泉、李彌及各軍師團長，建議他們用唱"軍歌"及"雪地運動方法"，使士兵"興奮"，"漸忘其飢凍之苦痛"，"樂於運動而不令其枯坐喪氣"。自然，這更是十足的廢話。人們難以想像，苦苦望援的杜聿明等人接到這樣一封電報，會是怎樣的心情和表情！士兵們處在這種狀態下，如何為"黨國"效命？

12月28日，蔣介石再次以長函指示杜聿明，吸取黃維兵團突圍失敗的經驗，鼓勵其"與匪決戰"。函稱："與其僥幸求生為無幸免之道，何如與其拼戰，至少乃有一半希望。"蔣介石甚至天真地設想，讓杜部"回擊"並佔領徐州，由徐州以南地區通過運河到達海州。[2] 轉眼就是1949年。1月6日，蔣介石再次手諭杜聿明，指示其"出擊"方案。此前，杜聿明稱致蔣介石兩函，說明自己抱病指揮戰鬥，決心"死戰到底"，要求派大員督導，空投糧彈。1月8日，蔣介石復函，對杜抱病作戰表示慰勉，聲稱已督促國防空勤各部按預定計劃空投糧彈，要杜按6日函所示方案辦理。[3] 當時，蔣介石明知已陷入"無能反攻之窮境"，但仍對1月9日杜聿明的出擊總計劃存有希望。1月6日，粟裕集中華

1　杜聿明：《淮海戰役始末》，第23頁。
2　《蔣中正致杜聿明函》，《蔣中正"總統"文物》，002-080200-00590-005。
3　《蔣中正致杜聿明電》，《蔣中正"總統"文物》，002-020400-00024-133。

東野戰軍 10 個主力縱隊和上萬門火炮，對杜聿明集團發動總攻。1 月 9 日，蔣介石作了最壞的安排，致電杜聿明、邱清泉、李延年等人，告以如本日出擊無效，應將重武器與卡車等有"計劃徹底毀滅"，將派飛機來先接師長以上高階將領，次接團長以下官長，要杜秘密準備。電報特別告知杜聿明等，無論本日戰況如何，將於 1 月 10 日晨派飛機接杜聿明回南京治病，前方部隊概歸邱清泉指揮，李延年為第二指揮。[1]

1 月 10 日，杜聿明所部國民黨軍突圍失敗。杜聿明在逃至蕭縣張老莊村時被俘。對此，後來杜聿明有詳細而生動的回憶。

最初，杜聿明覺得："要逃命就不跟大隊走，只有在夜間鑽空子，出了包圍圈再說。"於是，杜便帶著副官、衛士十來個人，先向西走出村莊，再轉向東北，這時四面沉寂，無一槍聲，杜走到賈寨附近，見有大隊解放軍向西運動，便在戰壕內隱蔽起來。副官尹東生給杜剃了鬍子。這時，兩個解放軍戰士跑來問："你們是哪一部分？"副官說："送俘虜的。"再一喊，副官衛士都放下武器。杜覺得左右都變了，企圖自殺，尹副官從旁將手槍奪去交了。解放軍將杜等帶到村莊後說："你們餓了吧！"於是送水送飯，大家飽吃一頓。接著，解放軍將杜等分成兩部分：杜同副官、司機到一位首長處談話。副官自稱《徐州日報》隨軍記者，指杜為十三兵團高軍需。首長問杜："高軍需叫什麼名字？"杜答："叫高文明。"首長笑著說："你這個名字倒不錯。十三兵團有幾大處？"杜答："六大處。"首長要杜將六大處處長的名字寫出來，杜聿明自然寫不出。打岔問："您貴姓？"對方答稱姓陳。杜稱："這個地方談話不方便吧？"陳姓首長誤會是怕飛機炸，就說："不要緊。對你們的空軍，我們有經驗，嚇不了我們。你們只要坦白交代，我們一律寬大，除了戰犯杜聿明以外。"杜心想"我就是，你還未發現。"陳姓首長又問："杜聿明是不是坐飛機跑了？"三人都說："聽說跑了"。這時，陳姓首長就交代杜等到另一間屋裏休息。後來，又有一位幹部來，再問過一遍，經過嚴密檢查，將東西一一點清，交還各人。這一檢查，讓杜聿明感到解放軍對俘虜的態度真好，手續清楚，紀律嚴明。其後，

---

1 《蔣中正致杜聿明等電》，《蔣中正"總統"文物》，002-020400-00024-135-137。

解放軍將杜聿明和司機帶到一個廣場，從十三兵團大批俘虜面前經過。杜聿明看見許多熟悉的老部下，既慚愧，又惱火，覺得解放軍對自己已經懷疑，總有一天會被認出來的。

後來，杜聿明等被安排到一間磨房裏休息。解放軍監視很嚴。戰犯這個邪惡的名稱一直纏繞著杜聿明。司機張印國見杜心神不安，就多次勸杜夜間逃跑。杜覺得腰腿疼痛，行動艱難，逃出去走不動會死，被解放軍發現也會死。與其被處死，不如先自殺，還可以做蔣介石的忠臣。一剎那間執拗得彷彿死神來臨，見警衛人員剛離屋，就順手拿起一塊石頭在腦袋上亂打，一時打得頭破血流，不省人事。所幸解放軍及時發現，將杜搶救到衛生處。不久即清醒過來，好像一場大夢。[1]

蔣介石很快得到杜聿明突圍失敗的消息。1 月 10 日，蔣介石在日記中寫道："聿明部大半（今晨）似已被匪消滅，聞尚有三萬人自陳官莊西南突圍，未知能否安全出險，憂念無已。此為我黃河以南地區之主力，今已被殲，則兵力更形懸如。但已盡我心力，無可愧對我將士，而將領無能至此，實為我教育不良，監督無方之咎，愧悔無地自容。一時之刺激悲哀，難以自制。"[2]

杜聿明集團突圍時，邱清泉也自被包圍的陳官莊地區出逃。1 月 10 日，在逃亡過程中身中七槍，被擊斃。1939 年 12 月，他參加桂南戰役，在崑崙關大戰中曾取得殲滅日軍 5 千餘人的勝利。1944 年 11 月，又在收復龍陵戰役中建功。解放軍"一縱"決定，為其殮棺埋葬。墓前豎一木牌，上書："樂清邱清泉之墓"。

杜聿明的被俘象徵淮海戰役結束。此役，共歷時 66 天，國民黨投入總兵力80 萬人，出動各型飛機 2957 架次。中共投入總兵力 60 萬人，山東、江蘇、河南、安徽、河北服務於前線的民工 543 萬人。戰役中，中共軍隊傷亡 13 萬人，殲滅敵 5 個兵團，22 個軍部，56 個師（內四個半師起義），共 55 萬 5 千人。其中，包括國民黨軍的所謂"五大主力"中第的 5 軍和第 18 軍。蔣介石軍隊的主

1　杜聿明：《淮海戰役始末》，第 25 頁。

2　《蔣介石日記》，1949 年 1 月 10 日。

力喪失殆盡，已無可用、可戰之兵。[1] 這樣，中共就佔領了長江中下游以北的廣東地區，將長江以南的南京、上海、漢口暴露於解放軍的炮口之下。

杜聿明於 1924 年進入黃埔軍校，1925 年參加討伐陳炯明的戰鬥。淡水之役，杜聿明與同學陳賡首登城頭，打開城門。抗日戰爭中，率第 5 軍參加桂南會戰，重創號稱鋼軍的日軍第 5 師團，取得崑崙關大捷。後又任中國遠征軍第一路副司令長官，入緬作戰。他於淮海戰役被俘後，於 1959 年 12 月 4 日被特赦。1978 年當選為第 5 屆全國人大代表。

七、白崇禧態度的前後變化

在國民黨軍隊中，桂系白崇禧軍事集團是蔣系之外的另一重大力量。淮海戰役（徐蚌會戰）初期，白崇禧同意黃維兵團自河南赴安徽參戰，但他不以徐州 "剿總" 的兵力部署為然，特別是了解的黃維兵團與杜聿明集團被圍，國民黨軍敗局已著的情況下，便轉而冷眼旁觀，甚至拒絕調令、阻止軍隊東下，藉以保存實力，坐視蔣介石的失敗，企圖乘機逼其下台。

10 月 15 日，解放軍攻克錦州，"關門打狗" 的局面已經形成。何應欽召集參謀總長顧祝同、參謀次長劉斐、蕭毅肅、第三廳廳長郭汝瑰等會議，研究作戰計劃。會議決定讓白崇禧統一指揮華中、徐州兩個 "剿總" 的軍隊。這時，白崇禧是同意的。10 月 23 日，郭汝瑰向蔣介石提出，白崇禧的統一指揮是暫時的，徐蚌會戰結束後，兩個 "剿總" 仍須分區負責。蔣介石當時曾表示，"就叫他統一指揮下去好了。" 10 月 31 日，國民黨政府國防部繼續開會，白崇禧幡然變化，不肯統一指揮了。其原因在於，白崇禧認為，"徐州 '剿總' 將部隊一字形地攤在隴海線上，津浦線南面缺少縱深配備，一旦戰役展開，主力南移困難。既已如此部署，改變已經時不我予。" 此後，白崇禧對戰役即持冷眼旁觀態度，11 月初，蔣介石決定與中共在徐蚌地區決戰時，曾致電白崇禧，要求調張軫兵團支援徐州。張軫問白崇禧："徐蚌會戰有無把握？" 白告以 "徐州

1　中共中央黨史研究室：《中國共產黨歷史大事記》，人民出版社 1989 年版，第 175 頁。

的致命弱點是在隴海線上平均、分散部署兵力"等情況，張軫遂將任務託詞推掉，其後，白崇禧便建議改調黃維兵團。11月19日，黃維兵團遵蔣介石命攻打宿縣，被圍於雙堆集，白崇禧見蔣介石如此指揮作戰，認為無論從華中調去多少兵力，均無法挽救敗局，便在蔣介石調兵之際，暗中掣肘。11月27日，白崇禧接到蔣介石的"手啟"電，要白轉知所屬第14兵團宋希濂偕第13綏靖司令王凌雲到南京一行。宋、王二人先到漢口見白，白稱："一定是調你這個兵團東下增援。"他向二人說明武漢地區的兵力，對二人說："你的部隊再調走，武漢地區就顯得更空虛了。"又說："就是把你的部隊調去，也不能解徐州之圍，而且時間恐怕也來不及了。"宋希濂問白："總司令以為應該怎樣辦？"白崇禧答道："我們如果保有武漢，必要時就可以共產黨和談，即使萬一不保，也可以退守湖南和兩廣，擁有西南半壁，維持一個時期。"宋希濂不同意白崇禧的看法，認為"目前應以救大局為重"。其後，宋希濂命所部第28軍劉秉義部從鄂西調到漢口，準備東開。白崇禧不准。經顧祝同親自打電話疏通。白得知該軍和顧祝同有歷史關係，勉強同意。接著，宋部第20軍楊幹才部也開到漢口，白崇禧命令漢口運輸司令部，非有他的手令，不准裝運。12月9日、10日，宋部第二軍陳克非部從沙市先後到達漢口，白崇禧派總部警衛團將輪船看守起來，不准裝運。蔣介石親自給白崇禧打電話，白仍不答應。蔣介石責白不服從命令，白答："合理的命令我服從，不合理的命令我不能服從。"[1]

　　白崇禧在淮海戰役期間的表現，既反映出桂系和蔣介石之間的長期而深刻的矛盾，也反映舊社會、舊軍人、舊幫派之間的普遍特徵。自然，由於國民黨所進行徐蚌會戰是不義之戰，即使白崇禧全力助戰、參戰，也無法挽救蔣介石的敗局。

1　程思遠：《白崇禧傳》，華藝出版社1995年版，第257—263頁。

李宗仁的索權逐蔣計劃 *

* 作於 1991 年；本文錄自《尋求歷史的謎底》，首都師範大學出版社 1993 年 7 月版。

一、一份 "極機密" 文件

在美國哥倫比亞大學珍本和手稿圖書館所藏張發奎檔案（微卷）中，有一份標明 "極機密" 的文件。稍加研究，便可以發現，它是 1949 年李宗仁任代總統後制訂的一份秘密計劃。

文件共 8 頁，以毛筆寫成，分甲、乙、丙、丁四部分。甲部分為目的，共四條：

（一）統一事權，集中力量；

（二）改革政治，刷新陣容；

（三）建立和穩定革命根據地；

（四）抗拒與肅清腐化與惡化勢力。

乙部分為 "方針"，分 "急進的作法" 與 "緩進的作法" 兩項。所謂 "急進的作法" 共六條：

（子）對 × 表示一明確的態度，務使其將全部資本交出（包括政權、軍權、財權及一切金銀、外匯、物資、軍械等），最好能促其出國。

（丑）徹底驅除在粵之一切頑固份子（或停止其活動）並改組國民黨。

（寅）廢除以黨統政之制度。

（卯）改組國防部。

（辰）加強兩廣合作，以兩廣為中心，樹立革命根據地。

（巳）改革政治，肅清一切貪污無能自私之分《子》，重整革命陣營。

這六條中最重要的是第一條，所謂"對 × 表示一明確的態度"，其中的×，指的乃是蔣介石。文件接著敘述採取"急進"作法的理由，共五條：

（子）× 之原則既決不肯輕易放手，不如與之作具體的最後談判，使之無法推諉。

（丑）必須迅速處理一切，才能爭取時間。

（寅）必須徹底改革，才能爭取民心與國際援助。

（卯）必須徹底改革，才能肅清內部一切矛盾，達到集中與統一。

（辰）必須徹底改革，才能破滅 × 再起之幻想。

其後，文件敘述"顧慮與困難"，也是五條：

（子）與 × 破裂，無法獲取其擁有之資本。

（丑）× 可能即調兵入粵，以圖鎮壓。

（寅）目前軍政費無法自給。

（卯）立法院頑固份子之勢力甚大，仍可能利用立法院牽制政府。

（辰）兩廣兵力不足以應付共軍或 × 軍之侵入。

以上各處的 ×，也均指蔣介石。

文件提出的"緩進的作法"共三條：

（子）對 × 作較溫和之表示，仍請其將全部軍政權及資財交出，以便統一指揮。

（丑）對頑固份子逐漸隔離。

（寅）一切改革措施，均採緩進，使力量充實，基礎較穩固後再進行上述"急進的"各項辦法。

文件的制訂者認為，取"緩進的作法"理由如次：

（子）希望誘致 × 交出若干資本。

（丑）× 或可不至即派兵入粵。

（寅）對 × 不即時決裂，留有斡旋餘地。

但是，文件的制訂者又認為，這種作法也有其弊端：

（子）時機迫切，不容許獲得逐漸改善之機會。

（丑）由於 × 之高度警覺性，決不肯交付全部資本（甚至一部分亦不可能）。

（寅）由於 × 之高度警覺性，可能仍派兵入粵。

（卯）不能即時有所表現，無法爭取民心，提高士氣。

（辰）與 × 不絕緣，不能獲得國際之信賴與援助。

（巳）無堅強明朗之態度表現，新的份子不能號召集結，反動份子無法肅清。

文件的制訂者在比較權衡之後，認為"急進的作法"可能收到"預期的效果"。

文件最後部分為"一般值得研究的實際問題"，計六條：

1. 兩廣兵力如何充實（包括肅清土共問題）？
2. 財政問題如何解決？
3. 以黨統政之制度如何廢除（包括非常委員會）？
4. 立法委員如何爭取？
5. 與 × "攤牌"之方式如何？
6. 對中共之戰略部署。

文件未署日期，也未說明起草人姓名及有關情況。

二、文件形成的背景及其產生經過

1949 年 1 月，蔣介石宣佈"引退"，由李宗仁代行總統職權，但蔣在"引退"之前，即在人事上作了種種佈置，同時下令將國庫中大量黃金、白銀和外匯移存台灣。"引退"後，仍然以國民黨總裁身分掌握著種種實權。因此，李宗仁就職後，事事遭到掣肘。他曾命行政院將運往台灣的國庫金銀及外匯運回一部分備用，但有關人員拒不奉命。他企圖改變長江防務佈局，撤換指揮將領，但無法執行。這樣，李宗仁的左右就經常發牢騷："我們管不了，就交還給蔣吧！總統不過是代理，一走就可以了事的。"張治中見此情況，便動了勸蔣介石出國的念頭，以便讓李宗仁放手做事。他徵得李宗仁等同意後，於3月3日偕吳忠信訪問溪口。見蔣後，蔣劈頭第一句就說："你們的來意是要勸我出國的，昨天的報紙已經登出來了！"又說："他們逼我下野是可以的，要逼我亡命就不行！下野後我就是普通國民，哪裏都可以自由居住，何況是在我的家鄉！"說得張治中開不得口。

張、吳溪口之行雖然沒有成效，但要求蔣介石出國的呼聲卻日漸公開化。3月12日，南京《救國日報》居然以《蔣不出國則救國無望》為大字標題，發表評論。當時，南京代表團正在北平與中共代表團進行談判，李宗仁感到，有蔣在，勢難接納和議。4月9日，李宗仁召集白崇禧、程思遠、邱昌渭等人會議，認為蔣、李只能有一人主政，如果蔣不出國，李就應當辭去代總統；維持現狀，和戰均將無望。4月12日，李宗仁委託居正、閻錫山赴溪口，面交蔣介石一函，聲稱如蔣不採取步驟，終止目前的混亂局勢，則他自己唯有急流勇退，以謝國人。14日，蔣介石通過張群傳話，邀請李宗仁、白崇禧赴杭州面談。

形勢發展出人意料地快。4月20日，和談破裂，華東野戰軍陳毅所部迅速渡過長江。22日，蔣介石再邀李宗仁及何應欽、白崇禧、張群、吳忠信、王世杰等在杭州會談。會前，白崇禧對李宗仁說："今後局勢，如蔣先生不願放手，則斷無挽回餘地。蔣先生既已引退下野，應將人事權、指揮權和財政權全部交出。"李宗仁正準備在會上與蔣介石"攤牌"，白崇禧的話正合李宗仁的心意。李宗仁完全沒有想到，會議卻通過了一項提議，在國民黨中央常務委員會之下設立非常委員會，以蔣介石為主席，李宗仁為副主席，"凡政府重大政策，先在黨中獲致協議，再由政府依法定程序實施。"李宗仁滿肚子不高興，快快返回南京。當時，行政院等政府機構已經遷移廣州，但李宗仁決定不去。23日，李宗仁偕程思遠、邱昌渭、李漢魂等人飛抵桂林。當日，李宗仁決定派程思遠去漢口接白崇禧返桂，派邱、李二人去廣州會見美國公使銜參贊劉易斯·克拉克（Lewis Clark）及張發奎。

克拉克當時在廣州主持美國大使館駐廣州辦事處。他對邱昌渭說："美國已對蔣介石失去信心，即將重訂對華政策。目前國民黨政府要求美國立即援助，情勢上實不可能，除非有事實顯示，李代總統確實是一個堅強有力的領導者，蔣介石確實不再干預政治，才能逐漸轉換美國人的視聽。"其後，克拉克並親赴桂林，和李宗仁談了五個小時。

張發奎在李宗仁就任代總統後被任命為陸軍總司令。李宗仁託李漢魂、邱昌渭帶了一封信給他，函稱：

> 和談因中共不能改變其武力征服全中國之企圖，終告破裂。刻共軍已渡江，威脅京滬，此實為本黨及國家生死存亡之最後關頭，非革新無以圖存，非團結無以自救。吾兄愛黨心切，憂國情殷，知必具有同感。弟因廣州住所尚待修飾，兼以連月勞煩，須稍事休息，擬在桂勾留幾日後即來穗面商種切，共策進行。茲矚伯豪、毅吾兩兄代表趨詣，面達鄙恓，諸惟鑒照。

李漢魂於 1949 年 3 月初到南京任總統府參軍長，後任內政部長，他向張發奎訴說了到南京工作後的苦衷："在最高控制之下，致全域的人事及軍事，殆俱不能調整，政治亦難改革，全部之守江計劃，同時不能實施，坐令對共無法阻止。"29 日，張發奎飛往桂林。他勸李宗仁做出抉擇，或者公開聲明，他的出任總統只是一場滑稽戲，然後辭去總統職務，請蔣復位，或者從蔣介石手中奪過全部權力，組織戰時內閣，爭取美國的支持。5 月 1 日，張發奎飛返廣州。

據程思遠回憶，張發奎返抵廣州的當天中午，白崇禧、張發奎、程思遠三人在馬仲孚家裏午餐，張談到：

> 在桂林時曾由李宗仁約李品仙、甘介侯、韋永成、韋贊唐、黃雪村、李新俊、尹述賢等同他會談兩次，由黃雪村記錄，最後訂定甲乙兩案，甲案要蔣出洋，乙案要蔣交出權力來。張並強調指出，無論實行甲乙兩案中的任何一案，必須清除廣州陣營裏的ＣＣ份子。程思遠的這段回憶寫於1980 年，記憶不可能完全準確，但是，所謂甲乙兩案及"促蔣出洋"，"要蔣交出權力來"等等，正與上述"極機密"檔相合，因此，可以判明，該

份檔乃是 1949 年 4 月 29 日至 5 月 1 日張發奎飛桂時的產物。它反映出當時李宗仁等的企圖索權、逐蔣、以兩廣為基地反共。

三、又一份秘密文件

政府在廣州，代總統卻在桂林，這總不成局面。5 月 1 日晚，白崇禧訪問何應欽。二人認為，李宗仁不願來廣州，是因為對杭州會談的結果不滿意，決定請居正、閻錫山出面勸解。同晚，國民黨中常會舉行臨時會議，決定推吳鐵城、李文範赴桂，催促李宗仁來粵主持政務。5 月 2 日，白崇禧、居正、閻錫山、李文範等連袂飛桂。當晚會談，形成了一份《談話記錄》，全文如下：

（一）自宗仁代行總統職權後，鑒於頻年戰禍，民苦已深，弭戰求和，成為舉國一致之渴望，而以往政府一切軍事、政治、經濟之失敗，其根因所在，即由於政治之不修明，貪污腐化，遍於全國，遂造成今日民怨沸騰，士氣消沉，全盤糜爛之惡果。故自主政之日起，為順從民意，針對時弊，決以謀取和平與革新政治為當前兩大急務，以冀有所匡救。詎料時經三月，雖殫精竭力以赴，而事與願違，終致毫無成效。和談失敗，固由於中共所提條件過於苛刻，然我方內部意志之不統一，步驟之不能一致，如政府謀和措施之不能執行，未能示人以誠，亦不能不承認為一重大因素。至於革新政治一端，終以形格勢禁，因之三個月來之努力，悉已付諸虛牝，此皆由於宗仁德薄能鮮，不克建樹事功，實應首先引咎自責者。

（二）現共軍已渡過長江，首都淪陷，滬杭危急，局勢已臨萬分嚴重之最後關頭。基於以往三個月來事實證明，宗仁難繼續膺此艱巨，更自信在此情形之下，決無轉危為安之能力。為今之計，與其使宗仁徒擁虛位，無俾實效，莫若即日起，自請解除代總統職權，仍由總裁復位，負責處理一切，俾事權統一，命令貫徹。宗仁身為國民黨員，與總裁久共患難，決不敢存臨危退避之心，仍當竭盡協助之能力，並擬以副總統之資格，出國從事國民外交活動，爭取國際援助。此種辦法，在國際上固不乏先例，而依據目前之局勢，亦確乎有此需要，同時宗仁既可獲得為國家效力之機會，亦可與總裁之工作收分工合作之效。

（三）如總裁堅持其引退之初志，必欲宗仁繼續負責，根據過去三個月來失敗之經驗，為保障今後政府之命令能徹底貫徹，達到整飭部隊，革新政治之要求，完成吾人反共救國之使命，則有數事必先獲得總裁之同意並實行者，茲分列於次：

（1）憲法上規定關於軍政人事及凡屬於總統職權者，宗仁應有絕對自由調整之權。

（2）所有前移存台灣之國家銀行金銀外匯，請總裁同意由政府命令運回。

（3）所有移存台灣之美援軍械，請總裁同意由政府命令運回，配撥各部使用。

（4）所有軍隊一律聽從國防部之調遣，違者由政府依法懲處。

（5）為確立憲政精神，避免黨內人事糾紛，應停止訓政時期以黨御政之制度，例如最近成立非常委員會之擬議，應請打消。所有黨內決定，只能作為對政府之建議。

（6）前據居覺生先生由溪口歸來報告，總裁曾表示，為個人打算，以去國愈快，離國愈遠為最好，現時危事急，需要外援迫切，擬請總裁招懷遠，俾收內外合作之效。

（四）以上六項，必須能確切做到，宗仁始能領導政府，負責盡其最後之努力，否則唯有自請解除代總統職權，以免貽誤黨國。

文件原件共四頁，油印，用墨筆標有"密"字，亦見於哥倫比亞大學珍本和手稿圖書館張發奎檔。

上述文件表明，李宗仁經過深思熟慮，並與各方商談，決心將"極機密"文件付諸實施，不僅索取全部權力，而且要求蔣介石"去國愈快，離國愈遠為最好"，言詞雖溫和、婉轉，而態度則相當堅決，可以視為對蔣介石的一紙通牒。

《談話記錄》產生，同日，李宗仁再次致函張發奎，函稱：

日前節旅范桂，暢敘為慰。覺生、百川、君佩三先生降止，數度晤談，備審種切。

關於弟之意見，除已面告覺生先生等外，茲經作成《談話記錄》一份，油印數份，特伴函奉上一份，即希察閱是幸！敬之兄處亦付去兩份，並託其以一份派專機送呈蔣總裁核示矣。餘情均倩覺生兄等轉告。

據此，可知這份記錄天壤間只有幾份，一份給了張發奎，兩份給了當時的行政院長何應欽，其中之一由專機送給了蔣介石。

四、蔣介石的答復

5月3日，蔣介石在上海見到了李宗仁的《談話記錄》，非常生氣，立即復函何應欽，要求何轉達李宗仁及國民黨中央諸人。信中，蔣介石要求李宗仁"蒞臨廣州，領導政府"，說明他本人"無復職之意"，對於李宗仁六項要求中的前四項，蔣介石一一表示同意。他說：

（1）總統職務既由李氏行使，則關於軍政、人事，代總統依據憲法有自由調整之權，任何人不能違反。

（2）前在職時，為使國家財產免於共黨之劫持，曾下令將國庫所存金銀轉移安全地點；引退之後，未嘗再行與聞。一切出納收支皆依常規進行，財政部及中央銀行簿冊具在，盡可稽考。任何人亦不能無理干涉，妄支分文。

（3）美援軍械之存儲及分配，為國防部之職責。引退之後，無權過問，簿冊羅列，亦可查核。至於槍械由台運回，此乃政府之許可權，應由政府自行處理。

（4）國家軍隊由國防部指揮調遣，凡違反命令者應受國法之懲處，皆為當然之事。

對於李宗仁要求中的第五項，蔣介石也並不表示反對，只說："非常委員會之設立，為4月22日杭州會談所決定，當時李代總統曾經參與，且共同商討其大綱，迄未表示反對之意。今李既欲打消原議，彼自可請中常會復議。"對於要求他出國的第六項，蔣介石堅決反對，他說："且在過去，彼等主和，乃指我妨障和平，要求下野。今日和談失敗，又責我以牽制政府之罪，強我出國，並賦我以對外求援之責。如果將來外援不至，中又將負妨害外交，牽制政府之咎。國內既不許立足，國外亦無法容身。中為民主國之自由國民，不意國尚未亡，而置身無所，至於此極！"他並稱，自引退以來，政治責任雖告解除，而革命責任自覺無可逃避。凡李宗仁有垂詢之處，無不竭誠答復，但決不敢有"任何逾越分際，干涉政治之行動"。函末，蔣介石表示："今日國難益急，而德鄰兄對中隔膜至此，誠非始料之所及。而過去之協助政府者，已被認為牽制政府，故中惟有遁世遠引，對於政治一切不復聞問。"蔣介石此函於 5 月 5 日以專機送到廣州。6 日，國民黨中常會舉行臨時會議，推閻錫山、朱家驊、陳濟棠三人赴桂迎接李宗仁。李宗仁向蔣介石提交《談話記錄》，目的在索取權力，蔣介石既已答應了六條中的前四條，李宗仁覺得面子掙到，目的已基本達到。8 日，李宗仁飛廣州，繼續履行代總統職權。後來的事實表明，他仍然是個空頭，蔣介石並未交出任何權力，也並未"遁世遠引"，而是積極活動，多方安排，在作復職的準備。

蔣介石下野及其在大陸統治的終結

一、蔣介石的下野和引退

淮海戰役沉重地打擊了蔣介石的軍事主力，其日記稱："此為我黃河以南之主力，今已被殲，則兵力更形懸如。"[1] 所謂 "懸如"，就是空了、光了。

1948 年 11 月 30 日，蔣介石得知蚌埠形勢緊張之後，在漢口的白崇禧就 "到處煽動，準備異圖"。[2] 但他別無他法，只能於 12 月 8 日致電白崇禧，聲稱 "情勢日緊，兵力更見不足"，飭令其 "用最快方法"，將第 2 軍調到南京，"以濟燃眉之急"。[3] 對此，白崇禧拒絕。他對李宗仁說："老蔣的老本丟得差不多了。我們要老蔣下野，德公上台，和共產黨談和，以長江為界，長江以北讓共產黨去搞，長江以南由我們來搞。"[4] 12 月 24 日，白崇禧在漢口致電張群、張治中二人，請他們轉告蔣介石，聲稱人心、士氣、物力，均已不能再戰，"請停戰以言和"。電報提出：1. 先將真正謀和誠意轉知美國，請美國出面調處，或徵得美國同意，約同蘇聯共同斡旋和平。2. 由民意機關向雙方呼籲和平，恢復和平談判。3. 雙方軍隊應在原地停止軍事行動，聽候和平談判解決。電稱："京、滬、平、津尚在國軍掌握之中，迅作對內對外和談佈置，爭取時間。若待兵臨

1　《蔣介石日記》，1949 年 1 月 19 日。
2　《事略稿本》第 77 冊，第 648 頁。
3　《事略稿本》第 78 冊，第 084—085 頁。
4　李任仁《國民黨崩潰前夕的和談內幕》，《廣西文史資料選輯》第 4 輯，1982 年重印本。

長江，威脅首都，屆時再言和談，已失去對等資格，噬臍莫及矣。"[1] 此電通稱《亥敬電》。30 日，白崇禧再次通電，促蔣介石表態。電稱："當今之勢，戰既不易，和亦困難。顧念時間迫促，稍縱即逝。鄙意似應迅將謀和誠意，轉告友邦，公之國人，使外力支持和平，民眾擁護和平。對方如果接受，藉此擺脫困境，創造新機，誠一舉二兩利也。"他要求蔣介石"趁早英斷"。此電通稱《亥全電》。[2] 同日，河南省主席張軫與河南省參議會通電主張和平，進一步提出"懇請蔣總統下野"。湖南、廣西隨後通電回應。

1948 年除夕，蔣介石邀請李宗仁、五院院長及國民黨在京中央常委晚餐，蔣介石稱："我有一個文告，準備明天發表。"張群朗讀後蔣介石首先徵求李宗仁的意見，李稱："我讚賞總統的原則立場，沒有其他的意見。"其後，CC 份子即紛紛發炮，谷正綱慷慨激昂地說："總裁不能為謀和而下野，下野必導致人心渙散，士氣消沉，後果不堪收拾。"蔣介石說："我並不要離開，只是你們黨員要我退職。我所以願下野，不是因為共產黨，而是因為本黨內的某一派系。"[3] "某一派系"云云，矛頭直指桂系。

1949 年 1 月 1 日，蔣介石的元旦文告見報。他表示願意與中共"商討停止戰事，恢復和平的具體辦法"，聲稱："和平如果能實現，則個人的進退出處絕不縈懷，而一惟國民的公意是從。"當日，蔣介石舉行團拜，邀李宗仁到禮堂休息室談話，表示"當然不能再幹下去了。"4 日，蔣介石拜會李宗仁，要求李出面主持與中共進行和平談判，表示自己五年內不干預政治。

1 月 8 日，蔣介石與國民黨政治委員會秘書長張群談話，要他赴漢口與白崇禧談話，詢問："余如果引退，彼對於和平，究竟有無確實把握？"同時表示："余欲引退，必由自我主動。"在與白崇禧會面後，張群又從漢口飛到湖南長沙，聽取湖南省主席程潛的意見。1 月 9 日，白崇禧致函蔣介石，提出當遵中央方針，備戰謀和，運用外交，邀請美、英、法、德四國，擔任幹旋，同時利用第三方面人士向共方試探和談。10 日晚，張群回到南京，向蔣介石彙報，

1　程思遠：《白崇禧傳》，第 265 頁。
2　同上，第 266 頁。
3　同上，第 267 頁。

蔣介石得到的印象是，白崇禧希望自己"自動下野"之心更為迫切。[1] 其間，白崇禧致函蔣介石，主張"備戰以言和，不可講和而忘戰"，建議利用利用第三方面人士向共方試探其真實意向，同時建議將中共問題變為國際問題，將國共戰爭變為反共戰爭，藉以爭取國際援助。關於國內戰爭，他建議立即以何應欽為野戰軍總司令，統一指揮陸、海、空、勤各部，更提出："長江防務，望早部署。"[2] 1 月 11 日，蔣介石電復白崇禧，認為"此時我軍既處劣勢，外交運用，恐難有大效，要在吾內部團結，苦撐到底。"他提出"自立自助"，要求白崇禧"一本以往之精神，患難相共，始終不渝。"電稱："苟有一線和平之希望，吾人必竭盡一切方法以求得之。"但他表示，必須要有代價，這就是："中華民國之國體與法統不能變更，軍民生活必有保障，共產主義不能代替我三民主義。"電末，蔣介石表示："吾人今日皆成共匪之戰犯"，"一切犧牲在所不計，戰犯待戮，更甘受如飴矣。"[3]

1 月 12 日，蔣介石反覆思考自己進退的利害等問題，在日記中寫下罕見的長篇，計："堅定不退之預期結果" 5 項、"不退之希望" 5 項、"決定下野退職之原因" 5 項，反映出他思想活動的複雜與決策的艱難。14 日，蔣介石從廣播中聽到中共的和平談判條件，認為這是中共"毫無悔悟，暴力叛亂到底"的表現，桂系必將利用條件"脅我下野，以求投降"。15 日，蔣介石商討對中共所提條件的答復，決定暫不置答。17 日，蔣介石約宴中國民主社會黨、中國青年黨兩黨領袖張君勱、左舜生等人，聽取意見，認為張君勱等人的意見都有可以選擇採納之處，但邵力子主張"無條件投降，名為愛黨而實際賣黨，寡廉鮮恥，良心喪失已盡"。同日下午，蔣介石再與張君勱及張群談話，得知今日會議討論中共條件時，與會者對自己"誹謗批評甚多"，立法委員中有 50 多人致函行政院長孫科，要求政府派員迅速向中共求和，其中國民黨中央委員達 10 人之多。這些，顯然都出於蔣介石意料。蔣介石雖然認為這些都由於"桂系之指使"，反映出"黨務組織與黨員精神及其革命人格掃地殆盡"，但是，這麼多立

1 《蔣介石日記》，1949 年 1 月 10 日。
2 《事略稿本》第 78 冊，第 481—485 頁。
3 《"總統"蔣公思想言論總集》卷 37，別錄，第 381 頁。

法委員表現出來的政治傾向，卻使他感到"悲傷與絕望"，於是，"決心下野，重起爐灶"。[1]

1 月 21 日，蔣介石發佈引退書，聲稱自元旦文告發表以來，戰事仍然未止，和平之目的不能達到，"決定身先引退，以冀弭戰銷兵，解人民倒懸於萬一"，特依據憲法第 49 條，"由李副總統代行總統職權"[2]。發表後，蔣介石立即起飛，離開南京，到達杭州。日記云："只覺心安理得，感謝上帝恩德，能使余得有如此順利引退，實為至幸。"當晚入睡前，他對蔣經國說："這樣重的擔子放下來了，心中輕鬆多了。"[3] 22 日，蔣介石回到溪口，首先拜謁母親的墳墓，然後眺覽故鄉山水，做出一副怡然自得的姿態。他致電宋美齡稱：已安抵家鄉，"一切順利，如息重負，心地安樂"。[4] 然而，只過了一天，蔣介石的這種"安樂"生活就被來自北平的一則消息打亂了。

二、北平和平談判成功，
蔣介石丟失傅作義部 55 萬軍隊

1 月 23 日，新上任的"代總統"李宗仁打電話給蔣經國，聲稱傅作義已經與中共成立"休戰協議"，將在北平城內與中共成立辦事處，大部分軍隊均將調出郊外改編。這一消息完全出乎蔣介石的意外，他在日記中寫道："萬不料宜生（傅作義）怯愚至此，變節如此之速。"他自責"誠不識其人"，接著就慨歎"駐平中央部隊盡為其所賣"。但是，他覺得還是不能相信這條消息的可靠，要等待"今後事實證明"。

傅作義，字宜生，山西人，晉軍著名將領。曾參加辛亥革命、北伐戰爭。1928 年為抵抗奉軍圍攻，固守涿州達百日之久。1936 年發起百靈廟戰役，消滅綏遠日本偽軍。1947 年 12 月，被國民黨政府任命為華北"剿匪"總司令部總司令，下轄四個兵團，12 個軍，約 55 萬人，形成國民黨軍的另一個重要軍事

1　《蔣介石日記》，1949 年 1 月 16 日、17 日。
2　《"總統"蔣公思想言論總集》卷 32，書告，第 209—210 頁。
3　蔣經國：《風雨中的寧靜》，台北黎明文化公司 1974 年版，第 36 頁。
4　《蔣介石日記》，1949 年 1 月 22 日。

集團。1948 年 11 月，蔣介石擬任命傅作義為東南行政長官，將傅部調到華東地區。傅作義則主張"堅守華北"。他估計中共東北野戰軍至少三個月以後才能入關作戰，因此採取暫守平津，保持海口，擴充實力，以觀時局的方針，將北平、張家口、津沽劃為三個防區，構築碉堡群和城防工事，以與中共部隊相抗。11 月 17 日，中共中央軍委決定提早進行平津戰役。東北野戰軍火速隱蔽入關。29 日，中共華北軍區部隊和東北野戰軍先遣兵團包圍張家口、新保安，切斷傅部西逃之路，東北野戰軍主力則直插河北，包圍北平、天津、塘沽，切斷傅部海運南逃之路。

傅作義一面主張堅守華北，一面也在秘密和中共談判。11 月 17 日，傅作義口授，其女地下黨員傅冬記錄，交由《平明日報》編輯、地下黨員王漢斌以電報發出，函稱："傅參加了兩年多的'戡亂'，內心無時不在痛苦矛盾中。現已幡然悔悟，絕不願為反人民的戰爭再放一槍了。傅願將所指揮的幾十萬軍隊歸中共指揮，真誠地期望今後能在中國共產黨毛主席的領帶下，實現復興民族、統一國家的大業。請密派南漢宸（從 1936 年起充當中共與我父親之間的聯繫人）前來商談。"[1]電發，久無答復，12 月中旬，平津戰役打響，傅作義派崔載之為代表，同中共地下黨員李炳泉一起，到河北三河平津前線司令部，與東北野戰軍參謀長劉亞樓會談。1949 年 1 月 6 日至 10 日，傅作義再派周北峰、張東蓀到河北薊縣，同平津前線司令部領導人林彪、聶榮臻、羅榮桓、劉亞樓進行談判。這次談判有很大進展。雙方草簽《會談紀要》，提出了改編傅部國民黨軍的方案。同年 1 月 12 日，傅作義致電蔣介石，請示華北固守方案。蔣介石於 14 日復電稱：明日擬派空軍副總司令王叔銘來平"面告一切"。他聽說兩日來北平城內"已落炮彈甚多"，便要傅"在近郊選擇據點固守，勿使匪炮在射城內為要。否則不僅運兵為難，即運糧亦無法實施矣。"他叮囑傅："無論如何，必須用主力部隊在近郊出擊，凡城外十公里之範圍，毋使匪部活動，此為守城最小之限度也。"[2]但是，也就在 14 日，傅作義派鄧寶珊、周北峰作為全權代表，到通縣五里橋再次與林彪、聶榮臻等談判。15 日，東北野戰軍攻克天津，

1　傅冬：《我的父親傅作義將軍》，京華出版社 2008 年版，第 213—214 頁。

2　《蔣中正致傅作義電》，《蔣中正"總統"文物》，002-020400-00018-080。

國民黨軍天津警備司令陳長捷等被俘。16日上午，解放軍將陳長捷押到會場，與鄧、周二人見面。[1] 下午，雙方簽署《關於北平和平解決的初步協議》14條。19日，雙方代表在城內華北"總部"聯誼處，將協議正文增補為18條，附件4條，共22條。

12月24日，蔣介石命令空軍警告中共，必須允許國民黨軍隊由空運南撤，勿再阻礙，否則即對其作"毀滅性轟炸，不惜同歸於盡"。他又囑咐國防部長徐永昌電詢傅作義，為何不提空運要求，究有何用意；再囑參總謀長顧祝同，電令北平警備司令李文，指揮在平的中央各軍，積極準備戰鬥。25日上午，蔣介石正在琢磨，如何使在北平的國民黨軍隊通過空運南撤，聽說傅作義已與中共訂定條件，一月後將軍隊改編為人民自衛隊，而未提空運南撤之事，蔣介石斷定傅作義已經"出賣國軍，投降中共"，便在日記中大罵："萬不料傅之變節如此，是誠忘恩負義之不如矣！"[2] 午夜，蔣介石與王叔銘等研討，如何營救北平的國民黨軍隊，二小時後決定，派員攜蔣介石親筆字條，飛平對李文、石覺、傅作義等將領面授機宜。[3] 1949年1月18日，蔣介石派蔣緯國攜帶他的親筆信，飛到北平，聲稱"西安雙十二事變，上了共產黨的當"，"乃平生一大教訓"，現特派次子緯國"前往面陳"。傅作義當即婉言稱："請向總統致意，時至今日，一切全晚了。"蔣緯國連說："不晚，不晚。"他聲稱"千軍易得，一將難求，敬希總司令顧全大局。"傅作義則鄭重答復："我半生戎馬，生死早已置之度外，至於個人榮辱，更不在意。"又說："國家大局高於一切"，"只要對國家、民族有利，對人民有利，個人得失，何足道哉！"蔣緯國聽罷，無語回南。此際，美國總統杜魯門也派西太平洋艦隊司令白吉爾到北平，會見傅作義稱："今後美國將繞開蔣介石直接支援閣下。美國海軍將在中國的渤海、黃海、東海沿海，援助'華北總部'的部隊南撤。"傅作義答稱："我是地方長官，怎能接受貴國的援助呢？相信我們中國的事情自己會辦好。"據說，蔣介石曾直接致電傅作義，預訂18日派飛機到北平接走第13軍少校以上軍官，傅作義復電遵照辦理，但隨即通知解放軍平津前線司令部，屆時天天炮擊臨時修

1　張新吾：《傅作義大傳》，第348—349頁。

2　《蔣介石日記》，1949年1月25日。

3　《蔣介石日記》，1949年1月24日—26日。

築起來的天壇機場，使飛機無法降落。[1]

　　1月21日，傅作義在中南海勤政殿召開高級幹部會議，宣讀《關於和平解決北平問題的決議》，與會大多數人擁護。李文表示："當降將太對不起總裁。"他和另一將領石覺都說："我們是委員長的學生，不能留在這裏執行協議，要帶幾個師、團長飛回南京。"傅作義當即答應。[2]

　　1月28日為夏曆除夕，蔣介石與家人及張群、陳立夫等聚餐，喝屠蘇酒，長孫孝武嘻嘻談笑，也未能沖淡蔣介石心頭的憂愁。第二天為夏曆元旦，蔣經國全家及陳立夫、張群等人都來賀年，一同上山拜蔣母墓，然後下山到公園攝影，與蔣經國到各處各房敬祖，再到寧波蔣公祠遊覽。這些繁雜的禮儀活動也都未沖淡蔣介石心頭的憂愁。他可以明明白白地肯定，傅作義已經"投降"，在北平的國民黨軍被"出賣"了。他在"無可為力"的情況下還想"對傅責以大義"，盡可能地做點努力。當即做出六項決定，如前項不能達到時，則要求下一項：

　　　　甲、"中央各軍分途突圍，作九死一生之計"，"死中求生"。
　　　　乙、"先讓國軍空運南撤，然後和平交出北平"。
　　　　丙、"將中央軍各級官長空運南撤，而將全部士兵與武器交傅編配"。
　　　　丁、全軍交傅，而不交中共改編，蔣認"此為對傅最低限度之要求"。
　　　　戊、將師長以上各高級將領，空運南歸。
　　　　己、"轟炸北平"，與"匪、傅同歸於盡"。

　　蔣稱："當先作最後警告，散發傳單"。

　　以上前5項，逐項降低要求，至最後，實行第6項，威脅恐嚇，"轟炸北平"，"同歸於盡"。[3]

　　蔣介石一身提倡並服膺舊道德，所以最初他還希望對傅責以"大義"，希望舊的倫理觀念還能起點作用，但是，他沒有想到，傅作義一經起義，舊倫理的作用舊就沒有那麼大了。

1　張新吾：《傅作義大傳》，人民日報出版社2012年版，第350—351頁。
2　同上，第359—360頁。
3　《上星期反省錄》，《蔣介石日記》，1949年1月29日。

三、中共識破蔣介石、李宗仁的"和平"陰謀，渡江南進

還在 12 月 25 日，中共方面即宣佈頭等戰犯名單，第一批蔣介石、李宗仁、陳誠、白崇禧、何應欽、顧祝同等 43 人。1 月 4 日，新華社發表毛澤東所寫《評戰犯求和》，揭露蔣介石的求和是戰犯求和，其目的是保存國民黨和四大家族的統治法統與統治地位以及軍事力量。

1 月 14 日，毛澤東根據中共中央決議，發表對時局的聲明，批駁蔣介石的元旦求和文告，提出八項和談條件：

（一）懲辦戰爭罪犯；

（二）廢除偽憲法；

（三）廢除偽法統；

（四）依據民主原則，改編一切反動軍隊；

（五）沒收官僚資本；

（六）改革土地制度；

（七）廢除美國條約；

（八）召開沒有反動份子參加的政治協商會議，成立民主聯合政府，接受南京國民黨反動政府及其所屬各級政府的一切權力。

3 月 24 日，何應欽新內閣舉行就職儀式。決定派張治中、邵力子、黃紹竑、章士釗、李蒸為和談代表。第二天，李宗仁補充任命，以邵力子為首席代表。26 日，中共中央決定以周恩來為首席代表，林伯渠、林彪、葉劍英、李維漢組成中共和談代表團。[1] 3 月 29 日，張治中赴溪口，向蔣介石請示。蔣稱："本人業已引退，不便表示意見，今後和談大計由'李代總統'與'何院長'主持。"同日，行政院臨時政務會議指派張治中為首席代表。4 月 1 日，兩方代表團在北平開始和談。

事實上，3 月下旬，李宗仁和白崇禧都已派代表到北平和中共進行秘密談判。李所派代表為黃啟漢，白所派代表為劉仲容。中共中央決定"聯合李、

1　3 月 29 日，國民黨增加劉斐為代表；4 月 1 日，中共加派聶榮臻為代表。

白，反對蔣黨”，要白崇禧讓出湖北花園以北地區。毛澤東為此指示劉伯承和鄧小平，“當我軍到達河南信陽、武勝關附近時，如守敵南撤，不要攻擊或追擊；花園以南，孝感、黃陂、黃安等地區，暫時也不要去佔”，而要在東北主力到達後，“再通知白崇禧連同漢口、漢陽等地一齊有秩序地讓給我們”。[1] 4月4日，再次指示：“將來我軍進佔該線及武漢地區時用和平接受辦法，免遭破壞。”[2] 談判中，劉仲容傳達白崇禧的意見，政治可以過江，軍事不要過江。中共態度堅決：政治既要過江，軍事也要過江，而且很快就要過江。[3] 4月9日，白崇禧和黃啟漢一起到南京，聽取劉仲容的彙報後表示：“他們一定要過江，那仗就非打下不可了。”“過江問題為一切問題之前提，中共如在目前‘戰鬥過江’，和談的決裂，那就不可避免。”[4]

李宗仁和毛澤東之間也已有函電往來。4月7日，李宗仁致電毛澤東，說明自己主政以來的“誠意”和“決心”。8日，毛澤東復電李宗仁，說明“為著中國人民的解放好中華民族的獨立，為著早日結束戰爭，恢復和平，以利在全國範圍內開始生產建設的偉大工作，使國家和人民穩步地進入富強康樂之境，貴我雙方亟宜早日成立和平協定，中國共產黨甚願與國內一切愛國份子合作，為此項偉大目標而奮鬥。”[5]

談判自4月1日起在北平舉行。4月8日，毛澤東和周恩來在香山會見張治中，進行長談，毛稱：為了減少南京代表團的困難，可以不在和平條款中提出戰犯的名字。並說：和談方案先由中共方面草擬，拿出方案後談判就容易了。[6] 自本日起，毛澤東分別約見邵力子、黃紹竑、章士釗、李蒸、劉斐和南京代表團秘書長盧郁文談話。至4月15日，中共代表團提出8條24款的《國內和平協定（最後修正案）》，以張治中為代表的南京談判團表示可以接受。中共代表團要求南京國民黨政府在20日以前答復。20日晚，李宗仁、何應欽致電張治中，認為中共所提協定“不啻為征服者對被征服者之處置，甚於敵國受降

1 《毛澤東年譜》修訂本（下卷），第472頁。
2 《毛澤東年譜》修訂本（下卷），第475頁。
3 程思遠：《白崇禧在武漢》，《中國命運的大決戰》，《文史資料精華叢書》卷4，第128頁。
4 程思遠：《白崇禧傳》，第279頁；《中華民國史大事記》卷12，第8870頁。
5 《毛澤東年譜》修訂本（下卷），第478頁。
6 《毛澤東年譜》修訂本（下卷），第478頁。

之形式，形同最後通牒"，盼中共重新考慮。蔣介石得知後，在日記中寫下五項：甲項為徹底與持久剿共，不能再有和談；乙項為改組中央政治委員會，恢復黨政常軌；丙項為改組國防部；丁項為政府遷粵；戊項為遷粵後再改組行政院。日記並稱："應使政府不能再與共匪中途謀和，否則等於自殺。"[1]

國民黨政府既然拒絕接受中共給予的最後和平機會，4 月 21 日，毛澤東、朱德立即發佈向全國進軍的命令。從 20 日子夜起，第二、第三解放軍發起渡江戰役，在東起江陰，西至九江東北的湖口的漫長戰線上，強渡長江。22 日，蔣介石與李宗仁、張群、何應欽、白崇禧等在杭州緊急集會。李宗仁表示不能擔任艱巨責任，要求蔣介石復出，蔣介石堅決拒絕，聲稱不能再提此言。會後發表題為《團結反攻奮鬥到底》的公報：1. 政府今後惟有堅決作戰；2. 聯合全國民主自由人士共同奮鬥；3. 何應欽兼任國防部長，統一陸海空軍指揮；4. 加強國民黨之團結及黨與政府之聯繫。[2]

4 月 23 日，何應欽擔心京滬一線國民黨軍有被"節節截斷"，或"大包圍"的危險，建議下總退卻令。蔣介石認為除此以外，別無他法，表示完全同意。於是，南京完全撤空，連維持秩序的憲警都沒有留下。

同日，解放軍進入南京。5 月 27 日，進入上海。此前一天，蔣介石致電京滬杭警備總司令湯恩伯，要他對中外發表一份簡短宣言，大意云："此次（上海）剿共之戰，共匪被國軍消滅者，可數者足有 6 個軍以上，而其傷亡總數不下十萬人。"又云："國軍以打擊共匪之目的已經達成，而又不願我人民在市區內因戰禍遭受無謂之犧牲，故決定放棄在市區內戰爭，乃照預訂計劃，實行撤退，以期從事整補後再與共匪來決最後之勝負。"[3] 其實，蔣介石並不願意自上海撤退，兩天前，還曾指示蔣經國轉告湯恩伯："如能固守，仍不應撤。"只是因為當時上海已不能降落飛機，湯被迫在吳淞口的船上指揮撤退，蔣經國無法完成交給他的任務。[4]

1　《蔣介石日記》，1949 年 4 月 20 日。
2　《蔣介石日記》，1949 年 4 月 22 日。
3　《蔣中正致湯恩伯電》，《蔣中正"總統"文物》，002-010400-00013-012。
4　《蔣介石日記》，1949 年 5 月 24—26 日。

四、蔣介石力圖保住廣州

蔣介石、李宗仁等的杭州會議，重申"政府遷粵"，其實，這是早先就決定的事了。

解放軍進行的淮海戰役，嚴重威脅南京國民黨政府的統治，蔣介石坐不住了，於是，決定遷都——南遷廣州。1948 年 11 月 16 日，蔣介石就決定宣佈廣州為"陪都"。[1] 29 日，蔣介石召見中央政治會議秘書長張群和何應欽部長，商談遷都準備，談了很久。[2] 同日，蔣介石指示京滬線（南京至上海）以及長江兩岸的防務。30 日，蔣介石再次召見張群和總統府、行政院各秘書長，指示政府人員疏散及遷地辦公計劃。[3] 自然，這一切，必然引起人心惶惶、動蕩不安，於是，蔣介石又命令行政院做出決議，一面聲明決不遷都，以謊言安定社會，一面偷偷地準備疏散公務員及眷屬，議定非作戰機構在重慶、廣州兩地辦公的計劃。[4] 12 月 2 日，蔣介石致電宋美齡，告以徐州已自動放棄，20 萬大軍正向南壓迫包圍，蚌埠情勢穩定，已無危險，對長江與京滬線的威脅已經消除，並稱："今後決照預訂計劃進剿，只要匪不逃竄，必可獲得決定性之勝利。"[5] 這些自然都是謊話。人們很難相信，蔣介石對宋美齡都在說謊。12 月 6 日，蔣介石決定成立長江江防總指揮部，以湯恩伯為總司令負責。

1 月 25 日，行政院會議決議將政府遷至廣州，各機構陸續遷至廣州辦公。2 月 8 日部分立法委員在滬集會，決議仍在廣州復會，被蔣介石罵為"不知死之將至"，限於 2 月 14 日在廣州舉行復會式。2 月 10 日，蔣介石得到報告，國庫黃金 3880 萬兩已運到台北、廈門、美國等地，上海僅留存 20 萬兩，略感安慰。[6] 2 月 17 日，閻錫山秘密會見蔣介石，蔣批評李宗仁接受中共八項條件，"政府即若無條件投降"。2 月 19 日，在接見劉斐時也重申此意。他認為劉斐是白崇禧派來探視自己的，便故作不知，要劉轉告白："切勿任意反抗中央"。對

1　《事略稿本》第 77 冊，第 484 頁。
2　《事略稿本》第 77 冊，第 638 頁。
3　《事略稿本》第 77 冊，第 643 頁。
4　《事略稿本》第 77 冊，第 008 頁。
5　《事略稿本》第 77 冊，第 016 頁。
6　《周宏濤致蔣中正報告》，《蔣中正"總統"文物》，002-080109-00018-002。

李宗仁政府派遣邵力子、張治中、章士釗等人為代表到北平談判一事，蔣介石在日記中辱罵邵"對匪求和，廉恥道喪，政府之人格掃地殆盡"。[1]

李宗仁政府既然下令自京滬前線總退卻，自然，蔣介石在溪口也無法安居。

4 月 25 日，蔣介石告謁母親的墳墓後，即由慈庵出發，輾轉登上太康軍艦出海，視察浙江象山港。然後乘艦駛向上海，除指定各軍游擊根據地外，決定在廣州與廈門建築固守工事。26 日，蔣介石到上海復興島停泊，召集徐永昌、顧祝同、湯恩伯等高級將領登艦，決令廣州"作固守之準備，照預定方針固守上海、廈門、廣州各海口，與敵持久周旋"[2]。

7 月 14 日，蔣介石由台灣飛到廣州。15 日，蔣介石與李宗仁談話，只談了一小時，蔣介石很失望，日記云："只談不關緊要之事，始終避免談商正事，大失所望，更覺今後共事之難甚矣。只知權利而不知其他，又無知識者之難予相處，今後不知如何能精誠感召，以達成此行團結一致，共同救國反共之目的矣。" 16 日，國民黨召開中常會，蔣介石發表講話，"主張保衛廣州，以期由此轉敗為勝"。

7 月 20 日，蔣介石到廣州黃埔，召見綏靖公署主任、華南軍政長官余漢謀，聲色俱厲地問余："我將廣東交給你，望你建立反共基地，現在竟成為保庇共匪之淵藪。現狀腐劣，實為民國十五年來所未有。何以對總理與先烈？何以對黨國與職責？" 罵完後，蔣對余說："我決以生命保衛廣州，如你不願聽命，保此革命惟一根據地，則我願出而親自擔任保衛戰的指揮。" 余漢謀見狀，唯唯聽命。給蔣的印象"極強勉"。[3]

8 月 23 日，蔣介石再次從台灣飛到廣州，會見李宗仁、閻錫山，再約顧祝同及第 21 兵團司令官劉安祺等，面詢廣州部署實情。他發現顧祝同正命劉安祺部調防粵北，急令改正。30 日，國民黨廣州省黨部高信等人舉行"反共動員保圍華南大會"，攻擊參謀總長顧祝同，"名為攻顧（祝同），而實則毀蔣"，要求將台灣所駐國民黨軍隊及所存金全調廣州，這使蔣介石極為惱怒，在日記中指

1　《上星期反省錄》，《蔣介石日記》，1949 年 2 月 19 日。
2　《蔣介石日記》，1949 年 4 月 26 日。
3　《蔣介石日記》，1949 年 7 月 20 日。

斥其"不惜毀滅革命之根基,使之一無所存而後快"。[1] 9 月 8 日,蔣介石自重慶致電顧祝同並轉余漢謀,指示他們"保衛廣州革命根據地",聲稱此為"目前剿共軍事革命戰略最高指導原則",要他"集中現有駐粵兵力","萬不可再蹈保衛長江全線,放棄京滬重地,以致守江部隊幾乎整個被殲"的覆轍。[2] 同日,又致電劉安琪,重複前電,要他"切勿分割建制","免被各個擊破"。[3] 9 月 30 日,蔣介石召集會議,研討戰局,部署及保衛廣州計劃。

儘管蔣介石一心一意,曲盡心機,企圖守住廣州,並在與解放軍的決戰中取勝,然而畢竟大勢已去。10 月 2 日,中國人民解放軍第四兵團、第四野戰軍第十五兵團等部隊,一路向湖南衡陽到寶慶(邵陽)一線進攻,繼而解放東江兩岸和珠江三角州地區;另一路主力則沿粵漢路兩側南進,先後攻克曲江、英德等城,殲滅白崇禧部國民黨軍 4 萬 7 千餘人。10 月 14 日,解放軍佔領廣州。這一天,蔣介石正由浙江由定海起飛,返回台北。當他聽到廣州"放棄"的消息後,驚駭之至。日記云:"國政無主,中樞無心,其何能久?若輩只知爭權奪利,何能再望託其重任!"[4]

五、蔣介石力圖保住重慶

蔣介石在力圖保住廣州的時候,還力圖保住重慶。

8 月 24 日,蔣介石由廣州飛重慶,住入風景優美的林園。他覺得四川實在是"一片乾淨土地"。26 日,蔣介石寫下一詩:"蟋蟀爭鳴,不知秋深。天高氣清,快哉重慶。抗戰得勝,實只初慶。剿共果成,名符重慶。"他期望在重慶能重演抗戰時故事。28 日,蔣介石召見胡宗南,研討川陝戰局與西北今後戰略,自覺四川可以穩定,不必擔心中共自陝、甘來攻。大概胡宗南能說會吹,吹得蔣介石心花怒放,在日記中寫下"宗南實為將領中之麟角,可愛"的評語。8 月 29 日,蔣介石在重慶主持西南軍政會議,除雲南省主席盧漢未到,其

---

1 《蔣介石日記》,1949 年 8 月 31 日。
2 《蔣中正致余漢謀電》,《蔣中正"總統"文物》,002-020400-00029-054。
3 《蔣中正致劉安祺電》,《蔣中正"總統"文物》,002-020400-00032-011。
4 《蔣介石日記》,1949 年 10 月 14 日。

他川、黔、康各省主席與川、陝、甘及川、鄂湘各邊區將領以及胡宗南、宋希濂等人都到會。會議決定拒敵於川境之外，以隴南與陝南為決戰地帶。當時，在廣州的代總統李宗仁認為盧漢不穩，計劃對雲南用兵，改組省政府，以武力解決雲南問題，蔣介石認為兵力有限，交通困難，此時對雲南採取強硬手段並不恰當。9月6日，盧漢到重慶，會見蔣介石，要求新編6個師，發給兩千萬現款，蔣介石雖然手頭感到困難，不過認為"雲南實為國家存亡，革命成敗之最後關鍵"，還是決定給予"相當之滿意"。[1] 9月7日，閻錫山自廣州飛重慶，傳達李宗仁的意見，扣留盧漢，蔣介石仍不同意。8日，蔣介石約閻錫山、盧漢共進晚餐，談及民意機關的作用時，居然表示："所謂民主與憲政，其害國之大，竟如此也，誠悔莫及矣。"民主，是好東西，還是壞東西？這一段話，很能反映蔣介石的真實內心。

當日，蔣介石與西南軍政長官決定，發給盧漢"剿共經費"一百萬銀元。同日下午，盧漢返回雲南。9月11日，蔣介石高興地致函白崇禧，聲稱"雲南為今後反共之基地"，盧漢"已自動起而清共"。[2] 不過，盧漢回滇之後，並未如言反共，而是於1949年12月9日起義，將在昆明的國民黨軍官李彌和沈醉等人全部扣押，向毛澤東、朱德、周恩來發出《雲南起義通電》。

當時，國民黨人普遍估計，解放軍會自陝南進入川北，因此，在這一線上佈置重兵，解放軍也有意造成國民黨軍的誤判，使其重點防備北線，而在南線，則採取大迂迴、大包抄的辦法，隱蔽前進，首先攻擊貴州及四川東南的黔江、酉陽、秀山地區，從南方逼近重慶。這是蔣介石和國民黨人所沒有料到的。

11月14日，蔣介石發現，中共部隊已自湘西進入貴州馬場坪，逼近貴陽，同時，四川東南地區告警，宋希濂部不戰而潰，李宗仁則閃避桂林，不回重慶，政府形同瓦解，便由台北飛到重慶，與閻錫山會商。日記云："此次飛渝，乃為中華民國之存亡，全國人民之禍福唯一最後之關頭"，"實是存亡危急之秋"，到了自己"鞠躬盡瘁死而後已"的時候。[3] 他到重慶以後的第一件事便是

1　《蔣介石日記》，1946年9月6日、7日。
2　《蔣中正致白崇禧函》，《蔣中正"總統"文物》，002-020400-00032-026。
3　《蔣介石日記》，1949年11月14日。

致電李宗仁，要李來"共扶危局"。[1] 接著，便安排守衛重慶。17 日、18 日、19 日三天，蔣介石連續致電胡宗南，或要其即調第一軍，用最快方法於 25 日前車運重慶，或要求其將主力轉進成都平原。蔣介石知道，第一軍是胡的主力，不願輕易調用，但蔣稱："若惜此，而不願聽命調用，恐再無使用之時，實革命成敗，黨國存亡，歷史榮辱，皆在此一舉。"[2] 16 日，李宗仁來電，聲稱自己胃病復發，十二指腸流血，表示將在南寧休養數日，但蔣介石告以中樞決策刻不容緩，要李來渝休養。20 日，李宗仁託白崇禧攜 17 日函飛到重慶，向蔣報告已於本日赴港轉美檢驗身體，同時探詢美國對華的真實態度。蔣介石認為這是"臨危棄職"，不能被允許的行為；飛到英屬香港，更是大錯，"其將置國格於何地"！[3] 21 日，蔣介石和白崇禧談話，表示自己決不復職，李宗仁必須回渝，當面決定對內、對外大計，如此，則未始不可以贊同其出國。當日，蔣介石在日記中批評李宗仁"置國家與政府於不顧，完全為其個人之利害作打算，此種無恥無知之所為，實為國家羞也。"[4] 隨即派居正、朱家驊、洪蘭友、鄭彥棻飛港問病，勸李物色醫藥，返渝調養。又於 22 日致函監察院長于右任就近勸慰，相邀來渝。[5]

解放軍進入四川後，一步步逼近重慶。11 月 23 日，蔣介石致電胡宗南，要他親自來指揮重慶會戰。26 日，蔣介石再萌自殺念頭，他在日記中記載說："近日時有殉國問題盤旋於腦海之中"，但他認為"尚非絕望之時"。理由呢？據稱："全國軍民之生死皆繫於余之一身，只要一息尚存，此志不渝。何況大陸尚有殘破之西南，海洋尚有完整之台澎，只要此身一日不死，深信黨國必可由此身而再造、而復甦，其何可自殺了此一生，以自毀父母遺體，更何以上對一生眷愛之天父洪恩也。"[6] 蔣介石的反共有其頑強性。毛澤東說過："過去的剝削階級完全陷落在勞動群眾的汪洋大海中，他們不想變也得變。至死不變、願意

1 《蔣中正致李宗仁電》，《蔣中正"總統"文物》，002-020400-00029-123。
2 《胡宗南先生日記》（下），1949 年 11 月 19 日，台北"國史館"2015 年版，第 166—167 頁。
3 《蔣介石日記》，1949 年 11 月 20 日。
4 《蔣介石日記》，1949 年 11 月 21 日。
5 《蔣中正致于右任函》，《蔣中正"總統"文物》，002-020400-00032-130。
6 《蔣介石日記》，1949 年 11 月 26 日。

帶著花崗岩腦袋去見上帝的人，肯定有的，那也無關大局。"[1] 蔣介石的這頁日記表明，他就是毛澤東所批評的"願意帶著花崗岩腦袋去見上帝的人"。

11 月 27 日，蔣介石約見閻錫山、張群等，討論政府遷移地點。決定遷移西昌，先移成都辦公，蔣介石提議政府直接遷往台灣，在大陸設大本營，專為軍事機構，蔣介石親在大陸指揮。28 日，閻錫山將行政院遷至成都。11 月 29 日，解放軍攻至重慶近郊，市內一片混亂。午夜，蔣介石、蔣經國等赴機場宿營，道中，車輛擁擠，塞車數次，兩蔣等人只能下車步行，等車趕來時再上車。到機場後，當夜就住在中美號飛機上。30 日，人民解放軍佔領重慶，蔣介石等飛赴成都。

12 月 7 日，蔣介石決定政府遷移台北，大本營設西昌。成都設防衛總司令。8 日，蔣介石派張群赴雲南，會晤盧漢及李彌等將領，訓示必須確保雲南。12 月 9 日，盧漢起義，致電劉文輝等四川將領，建議活捉蔣介石。蔣介石遂於當晚飛返台北。至此，蔣介石在中國大陸的統治終結。

前人云：得民心者得天下。又云：順歷史潮流者昌，逆歷史潮流者亡。蔣介石一生，早年追隨孫中山革命，後來領導北伐，領導國民黨和國民政府抗日，和中共結成民族統一戰線，都是得民心的順應歷史潮流之舉，但是，他長期堅持反共，這就最大程度上逆反民心，逆反時代潮流，自然，無論個人怎樣努力，怎樣堅持，怎樣掙扎，等待他的只能是失敗的命運。

順應民心，順應歷史潮流，這兩條，應該為一切政治家銘記。

1　毛澤東：《介紹一個合作社》，1958 年 4 月 15 日。

國民黨為什麼丟掉了大陸？*

* 本文錄自《找尋真實的蔣介石：蔣介石日記解讀》（4），東方出版社 2018 年版，為燕山大講堂
第 214 期記錄。

抗戰勝利後，蔣介石為什麼從如日中天到迅速敗退台灣？

　　20世紀50年代開始，美國歷史學界就很熱烈地討論過這個題目。筆者今天只能夠從一個方面，也就是說從國民黨方面來進行分析。

　　1945年抗日戰爭勝利，那時應該是中國國民黨和蔣介石威望最高的時期，如果我們用一句中國成語來說，就是"如日中天"。那時的國民黨、那時的蔣介石，就好像太陽到了中午的天空。但是，就在國民黨、蔣介石如日中天，威望最高的時候，3年多，不到4年，蔣介石和國民黨就敗退到台灣。為什麼會出現這個狀況？這是歷史學家，也是廣大讀者、聽眾願意思考、研究的一個問題。

　　筆者首先要論的是，抗戰勝利，蔣介石的威望空前提升。羅家倫（北大學生，後成為國民黨的高級官僚）寫了一首詩《凱歌》："勝仗！勝仗！日本跪下來投降。祝捷的炮像雷般響。滿街炮竹，煙火飛揚。漫山遍野是人浪，笑口高張，熱淚如狂！向東望，看我們百萬雄師，配合英勇的盟軍，浩浩蕩蕩，掃殘敵，如猛虎驅羊。踏破那小小扶桑，河山再造，日月重光。勝利的大旗，簇擁著蔣委員長。我們一同去祭告，國父在紫金山旁。八年血戰，千萬忠魂，打出這建國的康莊。這真不負我們全民抗戰，不負我們血染沙場。"羅家倫這首詩寫在1945年8月15日，日本無條件投降後，寫的是當年中國人民為抗日戰爭勝利而歡呼的場景。從這首詩裏，我們可以看出當時蔣介石的威望，蔣受到全國人民擁護和歌頌的情況。

接下來，我想介紹蔣介石 1945 年 12 月的北京之行。1945 年 12 月，蔣介石到北京，受到熱烈歡迎，那時天安門城樓掛的是蔣介石的肖像，他在故宮太和殿前做過一次演講。那年 12 月 16 日，蔣介石的日記記載：“北風凜冽，今午為甚。到太和殿對北平全市中學生以上學校學生訓話，約二十分時，訓畢先往場中巡閱，先時學生尚有秩序，與其數人握手以後，其他學生皆離隊來前圍住，不能前進。余仍登壇答禮，正向西階步出時，未下階而學生擁擠上來以後，圍匝時緊，一時乃至不能吐氣。侍衛心慌，擁余向外而愈不能出，余欲立定亦不可得矣。如此擁進擁出，擁在一圈之內，足有一小時之久。此為從來所未有試嘗之滋味，青年之狂熱有如此者，能不為之感奮乎！”這段日記記載，蔣介石在太和殿前對學生講話後，受到學生包圍，被包圍得幾乎喘不氣來，在侍衛的幫助下，他“奮鬥”了一小時後才走出人群。

下面是 1945 年 12 月 18 日的日記，這一天蔣介石離開北平，他當時住在交道口附近，他說：“回寓已十一時半。沿途見小學生已鵠立道旁，心甚不安，乃展早出發，自安定門起，直至正陽門前之天橋，人民夾道歡送，重疊擁擠，其狂熱情態不減於前日之太和殿也。余何人斯？受民眾如此愛護，能不自勉以感謝上帝乎？”蔣介石當時受到北平民眾如此熱烈的愛護，因此很感動。

以上兩段日記反映出抗日戰爭勝利後蔣介石受到歡迎，被人民所擁護的情況。那麼，蔣介石和國民黨為什麼又迅速失敗，丟掉大陸，退守台灣呢？

國民黨丟掉大陸的速度很快，三四年的光景。其原因很多，可以做多方面、多角度的分析，這裏只能從國民黨的角度來做一點考察。

一是丟掉了農民。中國農民處於社會最底層，他們有兩個願望：一個是求溫飽，另外一個是求土地。蔣介石和國民黨想過要解決這兩個問題，想過減租和土改的問題。“耕者有其田”的口號是孫中山提出來的，“二五減租”是在 1925 年廣州召開的國民黨中央和各省區代表聯席會議的決定。1927 年國共分裂後，國民政府曾頒佈了一個《佃農保護法》，規定佃農向地主繳納的地租，不能超過總量的 40%。1930 年 6 月，國民黨政府又在《土地法》中規定，地租不能超過 375 ，在歷史上通常稱之為“三七五減租”。

1927 年年底至 1928 年年底，浙江省曾經打算執行"二五減租"政策，然而城鄉地主們群起反對，省政府主席張靜江也建議取消，國民黨中央派戴季陶調解，結果不了了之。抗戰勝利後，國民政府行政院於 1945 年 10 月通令，減免佃農應繳地租的四分之一，但實際執行的僅江蘇吳縣等少數縣份。國民黨也曾經設計過各種土地改革的方案，例如蔣介石曾設想在全國成立土地銀行，用"按揭"的方式解決農民的土地問題。但所有一切都只能停留在計劃、停留在空談的領域。

想學共產黨給農民分地，但遭地主反對，不了了之。1948 年 8 月，蔣介石思考過一個問題：為什麼中國共產黨的部隊打仗很勇敢，不怕死，而且每戰必勝？蔣介石讀毛澤東的著作，讀的是《中國革命戰爭的戰略問題》，蔣介石說他明白了，共產黨的軍隊為什麼打仗很勇敢，不怕死，是因為共產黨給農民分了土地，農民為了保衛勝利果實，就勇敢作戰。蔣介石覺得國民黨也可以學，所以蔣介石提出來要實行"耕者有其田"，要在收復區（這個地區原來被共產黨掌握，現在國民黨打回來了，收復了）學共產黨的做法，承認共產黨分給農民的土地所有權，承認共產黨給農民分地的成果，爭取農民。蔣介石不僅下了命令，而且在江蘇的蘇北選擇了幾個縣做試驗，做承認共產黨土地改革成果的試驗。但試驗區剛剛成立，地主們就群起反對，這個試驗區很快就不了了之了。

再看 1949 年 2 月 3 日蔣介石的日記，這一天，蔣介石從南京下野，回到故鄉浙江奉化，日記裏感慨："遊覽城鄉，可說鄉村一切與四十餘年以前毫無改革，甚歎當政廿年，黨政守舊與腐化自私，對於社會改造與民眾福利毫未著手，此乃黨政、軍事、教育，只重做官，而未注意三民主義之實行也。今後對於一切教育皆應以民生為基礎，亡羊補牢，未始為晚也。"這就是說，奉化鄉村跟 20 年前沒有變化。這時，蔣介石才反省他當年由於國民黨的守舊、腐化，沒有解決農民的土地問題。相反，中共在農村重視農民要求，滿足農民要求，土地革命時期，共產黨提的口號是"打土豪，分田地"，抗日戰爭時期提出"減租減息"，解放戰爭時期繼續進行土改。由於共產黨採取了這些政策和方針，所以農民參軍、支前，保衛勝利、翻身的果實。

二是丟掉了民族資產階級。抗戰勝利後，民族資產階級在外資和官僚資本的擠壓中艱難發展，戰後，中國資本總值約 142 億元，國家，包括官僚資本，佔 54%（抗戰之前只佔 32%）。在產業資本裏，官僚資本佔 64.13%，民族資本佔 24.66%。剛才講到，在戰後資本裏，一種屬於官僚私人資本，我們可以稱為豪門資本。例如宋氏家族的孚中公司，孔氏家族的揚子公司。還有一種是國家資本，如資源委員會所屬各企業，在生產量方面，電力佔 50%，石油佔 100%，鋼鐵佔 80%，中國紡織公司下屬的 85 家企業，棉布產量佔全國 74%。從這些數字來看，抗戰勝利之後發展起來的，一種是外國資本，另外一種是官僚資本，中國民族企業是處在被擠壓的狹小天地裏。傅斯年講過這樣一段話：「中國的國家資本糟的很多，效能兩字談不到的更多。推其原因，各種惡勢力支配著，豪門把持著，於是乎大體紊亂著、荒唐著、僵凍著、腐敗著。」國民黨的機關報《中央日報》也講：「我們應該查一查，黨內的官僚資本家究竟有若干？他們的財產從何而來？」在這種情況下，民營資本自然非常困難，當時有這樣兩句話：「生產不如投機，投機不如囤積。」到 1948 年，上海工業一直處於長期下降的局面。

　　國民黨當時有一個政策——限期收兌人民所有的黃金、白銀、外幣。國民黨政府規定，老百姓包括資本家在內，私人不能夠保存黃金、白銀，也不能保存外幣，所有保存的黃金、白銀、外幣都要賣給國家。這個政策首先打擊的是中國的民族資產階級。比如陳光甫，陳光甫在中國近代史上創辦了兩個非常有名的企業：一個是上海商業儲蓄銀行，第二個是中國旅行社。這兩個民族企業都是陳光甫創辦的。也可以看陳光甫的一段日記，1949 年 4 月 21 日，國民黨官員谷正綱受蔣介石委派到上海，召集上海資本家開座談會，那時國民黨政權已風雨飄搖，所以谷正綱提出「拼命保命，破產保產」——要求資本家拿出錢支持國民黨，挽救國民黨政權的溺亡。陳光甫日記寫道：「今日之爭非僅國民黨與共產黨之爭，可以說是一個社會革命。共產黨的政策是窮人翻身，土地改革，努力生產，清算少數份子——所以有號召，所以有今天的成就。反觀國民黨執政二十多年，沒有替農民做一點事，也無裨於工商業。」陳光甫總結國民黨執政二十多年，認為沒有替民族資產階級做一件好事。這次會開得很冷清，說話人不多。這是第二個原因，國民黨把民族資產階級也丟了。

三是大打內戰，經濟惡化，丟掉全民。第一，濫發貨幣，由於要打內戰，所以發了大量的貨幣，支持軍費的支出。如果說，1947年軍費佔國家財政預算60%的話，到了1948年就發展到68.5%。這還是一個虛假的數字，實際軍費佔到80%。所以到1947年國民黨法幣發行額，已經是戰前的3430倍。第二，物價狂漲。上海商店每2—3小時就要換一次標籤，更改價格。上海市議長潘公展說：“開了十天會，上海物價波動極大。十天比過去三個月漲得令人驚心。如米價，過去三個月漲了四倍，而這十天就漲了三分之一。”上海易主前夕，物價較1948年上漲11萬倍。1949年6月金圓券5億元才能兌換1塊大洋（官價）。第三，增加稅收。有人講：“物質方面的生活，簡直是無一不捐，無一不稅。現在大家都說，中華民國萬稅，我想即使沒有萬稅，千稅是有的。”所以，經濟上的惡化，把整個社會、全民都丟掉了。我們看一段蔣經國的日記：“一般的中產階級因為買不到東西而怨恨，工農因為小菜、蔬菜漲價而表示不滿。現在到了四面楚歌的時候，倘使不能堅定，很快就會崩潰。”《中央日報》的社論說：“國家弄成這個樣子，老百姓仍然裝著一肚子悶氣，人心喪盡，如何得了！”

第四個原因是國民黨的貪污腐敗，懲治無力、無效。從抗戰中後期開始，國民黨政權的腐敗情況就越來越嚴重，國民黨、蔣介石對這個問題不是完全沒有認識，也提出來要反貪污，甚至於也懲罰過一些貪污的舞弊官員。蔣介石在1942年8月16日的日記中寫道：“晚，見清泉、希聖與蔚文，批斥林世良（孔祥熙的親信）與許性初（與孔祥熙有關係）舞弊判決文，改重其刑，非此不足以昭信與立國，庸之（孔祥熙）只知包庇所部，而不知政治與法律之重要，可歎之至。”結果，蔣介石把林世良槍斃了。從這件事情看來，蔣介石、國民政府曾經想反貪污，也曾經想懲罰一些貪污的官僚，但碰到兩個人身上，蔣介石的反貪污就反不下去了。其一是孔祥熙（孔祥熙美金公債舞弊案）。抗戰中期（1942年左右）孔祥熙是行政院的副院長，財政部的部長，他發行一種公債叫美金公債，就是說，你可以用當時的通行貨幣（法幣）買，將來還本用美金來還。在發行美金公債的過程裏，有人檢舉孔祥熙有舞弊行為，蔣介石知道後命令軍統查，命令國民政府行政院查，蔣介石自己也查，查的結果確實證明孔祥熙有貪污舞弊行為，當時的檢察官表示，像孔祥熙這樣的貪污舞弊行為一定要懲辦，檢察官向蔣介石表示："我願意出面提起公訴，把孔祥熙交給法庭審判。"蔣介石日記裏最後寫了這樣一段話："晚，檢討中央銀行美債案，處置全案，即令速了，以免夜長夢多，授人口實，惟庸之之不法失德，令人不能想像也。"孔祥熙的貪污舞弊的嚴重情況，連蔣介石也想像不到。最後是怎麼處理的？讓孔祥熙自己辭職，他當時是行政院副院長、財政部長，是國民黨的高官，蔣介石讓他辭職，把他所有職務都免了，但並沒有把孔祥熙交付檢察院去審查、審判，也就是說大事化小，小事化了。

抗戰勝利後，國民黨的接收大員從重慶到南京、上海，搞"五子登科"，分別搶五樣東西：房子、車子、條子（金條）、票子（鈔票）、婊子（女人）。當時民間有一個民謠："盼中央、想中央，中央來了更遭殃。"在這種普遍貪污、腐敗的形勢下，蔣介石把他的兒子蔣經國派到上海解決經濟問題。

當時，孔令侃（孔祥熙的兒子，用今天的話說是"太子黨"）辦了一個揚子公司，有人告狀告到蔣經國那裏去說："你不能光打蒼蠅不打老虎。孔令侃是大老虎。"在這個情況下，蔣經國派人查封了孔令侃的倉庫。查封當天，蔣介石在北平得到宋美齡的電話以後，就匆匆忙忙跑到上海。當晚也寫了一段日記："對於孔令侃問題，反動派更借題發揮，強令為難，必欲陷其於罪，否則即謂經國之包庇，尤以宣鐵吾機關報專事攻訐為甚。余聲斥其妄，令其自動停刊。"宣鐵吾是蔣經國的親信，當時的淞滬警備司令，他支持蔣經國打老虎，所以他的報紙也在那裏揭發孔令侃。蔣介石很生氣，把宣鐵吾找來大罵一通，而且讓報紙停刊。

孔令侃案件揭發後，國民政府監察院派監察委員到上海調查，蔣介石給上海市長吳國楨打電報："關於揚子公司事，聞監察委員要將其開辦以來業務全部檢查，中正以為依法而論，殊不合理，以該公司為商營而非政府機關，該院不應對商營事業無理取鬧。如果屬實，可囑令侃聘請律師進行法律解決，先詳討其監察委員此舉是否合法，是否有權，一面由律師正式宣告其不法行動，拒絕其檢查。並以此意約經國切商，勿使任何商民無辜受屈也。中正手啟。"這就是說，監察委員要調查孔令侃囤積的不法案件，但蔣介石給上海市長打電報說，不能查。為什麼不能查？因為孔令侃不是公務員，不是政府機關人員，監察院沒有資格查。蔣介石這個電報實際上是抗拒監察院的監察，是在鼓動孔令侃對抗監察院。

　　一個是孔祥熙的案子，一個是孔祥熙的兒子孔令侃的案件，這兩個案件都被蔣介石壓下來了。當時，《中央日報》曾發表殷海光執筆寫作的社論《趕快收拾人心》，批判"豪門"貪財橫行。社論說："享有特權的人享有特權，人民莫可如何。靠著私人政治關係而發橫財的豪門之輩，不是逍遙海外，即是依勢豪強如故。"孔祥熙當時在美國，孔令侃在揚子公司被查封後不久也經香港去了美國。社論指認"豪門"為"人民公敵"，斥責國民黨和政府"甚至不曾用指甲輕輕彈他們一下"。社論說："革命與反革命的試金石，就看是走多數派的路線，還是走少數派的路線。如果走少數派的路線，只顧全少數人的利益權勢，那麼儘管口裏喊革命，事實上是反革命。"《中央日報》是當時國民黨的機關報，從剛才的社論裏，很難分清楚這些話和當時共產黨批判國民黨的言論有多大區別。也就是說，由於國民黨的腐敗、貪污情況得不到制止，特別是豪門受到包庇和保護，國民黨就把人民的希望、人民最後一點希望丟掉了。當時北平國民黨的高級司令官傅作義聽到這個消息後，講了兩句話："蔣介石愛美人（宋美齡），不愛江山，我們替他拼命幹什麼？"為什麼孔令侃得到包庇？因為孔令侃是宋美齡非常喜歡的一個孩子。在這個過程裏，宋美齡打電話，把蔣介石從北平調到上海，趕快處理這件事。所以傅作義很氣憤，講了上面兩句話。

　　第五個原因是一黨專政、個人獨裁。蔣介石早年就開始致力於"一個主義、一個黨"的宣傳和努力。1926 年 6 月 7 日，蔣介石在黃埔軍校演講說："俄國革命所以能夠迅速成功，就是社會民主黨從克倫斯基手裏拿到了政權。""什麼東西都由他一黨來定奪，像這樣的革命，才真是可以成功的革命。我們中國要革命，也要一切勢力集中，學俄國革命的辦法，革命非由一黨來專政和專制是不行的。"所以，蔣介石在他的一生裏，始終堅持一個黨、一個主義、一個領袖。

　　1944 年 11 月，美國總統羅斯福派了一個特別代表，叫赫爾利，到延安跟共產黨談判。毛澤東和赫爾利簽訂了一個協定，叫《延安協定》，其中一條是：

"現在的國民政府應改組為包含所有抗日黨派和無黨無派政治人物的代表的聯合國民政府，並頒佈及實行用以改革軍事政治經濟文化的新民主政策。"另外一條是，"軍事委員會應改組為由所有抗日軍隊代表所組成的聯合軍事委員會"。當年美國人為了把共產黨力量調動進來參加抗日戰爭，羅斯福在開羅會議上就跟蔣介石講："你們中國政府絕對不是一個現代化的民主政府，你們中國應該改造，改變成為聯合政府，要允許共產黨參加政府。"這是當年羅斯福的希望。所以羅斯福的代表到延安後簽協定，其中最重要的就是：建議國民政府變為各黨各派的聯合政府，建議國民黨的軍事委員會成為各個抗日軍隊的聯合軍事委員會。協定一共五條，是毛澤東起草的。

文件中，"中國國民黨政府主席蔣中正"下面，留下了空白，讓蔣介石簽字。下面一行是"中國共產黨中央委員會主席毛澤東"。筆者曾在台北的檔案館發現了這份英文原件，毛澤東在這個地方用毛筆寫下了"毛澤東"三個字，也就是說，毛澤東同意這個協定。"北美合眾國大總統代表"赫爾利在見證人一欄也簽了字。這就是說，成立各黨派的聯合政府，成立各個抗日軍隊的聯合軍事委員會，美國人和共產黨都同意。可當赫爾利離開延安到重慶後，要請蔣介石簽字時，蔣介石不簽。這個空白格始終沒有填上。

蔣介石對"一黨專政"是否有反思？在20世紀40年代中國共產黨曾長期尖銳地批判國民黨的一黨專政，民主黨派（中國民主同盟的民主人士）也尖銳地批判國民黨的一黨專制，蔣介石是不是完全無動於衷？不是，他在1944年12月20日的日記中寫道："如現在不死不活之黨務，只居一黨專政之惡名，而使黨政皆受惡劣滯鈍之影響，則不如早開黨禁，使其他黨派公開成立，如此，或使本黨在競爭中求得進步與發展也。"從這段日記來看，蔣介石在被罵、被批判為專制、獨裁、一黨專政後，受過影響，他想：與其被人家罵，與其蒙上一黨專政的惡名，何不開放黨禁，讓各個黨派合法？這樣大家一起競爭，還可以求得進步與發展。但這種想法只是曇花一現的認識，終其一生，蔣介石始終未能突破一黨專政的體制。

丟掉農民；丟掉資產階級；丟掉全民；貪污腐化；一黨專政、個人獨裁。這五個原因是國民黨丟掉大陸比較重要的原因。還是引用傅斯年一段話："古今中外有一個公例，凡是一個朝代、政權要垮台，並不由於革命勢力，而由於它自己的崩潰。”所以，國民黨丟掉大陸，有許多方面的原因，但其主要原因還在於國民黨和蔣介石自己。

以下為一些補充論述：

一、國共兩黨對政權爭奪的勝敗之別，是不是還有一個因素，這就是兩黨的黨員構成？國民黨從領袖到普通黨員，從立法者到政策制訂者大多數都受過完整教育，出國留學歸來；共產黨大多數是草根階級。這樣的對比是否說明精英政治在當時社會是脫節的？換句話說，是草根政治戰勝了精英政治？

筆者認為從國民黨的黨員構成的階級基礎來分析有道理，國民黨的黨員很複雜，恐怕是以官員、知識階層或者社會的中上層為主。共產黨黨員也有知識份子，但是我想主要構成是農民。蔣介石在抗戰時對於國民黨曾經有過一個改革計劃，想把中國國民黨黨名改一改，不叫中國國民黨，叫中國勞動國民黨。什麼人可以參加？第一種人是農民，第二種人是和農民有聯繫的人，第三種人是革命軍人。可見蔣介石並不是沒有認識黨員構成成分的重要，他認識到了，可做不到。國民黨有一個重要的特徵：紙上的文字可以很好，但執行力、實際貫徹執行的能力極低。儘管蔣介石想改黨名，但做不到。到台灣後，蔣介石做的第一件事是黨的改造，蔣介石在台灣搞了一個黨的改造運動。國民黨到台灣後黨的改造運動的計劃，講得很清楚，說要以吸收工人農民為主。這當然很好，可執行力很差。一直到現在，在台灣的國民黨也做不到以工人和農民為主。前面還提到，抗戰勝利以後蔣介石想反腐敗，如果看蔣的日記，多次講到必須反腐敗，而且要開展反腐敗的運動，可是說歸說，實際執行力、實際效果差，幾乎沒有人去做。這是國民黨的一個特徵——許多想法停留在計劃，停留在空談，停留在紙上，做不了，執行不了。

二、1945—1949年的內戰改變中國人的命運，也改變了兩黨的命運，國民黨在吸取內戰失敗教訓後，到台灣有什麼樣的改變或者進步？在大陸時他們做土改一直不能成功，為什麼在台灣做成功了，而且奠基了現在的現代政制？

筆者認為蔣介石在撤退大陸時就進行反思，撤退到台灣以後當然要更多的進行反思，反思的結果他寫過很多條，其中很重要的一條，認為之所以失敗，是因為沒有貫徹民生主義，所以他說，要把台灣建設成為貫徹民生主義的模範省。蔣介石到了台灣以後，做的第一件事是黨的改造，蔣介石想改變國民黨成員的階級構成。做的第二件事是土地改革。應該說，蔣介石在台灣做的土改是成功的，台灣土改的成功給後來台灣的經濟起飛打下了一個很好的基礎。為什麼蔣介石在大陸想搞土改，始終沒有搞成，到了台灣去為什麼搞成了？原因很多。有的原因是淺層次的原因，例如可以講，蔣介石1927年上台以後不斷的戰爭環境——開始跟共產黨打仗，後來跟日本人打仗，這是淺層次的原因；最根本原因在於國民黨的上層，國民黨的主要骨幹是地主、官僚、社會上層人士。國民黨的大官們、國民黨的骨幹們本身是地主，或者他們的親戚是地主，要土改必然會侵犯到這些人的利益。剛才提及，蔣介石在1948年讀毛澤東的《中國革命的戰略問題》，想到共產黨的兵打仗勇敢，是因為共產黨給他們分了土地。蔣介石說我也可以學，所以他曾下了一個命令，凡是收復區，要承認共產黨的土改成果。而且我還講了，蔣介石以蘇北的四個縣作為試驗區，也就是怎麼樣承認共產黨的成果。原來地是地主的，共產黨來了，把地給農民，國民黨回來後繼續承認這個地是農民的。可這個試驗區剛剛成立，地主不幹了。台北檔案裏存檔有許多地主給國民黨請願上書，其中說："我們這些地主，八年抗戰飽受顛沛流離之苦，抗戰以後我們又飽受共產黨鬥爭之苦，現在國民黨回來了，還要承認共產黨的土改成果？憲法怎麼寫的？憲法不是寫著：保護私有財產嗎？"地主這麼一叫，試驗區當然搞不下去。

國民黨在大陸土改搞不下去，一個原因是，國民黨的構成本身是地主官僚或者跟地主官僚、社會上層關係很密切的人，要土改，必然侵犯他們的利益，他們不幹。為什麼到台灣能做成功？國民黨對台灣當地來說是外來戶，是從大陸過去的，跟當地的地主沒有千絲萬縷的聯繫，改革台灣地主的土地，國民黨不心疼，所以能搞下去。另外，國民黨在台灣搞土改非常溫和、和平。怎麼搞？你是地主，你地多，把你多餘的地交出來，國民黨當局用公營公司的股票交換，你交地，我把股票給你。所以台灣地主交出土地不是無償的，而是拿到股票的。拿到股票後也有兩種情況：一種情況筆者稱之為傻頭傻腦的地主，把股票看成廢紙一張，扔了，送朋友了，賤賣了，等到台灣經濟起飛，股票飛漲，這部分地主就虧了，就覺得上了國民黨的當，吃了虧。還有一部分地主把股票留下來，等到經濟起飛以後，股票大賺特賺，所以台灣地主裏一部分擁護國民黨，另一部分反對國民黨。

三、國民黨失掉大陸與蔣介石的基督教信仰有沒有關係？

筆者認為蔣介石是一個基督教徒，而且是一個虔誠的基督教徒，虔誠到迷信的程度。比如東北戰場失敗，國民黨的兵吃了敗仗，慘敗，蔣介石找原因，找來找去就想：壞了，我參觀紹興大禹陵時曾對著大禹的偶像鞠了一躬，一定是上帝懲罰我。為什麼？因為基督教有一個規定：不拜偶像，偶像不能拜，一拜偶像就違反教規。所以他虔誠到迷信的程度。蔣介石早年學過馬克思主義，《共產黨宣言》他讀過，但蔣介石後來反對共產黨，走到馬克思主義的對立面，這或許跟蔣介石信仰基督教有關係。他在日記裏講，現在基督教講的是愛，要愛人，馬克思講的是恨人。一個講要愛人，一個講要恨人，他選擇愛人。當然要特別強調的是，蔣介石將馬克思主義簡單地歸納為"恨人"，這是不對的。這是蔣介石選擇基督教時的一種認識、一個考慮，對他有影響。

策劃編輯　李　斌
責任編輯　劉韻揚
裝幀設計　a_kun
書籍排版　何秋雲

找尋真實的蔣介石：
蔣介石及其日記解讀（五卷本）

IV

內戰再起與統治崩潰

著　　者　楊天石

出　　版　三聯書店（香港）有限公司

　　　　　香港北角英皇道 499 號北角工業大廈 20 樓

　　　　　Joint Publishing (H.K.) Co., Ltd.

　　　　　20/F., North Point Industrial Building,

　　　　　499 King's Road, North Point, Hong Kong

香港發行　香港聯合書刊物流有限公司

　　　　　香港新界荃灣德士古道 220–248 號 16 樓

版　　次　2022 年 6 月香港第一版第一次印刷

　　　　　2023 年 10 月香港第一版第二次印刷

規　　格　16 開（170 × 230 mm）368 面

國際書號　ISBN 978-962-04-4980-2（平裝套裝）

　　　　　ISBN 978-962-04-5005-1（精裝套裝）

　　　　　ISBN 978-962-04-4984-0（第四卷）